Peter Ensikat, 1941 in Finsterwalde geboren, studierte an der Theaterhochschule Leipzig. 1962 bis 1965 Schauspieler am Jugendtheater in Dresden, danach bis 1974 Schauspieler und Regisseur am Kindertheater in Berlin. Ab 1974 freischaffender Autor und Regisseur. Kabarett- und Kindertheaterautor seit 1960. Seine Kabarettstücke wurden von fast allen DDR-Theatern nachgespielt. Seit 1991 Gesellschafter und Autor beim Berliner Kabarettheater »Distel«.

Vollständige Taschenbuchausgabe Mai 1996
Droemersche Verlagsanstalt Th. Knaur Nachf., München

Umschlaggestaltung Graupner & Partner, München
Umschlagfoto Lichtblick Fotografie, Sabine Sauer, Berlin
Satz Ventura Publisher im Verlag
Druck und Bindung Clausen & Bosse, Leck
Printed in Germany
ISBN 3-426-60371-3

4 5 3

Peter Ensikat

Ab jetzt geb' ich nichts mehr zu

Nachrichten aus den neuen Ostprovinzen

Inhalt

Nachrichten aus der Provinz Leipzig

Nachrichten aus der Provinz Dresden

Satirische Texte aus Dresden

Nachrichten aus den feindlichen Bruderländern

Nachrichten aus der Provinz Berlin

Satirische Texte aus Berlin

Anstelle eines Nachworts

Vorwort

Wieso ich mich nicht mehr schäme

Mein Gott, wie viele schlechte Bücher sind schon geschrieben und gedruckt worden! Und von mir ist noch keines dabei. Das soll jetzt anders werden.

Wenn ich mich so in Deutschland-einig-Leseland umschaue, sag' ich mir mit ganz neuem Selbstbewußtsein, das in der DDR nicht getragen wurde, wenn die sich nicht schämen zu veröffentlichen, was sie so veröffentlichen, warum soll ich mich noch länger schämen? Nein, die Scham muß nun endlich abgelegt werden.

Was hab' ich mich früher geschämt, nur weil es bei uns zu Hause nie so ordentlich war wie in andrer Leute Wohnungen? Daß wir arm waren, mochte noch angehen. Arm waren viele, damals nach dem Krieg. Aber die meisten waren doch wenigstens ordentlich in ihrer deutschen Nachkriegsarmut. Und wie hab' ich mich später für dieses muffige, schmutzige, eingemauerte Ländchen DDR geschämt. Nur im Notfall, also meist nur an der Grenze, gab ich zu, aus diesem Land zu kommen. Nur so gefragt, sagte ich immer, ich käme aus Berlin, darauf hoffend, daß der Frager gar nicht wußte, daß es neben Berlin auch noch ein Ost-Berlin gäbe. Das hat sich geändert. Seit wir alle Ehemalige geworden sind, bestehe ich auf meiner Ostberliner Herkunft.

Aber stolz, nein stolz bin ich auch heute noch nicht auf das, wofür ich nichts kann – auf mein Herkommen. Ich war einmal sehr stolz, als man in einem Pariser Milchladen an

meinem unbeholfenen Akzent nicht sofort den Deutschen erkannte, der ich partout nicht sein wollte.
Ich hatte als Kind zuviel gelesen von dem, was Deutsche zuerst in Deutschland und später in der halben Welt angerichtet hatten. Als Deutschlands D-Mark dann ihren guten Klang hatte in der Welt, besaß ich nicht einmal dieses klingende Hilfsmittel für mangelndes Selbstbewußtsein.
Als ich zum erstenmal in Polen war, hütete ich mich, deutsch zu reden, aus Angst, man könnte in mir das erkennen, was ich nun einmal war und bin: ein Deutscher. In Polen hatte ja selbst die schlechte DDR-Mark damals ihren guten Klang, und was lebendiger Antisemitismus ist, erfuhr ich zuerst in Danzig. Da schämte ich mich gleich für die Polen noch mit, und es war kein Trost, daß es woanders auch so schlechte Menschen gab wie daheim. So weit heruntergekommen war ich erst im Jahre 1973, als ich mich mit dem Militärputsch in Chile über die Niederschlagung des Prager Frühlings tröstete. Die anderen waren ja auch Verbrecher. Wenn sowieso alle schlecht sind, zählt auch die eigene Schlechtigkeit weniger ...
Aber das muß man wohl einem erklären, der nicht aus der DDR stammt. Leute wie ich fühlten sich in einem lächerlichen Maße verantwortlich für alles, was ohne ihr Zutun, fast immer gegen ihren Willen in ihrem Lande geschah oder unterblieb. Aller Widerstand war verbal, damals, als das gesprochene oder geschriebene Wort noch gefürchtet wurde bei uns, als könnte man damit ein ganzes System verändern.
Und wenn einem gerade wieder etwas verboten wurde, dann glaubte man für Momente selbst an den eigenen Widerstand und daran, daß dieser Widerstand irgend etwas bewegen könnte. Aber wenn man draußen oder drinnen von einem Ausländer gefragt wurde, wie es sich denn mit dieser

oder jener Ungerechtigkeit verhielte, dann schämte man sich, daß man sie nicht verhindert hatte, druckste herum, zuckte ratlos die Schultern und beneidete die Leute, die da vor Mutlangen ihren Widerstand wenigstens öffentlich ausgesessen hatten. Auch wenn sie nichts verändert hatten, sie hatten doch immerhin vor aller Welt gezeigt, daß es in Westdeutschland diese ganz und gar undeutsche Zivilcourage gab.

Wer auf dem Ostberliner Alexanderplatz nur eine Haushaltskerze anzündete, wurde schon vor jeder Art Öffentlichkeit geschützt und festgenommen, bevor die Welt etwas von dieser mutigen Kerze erfahren konnte. Und Kerzen, die im Dunkeln bleiben, brauchte man gar nicht erst anzuzünden, meinte ich.

Ich weiß, andere dachten anders darüber, hatten vielleicht mehr recht oder doch weniger unrecht als ich. Auf jeden Fall aber hatten die meisten von ihnen irgendeinen Bekannten beim Westfernsehen, der das Kerzlein wenigstens filmte, damit es in der Tagesschau zu einer Nachricht würde. Mehr war das dann aber auch nicht. Die Folgen für den Kerzenhalter blieben fast immer im dunkeln. Ich schämte mich dafür, daß es so war, und schämte mich, daß ich keine Kerze angezündet hatte. Auch die gute Ausrede, mit so einer Kerze sowieso nichts auszurichten, half nur in Diskussionen, nicht aber, wenn man mit sich und seinem Schweigen allein war.

Nachrichten aus der Provinz Finsterwalde

Wieso ich nicht Katholik wurde

Wir Ostgeburten haben nicht nur eine sehr zweifelhafte Zukunft vor uns, wir alle haben gegenwärtig auch eine mindestens ebenso zweifelhafte Vergangenheit hinter uns. Irgendwie haben wir doch alle irgendwas mitgemacht, was wir heute gern vergessen möchten. Lieber vierzig Jahre nicht gelebt, als vierzig Jahre falsch gelebt.

Ich habe diese vierzig Jahre DDR – da hilft auch kein noch so schwaches Gedächtnis – vom ersten bis zum letzten Tage mitgemacht. Noch zum Schluß habe ich überall gesagt, mich müßten sie rausschmeißen, freiwillig würde ich die DDR nicht verlassen.

Pionier wurde ich schon zu einer Zeit, als das durchaus noch nicht selbstverständliche Pflicht war. In der kleinen Stadt Finsterwalde, in der ich damals wohnte, waren wir etwa sechs oder sieben »Gründungsmitglieder«. Pionier sein im damals noch wilden Osten, das war so etwas wie eine Mutprobe für uns. Wir wurden mehrmals verprügelt, und das bindet mehr als jeder Schwur.

In meiner Schulklasse war ich der einzige Heide. So nannte man im protestantischen Finsterwalde die Atheisten. Der zweite Außenseiter in meiner Klasse war Katholik. Es lag auf der Hand, daß wir beide Freunde wurden. Die Freundschaft hielt zwölf Jahre, die ganze Schulzeit über. Als wir uns vor einigen Jahren wiedersahen, hatten wir einander kaum noch etwas zu sagen.

Meine höchste politische Funktion war Mitglied der FDJ-Kreisleitung Finsterwalde. Ich war es nur kurz, aber ich war es freiwillig. Die Lehrer an der Oberschule hatten mich dazu wählen lassen, um von dieser FDJ in Ruhe gelassen zu werden. Das ging damals noch. Sie – meine Lehrer – hatten die Nazizeit in der kleinen Stadt einigermaßen unbeschadet überlebt. Die meisten von ihnen waren Sozialdemokraten und machten daraus kein Hehl. Was sollte ihnen nach zwölf Jahren Nazizeit noch angst machen? Sie standen fast alle kurz vor der Pensionierung, ihr beruflicher Ehrgeiz hielt sich also in für uns sehr angenehmen Grenzen.
Aus ihren politischen Haltungen machten sie im Unterricht kein Geheimnis. Mein Deutschlehrer schwärmte für Heine und die englische Politik, mein Lateinlehrer für Bismarck. Immer wenn er ihn zitierte, fügte er hinzu, daß er wohl wisse, daß man heute von Bismarck nichts mehr wissen wolle. Wir wußten auch kaum etwas von ihm, beziehungsweise nur das, was in unseren Geschichtsbüchern stand, und das war nichts Gutes.
Am 17. Juni 1953 waren wir, wie immer, wenn das Wetter schön war, in der Badeanstalt. Dort hörten wir von Freunden, daß auf dem Marktplatz sowjetische Panzer stünden, und daß in der Schraubenfabrik gestreikt würde. Wir packten sofort die Badehosen ein und liefen zum Markt. Unsere Eltern holten uns ziemlich schnell von der Straße. Zu Hause hörten wir im RIAS, was in Berlin geschah. Der RIAS war damals unser Tor zur Welt. Alle hörten ihn, obwohl oder weil das sozusagen verboten war. Und alle sprachen über das, was sie da gehört hatten.
Ich war zwar – wie gesagt – Heide, aber an eines glaubte ich damals ganz fest: Wenn ich einmal erwachsen wäre, wüßte ich, wer recht hat – die Russen oder die Amerikaner. Daß einer gut und der andere böse sein mußte, war mir völlig

klar. Nur wer von beiden was war, das wußte ich einfach nicht.
Mein Großvater, für den die Russen gut und die Amerikaner böse waren, schimpfte furchtbar auf den Westen, weil er dort sein Parteiabzeichen abmachen mußte, wenn er Zigaretten einkaufen ging. Überhaupt war drüben alles besser, nur das System war schlecht. So ungefähr erklärte man sich das Unbegreifliche.
Mein Großvater glaubte unerschütterlich daran, daß es keinen lieben Gott gäbe. Er war ein zutiefst gläubiger Atheist. Das trug dazu bei, daß ich unsicher wurde. Mein katholischer Freund erzählte ziemlich viel von seiner Kirche. Die katholische Gemeinde war winzig, aber viel aktiver als die vielen Protestanten, von denen man gar nicht so recht wußte, ob sie an Gott glaubten oder nicht. Der Religionsunterricht, an dem ich zuerst regelmäßig, dann nur noch unregelmäßig teilnahm, war ziemlich langweilig. Der katholische Kaplan aber hatte ein – damals kostbares – Tonbandgerät aus dem Westen und spielte seiner jungen Gemeinde Jazz vor. Das war schon deshalb so interessant, weil auch Jazz so gut wie verboten war.
Als ich im Krankenhaus lag, besuchte mich dieser Kaplan und schenkte mir eine Büchse Grapefruitsaft. Das machte mir den Mann noch interessanter. Katholiken hatten Tonbandgeräte und Grapefruitsaft und glaubten richtig an den lieben Gott. Ich beschloß, Katholik zu werden, und bat den Kaplan, mich zu taufen. Er war einverstanden, verlangte aber das Einverständnis meiner Mutter.
Meine Mutter aber war Atheistin wie ihr Vater, wenn auch nicht ganz so gläubig. Ich holte sie abends vom Geschäft ab – sie arbeitete gerade als Verkäuferin im staatlichen Schuhladen. Sie freute sich immer, wenn ich sie abholte, obwohl sie wußte, daß ich dann immer etwas von ihr wollte.

Was ich diesmal wollte, das wagte ich lange nicht zu sagen. Erst als sie mich kurz vor unserer Haustür fragte, was es denn diesmal sei, sagte ich ein bißchen zitternd, aber trotzig, ich wolle mich nun katholisch taufen lassen.
Sie sagte zuerst gar nichts, guckte nicht mal besonders erstaunt und sagte dann eher beiläufig: »Na, wenn du meinst.« Diese Antwort machte mich zutiefst ratlos. Ich wußte plötzlich gar nicht mehr, wieso ich überhaupt Katholik werden wollte, und blieb also bis heute ein ratloser Heide.
Da es damals Fernsehen noch nicht gab, man also gezwungen war, sich selbst zu beschäftigen, ging ich fast regelmäßig sonntags um zehn in den evangelischen Gottesdienst. Die protestantische Kirche hatte ich vor der Haustür, zur katholischen war es für Finsterwalder Verhältnisse weit, und so wichtig war ja die ganze Glaubensfrage für mich nicht mehr, seit meine Mutter mir erlaubt hatte zu glauben, was ich wollte.
Und so ist es geblieben. Meine Frau glaubt, daß sie glaubt. Ich glaube nicht, daß ich glaube. Wir haben uns nie darüber gestritten. Meine Kinder sind christlich erzogen, übrigens mit sehr unterschiedlichem Erfolg. Daß wir sie auch gegen ihren Willen in die Christenlehre schickten, hatte viel weniger mit Glauben zu tun als mit dem Zweifel an dem, was in der DDR sozialistische Erziehung genannt wurde. Die protestantischen Pfarrer, die ich kenne, erlauben es, am lieben Gott zu zweifeln. An der Partei durfte man in der DDR nicht zweifeln. Was Wunder, daß mir die Pfarrer näher waren als die Parteisekretäre. Aber so wie ich Pfarrer kenne, die selbst zweifeln, kenne ich auch Parteisekretäre, die schon zweifelten, als das in der DDR noch eine Todsünde war. Hoffen wir, daß es stimmt, was wir zu DDR-Zeiten sagten: Gott sieht ins Herz, nicht ins Parteibuch.

Von Josef W. Stalin, der immer so genannt wurde, weil Wissarionnowitsch so schwer auszusprechen ist, hörte ich zu seinen Lebzeiten wie von einem fremden, gottähnlichen Wesen. Ich wußte nur, daß er weise war und Pfeife rauchte. Als ich die Nachricht von seinem Tod im Radio hörte – das kann übrigens nicht im RIAS gewesen sein –, lag ich gerade auf dem Sofa und las irgendwas von Karl May. Die Radiomeldung klang, als wäre ein Leben nach Stalin kaum noch denkbar. Auch ich konnte mir nicht recht vorstellen, was nun folgen könnte.

Soweit ich mich erinnere, las ich aber doch erst mal ruhig weiter. Politik war für mich etwas Faszinierendes. Daß sie allerdings mit meinem Leben etwas zu tun haben könnte, war mir nicht vorstellbar.

Karl May faszinierte mich ja auch und hatte nichts zu tun mit dem, was ich wirklich erlebte. Wir spielten Indianer, ohne je zu vergessen, daß wir nur spielten. Und Indianer spielten zu jener Zeit Protestanten, Katholiken und Heiden noch zusammen. Jedenfalls in Finsterwalde.

Wieso ich kein Arbeiterkind war

Kurz nachdem ich geboren wurde, ist mein Vater Soldat geworden. Vorher war er Berufsberater, davor Erzieher in einem Schwererziehbaren-Heim – so nannte man das ja wirklich –, gelernt hatte er Mechaniker. Meine Mutter war Verkäuferin, dann – wegen fortgesetzten Kinderkriegens – Hausfrau und schließlich seit 1949 wieder Verkäuferin. Alleinstehend, weil der Vater ihrer Kinder irgendwo in Rußland lag, war sie seit 1943.

Wie wichtig der Beruf der Eltern für uns DDR-Kinder auch dann noch sein konnte, wenn wir das Elternhaus schon verlassen hatten, erfuhr ich 1959, als ich zur Theaterhochschule nach Leipzig kam. Dort mußte ich einen Antrag auf Stipendium ausfüllen. Stipendium bekamen alle, aber in unterschiedlicher Höhe.

Und über die Höhe des Stipendiums entschied nicht etwa das Einkommen der Eltern, sondern das, was man bei uns die Herkunft nannte. Arbeiterkinder bekamen damals hundertneunzig Mark, die anderen nur hundertvierzig Mark. Ich gehörte zu den anderen, weil meine Mutter als Verkäuferin Angestellte war und mein Vater – zuletzt als Berufsberater – eben auch nicht mehr ein toter Arbeitervater, sondern nur ein toter Angestelltenvater war.

Daß meine Mutter als Verkäuferin viel weniger verdiente als jeder, auch ungelernte Arbeiter fiel nicht ins Gewicht. Nun muß ich allerdings zugeben, daß mir meine Herkunft erstens höchst egal, und sie zweitens eher kleinbürgerlich als proletarisch ist. Hundertneunzig Mark war schon nicht besonders viel Geld, aber hundertvierzig noch viel weniger. Zum Glück hatte mein Bruder damals in Berlin als Karikaturist schon einen Namen und verdiente einigermaßen. Er glich also aus, was mir, unserer unreinen Herkunft wegen, der Staat weniger gab. Fünfzig Mark schickte er mir monatlich, ohne dafür irgendwelche Dankbarkeit zu erwarten oder zu erhalten.

Über solche Selbstverständlichkeiten, nämlich daß der, der mehr hatte, dem, der weniger hatte, abgab, wurde in unserer Familie nicht gesprochen. Wenn mein Bruder mal vergaß, mir das Geld zu schicken, mahnte ich ihn ohne alle Skrupel, und er entschuldigte sich dann bei mir für seine Säumigkeit. Das hielt ich so lange für normal, bis ich in besser verdienende Kreise kam, in denen man sein Geld zusammenhielt.

Das Wort Arbeiterkind aber war in der DDR so etwas wie ein Ehrenname. Der Staat nannte sich ja auch am liebsten Arbeiter-und-Bauern-Staat. Daß man Kinder einfacher Leute mehr fördern sollte als die wohlhabender, also meist auch gebildeter Eltern, leuchtet mir heute noch ein. Chancengleichheit ist uns schließlich ganz und gar nicht angeboren. Sie muß geschaffen werden.

Wenn man nach jahrhundertelangem Patriarchat Frauen nicht besonders fördert, also auch bevorzugt in Ausbildung und Beförderung, wird man nie erreichen, was nun auch mein mir noch etwas neues Grundgesetz verlangt – die Gleichstellung von Mann und Frau nämlich.

Die Gnade der männlichen Geburt segnet den so Geborenen nach wie vor mit so ungleichen Vorteilen, daß der Gesetzgeber ungerecht sein muß – ich sag' lieber müßte –, um etwas mehr Gerechtigkeit herzustellen. Aus DDR-Erfahrungen aber weiß ich, wie wenig gute Gesetze an einer längst nicht so guten Wirklichkeit zu ändern vermögen. »Unsere Gesetze sind auf seiten der Frau, aber die Gewohnheiten sind älter.« Das hab' ich mal als Motto über einen Text zur Gleichberechtigung geschrieben, als diese DDR sich so frauenfreundlich gab.

In der ganzen DDR-Regierung gab es nur eine Ministerin, die Frau des Partei- und Staatschefs nämlich. Und im SED-Politbüro spielten zwei Kandidatinnen die Ausnahmepüppchen in der sonst rein männlichen Bauchtanzgruppe. Frauen wurden durch Gesetze in der DDR in mancher Hinsicht bevorzugt, gleichberechtigt, also gleichgestellt, waren sie durchaus nicht.

Aber zurück zum Arbeiterkind, das bei uns so besonders förderungswürdig war. Die meisten Parteioberen rühmten sich ihrer proletarischen Herkunft. Von Wilhelm Pieck wurde immer wieder gesagt, daß er Tischlersohn oder selbst Tischler gewesen war. Ich habe inzwischen manche proletarische Einzelheit meiner verblichenen Vorbilder vergessen. Von Honecker weiß ich noch sehr genau, wie gern und oft er sich seiner Dachdeckervergangenheit rühmte, so kurz sie auch gewesen sein mochte.

Nun war aber inzwischen eine Funktionärsgeneration herangewachsen, die ihre proletarischen Wurzeln allenfalls noch bei Groß- oder Urgroßeltern nachweisen konnte. Sollten deren Kinder nun aber wie ich Verkäuferinnensohn schlechter gestellt sein als ein beliebiges Bauarbeiterkind? Da auch die Logik parteilich war in der DDR, ernannten sich parteilogisch die Funktionäre der Arbeiter-und-Bauern-Partei zu Parteiarbeitern. Schon waren deren unschuldige Söhne und Töchter Arbeiterkinder per Dekret. Sie kamen also in den Genuß des Privilegs, bevorzugt zum Abitur zugelassen zu werden oder zum Studium, und hatten das Recht auf

höhere Stipendien. Kurz, sie genossen alle parteilichen Vorteile, mit denen im Sozialismus der natürlichen Ungleichheit unter uns Zeitgenossen begegnet wurde.
Das an sich ja gar nicht falsche Prinzip – Förderung, ja Bevorzugung Benachteiligter – wurde zur Farce, wie ja der ganze DDR-Sozialismus eher an eine Sozialismusparodie erinnerte als an den Versuch einer Alternative zur bürgerlichen Gesellschaft. Die Tragödie des Sozialismus ist es wohl, daß schon so viele Parodien existierten, bevor auch nur ein originaler Versuch unternommen wurde wie etwa in Prag 1968. Ich gebe zu, daß ich auch nicht weiß, wie das Original aussehen könnte, kann mir ohnehin nur Annäherungen vorstellen.
Ich war sechzehn oder siebzehn Jahre alt, als ich Feuchtwangers *Narrenweisheit* las und dort den für mich geradezu ketzerischen Gedanken fand, es wäre immer gefährlich, ja tödlich für eine Idee, wenn sie in die Tat umgesetzt würde. Aber alles, was ich damals und später in der DDR erlebte, bestätigte diesen beunruhigenden Gedanken.
Die reine Lehre sollte in Büchern bleiben, denn im Kopf von Realpolitikern kann sie sich nur zur gesellschaftlichen Katastrophe oder – wie im Fall DDR – zur Farce entwickeln. Wie viele menschliche Katastrophen in so einer Farce geschehen konnten, das beginne ich erst langsam und mit abwehrendem Erschrecken aus Akten wahrzunehmen, die diese Farce hinterlassen hat, wohlgemerkt nicht nur aus Stasi-Akten.
Und ich habe in dieser Farce mitgespielt, funktioniert in diesem geschlossenen System, auch wenn ich mir einbildete, zur Opposition zu gehören, weil ich immerhin widersprach. Ich kann für mich nicht in Anspruch nehmen, mich verglaubt zu haben. Das immerhin hätte ja mit Schuld nichts zu tun. Ich habe wider besseres Halbwissen, denn manches

konnte ich nicht wissen, manches habe ich aber auch nicht wissen wollen, mich eingerichtet und ein normales Leben zu führen versucht in einer als anomal erkannten Gesellschaft.

Jetzt bin ich mir allerdings unsicher, ob ich nicht schon wieder dabei bin, mich einzurichten und in einer ganz anders anomalen Gesellschaft das fortzusetzen, was ich in der DDR begonnen habe – ein ganz normales Leben.

Wieso ich Finsterwalde nicht mochte

Daß ich ausgerechnet in Finsterwalde zur Welt kam, hat seinerzeit nur meinen Großvater gestört. Er nahm meiner Mutter zeitlebens übel, daß sie nicht nach Berlin gekommen war, um mich zur Welt zu bringen. Mein Großvater war zwar zu verschiedenen Zeiten Mitglied verschiedener Parteien, aber an einer Überzeugung hielt er doch sein Leben lang fest: Richtige Menschen werden nur in Berlin geboren.

Von ihm erfuhr ich also zuerst, daß mein Geburtsort ein Makel wäre, den ich mein Leben lang im Ausweis mit mir herumtragen müsse. Zu diesem Geburtsfehler kam es, weil mein Vater kurz zuvor in die kleine Stadt in der Niederlausitz versetzt worden war. Wenig später wurde er Soldat und nach Rußland versetzt. Seit Anfang 1943 galt er als vermißt.

Wir blieben in Finsterwalde, ohne so recht zu den Einheimischen zu gehören. Etwas heimischer wurden wir erst, als die Umsiedler nach dem Kriege kamen. Sie waren noch fremder, gehörten noch weniger zu den Einheimischen. Und sie waren noch ärmer als wir. Anfangs waren sie in Sammellagern untergebracht. Sie wurden ähnlich geliebt wie Sammellagerbewohner heute.

Außer dem allgegenwärtigen Hunger hatte ich als Kind nur ein wirkliches Problem: Ich wollte sein wie alle. Daß mir das nie so recht gelungen ist, lag zunächst an meiner Mutter.

Sie weigerte sich, am Wochenende den Finsterwalder Tagesrhythmus einzuhalten. Mittagessen zum Beispiel gab es bei uns sonntags irgendwann, jedenfalls nie zu den ortsüblichen Zeiten zwischen zwölf und eins. Also kam ich meist zu spät oder gar nicht auf den Sportplatz, wo sich alle meine Freunde selbstverständlich jeden Sonntag trafen.
Das nahm ich meiner Mutter sehr übel. Aber sie sagte nur, daß ich ja nicht zum Essen bleiben müßte. Das war seelische Grausamkeit. In diesen brotlosen Nachkriegszeiten auf eine Mahlzeit verzichten ... Nein, lieber wurde ich, was ich nie sein wollte – Außenseiter.
Später wurde das mit meinem Außenseitertum noch schlimmer. Das war aber nicht mehr die Schuld meiner Mutter. Ich kaufte mir, wenn ich mal Geld hatte, nur Bücher und las mehr und anderes, als in Finsterwalde üblich war. Mein Spitzname war Professor, obwohl ich nicht mal eine Brille trug.
Ich erinnere mich, daß ich zu Zeiten meiner Mitgliedschaft in der FDJ-Kreisleitung dort einmal ernsthaft gerügt wurde, weil ich immer mit Büchern unter dem Arm durch die Stadt lief. Ich wollte wohl etwas Besonderes sein, fragte man mich.
Nein, in Finsterwalde war man lieber nichts Besonderes. Ich wollte das auch bestimmt nicht sein. Daß es keine Schande wäre, anders zu sein als die anderen, erfuhr ich erst auf der Oberschule von meiner Klassenlehrerin. Müttern glaubt man so etwas ja nicht. Diese Lehrerin war selbst ziemlich anders als die anderen und schon deshalb nicht sehr beliebt. Daß ich sie so besonders gern hatte, begriffen meine Mitschüler nicht. Sie war klein, streng und hatte Ansichten, die man in Finsterwalde einfach nicht hatte.
Und sie war alleinstehend, ohne Witwe zu sein. Ihr Mann – »Salonkommunist der ersten Stunde«, wie sie sagte – war

nach kurzer, steiler Ostkarriere in den Westen gegangen. Er hatte sie wohl einfach sitzenlassen. Ausgerechnet sie, die auch zu Zeiten, als das nur von Vorteil war, nicht Kommunistin wurde, blieb im Osten.
Dabei haßte sie Finsterwalde aus tiefstem Herzen. 1932 war sie als Studienreferendarin (ich glaube, so hieß das damals) in die Stadt gekommen, wollte dort rasch ihre zwei Pflichtjahre hinter sich bringen, um danach nach Dresden oder München zu ziehen. Da in der kleinen Stadt bekannt war, daß sie Sozialdemokratin war, bekam sie zu Nazizeiten Arbeitsplatzbindung und durfte ihren Wohnort nicht mehr wechseln.
Nachbarn, die dann auch zu DDR-Zeiten ihre Nachbarn blieben, hatten sie kurz vor Kriegsende noch angezeigt, weil sie »Feindsender« hörte. Sie war im Gefängnis und hatte nach dem Krieg zunächst vor allem einen Wunsch – sie wollte, daß die kleinen Nazis ihrer neunten Klasse ordentliche Menschen werden, denkende also.
Als sie dann später meine Lehrerin wurde, gab es natürlich in Finsterwalde längst keine Nazis mehr. Denn auch die Hauptstraße hieß ja nicht mehr Adolf-Hitler-Straße, nicht einmal mehr Stalin-Straße wie gleich nach dem Krieg, sondern ganz antifaschistisch Ernst-Thälmann-Straße. Den Finsterwaldern übrigens schien der Straßenname immer gleichgültig gewesen zu sein. Sie nannten ihre Hauptstraße nur Berliner Straße.
Auch der faschistische Heldenhain, unser Rodelberg am Rand der Stadt, hieß für uns nur Tellerberg, obwohl er inzwischen vom Stalin- zum Lenin-Hain geworden war. Die Stadt Finsterwalde jedenfalls ging mit jeder neuen Zeit und blieb dabei doch immer die alte. Es würde mich durchaus nicht wundern, wenn die Hauptstraße inzwischen Konrad-Adenauer-Straße hieße.

Frau Hurm, so hieß meine Lehrerin, galt in Finsterwalde als eingebildete Ziege, weil sie nicht richtig grüßte. Sie war nämlich stark kurzsichtig, zu eitel, eine Brille zu tragen, und erkannte die Leute auf der Straße einfach nicht. Um ihrem schlechten Ruf entgegenzuwirken, grüßte sie jeden, den sie doch erkannte, schon von weitem und sehr laut. Mir war das manchmal peinlich, weil ich doch gelernt hatte, Erwachsene als erster zu grüßen.

Ich trug ihr zweimal in der Woche die Briketts aus dem Keller, und dann blieb ich meist ein paar Stunden zum Quatschen. Fürs Kohlenraufholen bezahlte sie mich so gut, daß mir das peinlich war. Aber wenn ich das sagte, wies sie mich zurecht. Sie hätte schließlich genug Geld. Und einmal sagte sie den unerhörten Satz: »Mit meinem Geld erkaufe ich mir schließlich auch deine Zuneigung.«

Sie sagte überhaupt viele Sachen, die man – jedenfalls in Finsterwalde – nicht sagte. Auch mir sagte sie manchmal durchaus nützliche Unfreundlichkeiten. Wenn ich längere Verkettungen widriger Umstände erfand, um zu entschuldigen, daß ich mal wieder vergessen hatte, zum Kohlenraufholen zu kommen, dann fragte sie zum Beispiel, warum ich denn lüge. Meine Phantasie sollte ich besser für anderes nutzen. Nicht aus moralischen, sondern aus praktischen Gründen empfahl sie mir, lieber mal schnell eine unerfreuliche Wahrheit zu sagen, als mich in meinen unendlichen Erfindungen zu verlieren.

Als ich gerade achtzehn geworden war und kurz vor dem Abitur stand, behielt mich mein Schuldirektor nach dem Unterricht allein zurück. Er war Luftwaffenoffizier gewesen, dann als Kriegsgefangener der Russen Mitglied des Nationalkomitees Freies Deutschland geworden, und nun war er in der SED. Ihn fürchteten nicht nur wir Schüler, sondern auch mancher Lehrer. Ich weiß nicht, ob zu Recht

oder zu Unrecht. Jedenfalls galt er als sehr streng und linientreu.
Er meinte – freundlicher, als er sonst war – für mich wäre es an der Zeit, in die Partei einzutreten. Schließlich wäre ich doch FDJ-Sekretär, und die Partei brauchte junge Genossen. Ich bekam einen furchtbaren Schreck, stotterte irgend etwas Unzusammenhängendes, worauf er sehr geduldig sagte, ich müßte mich ja nicht sofort entscheiden. Wir könnten in den nächsten Tagen ja noch mal darüber reden.
Zu Hause gab es kaum politische Gespräche. Für meine Mutter war der Alltag als alleinstehende Mutter von drei Kindern unterhaltsam genug. Aber daß einer von uns in die Partei eintrat, ging wohl doch zu weit. Von den wechselnden Parteizugehörigkeiten meines Großvaters hatte meine Mutter immer mit leiser Verachtung gesprochen. Sie war nicht gegen die DDR, aber auch nicht für sie. Sie war für ihre Kinder. Das war Engagement genug.
In der Grundschule hatten wir gelernt, daß wir im besseren Teil Deutschlands lebten. Draußen erlebten wir immer wieder, daß viele Freunde und Bekannte diesen besseren Teil verließen, weil es ihnen im schlechteren Teil besserging. Und von meinen Lehrern an der Oberschule hörten wir viel Kritisches über unseren besseren Teil. Im Gegenwartskundeunterricht etwa – so hieß das politische Fach damals – diskutierten wir das Potsdamer Abkommen unter besonderer Berücksichtigung der Punkte, die in der DDR nicht eingehalten wurden. Nein, so recht »parteilich« war in der Oberschule meine Erziehung nicht mehr.
Also, ich lief von der Schule direkt zu Frau Hurm, klingelte Sturm, als wäre die Partei mir schon auf den Fersen, und stotterte schließlich: »Frau Hurm, ich soll in die Partei.« Sie schloß erst mal die Tür hinter mir, verlangte, daß ich ihr die Hand gäbe, und dann sollte ich versprechen, daß ich nie in

eine Partei eintreten würde. Das erleichterte mich erst mal. Aber was sollte ich denn sagen, wenn der Direktor mich wieder fragte? »Natürlich die Wahrheit – du bist nicht reif.« Der Satz war so wunderschön einfach und ehrlich, daß ich ihn noch sagen konnte, als man mich später am Theater immer mal wieder zu werben versuchte. Später fand ich dann selbst einen nicht weniger einfachen und ehrlichen Satz: »Ich könnte doch nie Parteidisziplin üben.«
Ohne meinen Genossen Großvater, den ich im übrigen sehr liebte, weil er mich auch gern hatte, und ohne Frau Hurm wäre ich damals vielleicht doch eingetreten, schon weil ich so schlecht nein sagen kann.

Wieso ich Kabarettautor wurde

Daß ich Schauspieler wurde, ist nicht meine Schuld. Ich wollte immer Journalist werden. Wohl um mir das auszutreiben, gab mir meine Mutter regelmäßig die *Lausitzer Rundschau* zu lesen, das Organ der Bezirksleitung Cottbus der SED. Der Eindruck war so stark, daß ich bald erkannte, Journalist wäre für mich wohl doch nicht das richtige.

Da ich später sowieso ein berühmter Schriftsteller werden würde, war es ja auch fast egal, welchen Beruf ich pro forma vorher lernte. Notfalls konnte ich ja auch Deutsch- und Französischlehrer werden. Meine Lehrer rieten zwar fast alle von ihrem Beruf ab, aber Lehrern glaubt man sowieso nicht alles.

Eines Tages las meine Mutter in jener *Lausitzer Rundschau,* daß am benachbarten Senftenberger Stadttheater Eignungsprüfungen für die Leipziger Theaterhochschule abgenommen würden. Das wäre doch vielleicht etwas für mich ewigen Faxenmacher. Mein erstes Theatererlebnis war zwar der *Vetter aus Dingsda,* aber so abschreckend wie die *Lausitzer Rundschau* kann er nicht gewesen sein. Und notfalls konnte ich ja immer noch Lehrer werden.

Aus mir heute unerfindlichen Gründen bestand ich nicht nur die erste Eignungsprüfung in Senftenberg, sondern auch noch eine zweite in Leipzig und schließlich sogar die Aufnahmeprüfung für die Theaterhochschule. Klar, daß ich

ab sofort nie einen anderen Wunsch hatte, als Schauspieler zu werden.
Inzwischen hatte ich auch fast alle großen Aufführungen in Brechts Berliner Ensemble gesehen, die mich tief beeindruckten. Ich meinte von nun ab, mit Theater die Welt verändern zu können. Zwar hieß die an der Leipziger Theaterschule herrschende Gottheit noch Stanislawski, und Brecht war eher der Hausteufel, aber wenn man die Welt verändern könnte, dachte ich, müßte man doch auch so eine Theaterhochschule verändern können. Ich ließ mir also die Haare so schneiden, wie ich es auf Brechts Fotos gesehen hatte, und begann meine oppositionelle Tätigkeit. Nachdem ich als Oberschüler schon so viel Kästner gelesen hatte, daß ich ihn bis aufs Komma kopieren konnte, lernte ich nun, Brecht zu kopieren. Es gelang mir sogar, die Stimme der Weigel so täuschend nachzumachen, daß ich zumindest im Hörspiel die Mutter Courage hätte geben können. Auch Moissi lernte ich nachzuahmen. Aber so etwas galt damals noch nicht als Kunst, nicht einmal Kabarettkunst, allenfalls als Studentenulk. Hätte ich damals schon gewußt, wie weit man es als Stimmenimitator auf der Kabarettbühne bringen kann, ich hätte dieses Talent nicht so achtlos verkümmern lassen.
Ich war ein braver, durchaus mittelmäßiger Schauspielschüler. Aber das Mittelmaß war ja schon zu DDR-Zeiten das wirklich herrschende Maß aller Dinge. Wenigstens da mußten wir für die Marktwirtschaft nicht umlernen.
Brechts Theorien übrigens kannte ich damals besser als seine Stücke. Mit einigen Freunden inszenierte ich in meiner Studentenbude Becketts *Endspiel,* eigentlich um zu beweisen, was das doch für ein Unsinn wäre. Der Erfolg, den wir mit unserer einmaligen und internen Aufführung bei einem Treffen aller DDR-Schauspielschulen hatten, irritier-

te mich so sehr, daß ich mich sofort und gründlich mit den Absurden zu beschäftigen begann. Beckett war praktisch verboten in der DDR, und das machte ihn natürlich doppelt interessant. Bevor ich aber auch Becketts Ton so richtig erfaßt hatte, daß ich ihn hätte kopieren können, fragte mich ein Mitstudent – Peter Sodann –, ob ich nicht auch mal etwas schreiben wollte, was man gebrauchen könnte.
Sodann bewunderte ich vor allem wegen seiner Respektlosigkeit, mit der er aller Welt und besonders unseren Schauspiellehrern begegnete. Er konnte – besser als wir anderen – Ulbricht imitieren, und den hatten wir schließlich alle irgendwie drauf. Aber so was galt, wie gesagt, nur als Studentenulk. Sodann aber hatte ein richtiges Studentenkabarett gegründet, den »Rat der Spötter«.
Seine Mitspieler kamen fast alle von der journalistischen Fakultät in Leipzig, kannten offensichtlich nicht die *Lausitzer Rundschau,* denn sie waren, obwohl sie doch Journalisten in der DDR werden wollten, alle ähnlich respektlos wie Sodann. Das zog mich an, und dann war da natürlich die Chance, meine Texte auch einmal aufgeführt zu sehen. Der Weg vom Studentenkabarett zum Weltruhm schien mir damals sehr kurz.
Zunächst aber mußte ich mithelfen, den Keller auszubauen, in dem die Aufführungen stattfinden sollten. Es war eine ziemlich wilde Baustelle. Ob jemals eine Baugenehmigung eingeholt worden war, weiß ich nicht mehr. Ich glaube, ich wußte damals nicht einmal, daß man so eine Genehmigung brauchte.
Wir waren allesamt ziemlich linke Revoluzzer, die in der DDR endlich einen richtigen Sozialismus machen wollten, vor allem einen, der Spaß machte. Und das meinten wir sehr ernst. Wie gut oder wie schlecht das Kabarett war, das wir da machten, weiß ich nicht mehr. Aber es machte Spaß, und

wenn unsere fünfzig oder sechzig Zuschauer nur so richtig lachten und klatschten, glaubten wir, der Weltveränderung schon ein ganzes Stück näher gekommen zu sein.
Ich war stolz dazuzugehören und nannte mich ab sofort Kabarettautor, nicht ahnend, daß das so ziemlich das Unwichtigste ist, was man am Kabarett sein kann. Von all meinen Texten kann ich mich nur noch an einen erinnern, den ich auch längst vergessen hätte, wenn er nicht in Gerichtsakten aufgetaucht wäre. Aber das ist schon wieder eine andere Geschichte.

Wieso man uns alles erklären konnte

Jedes Schulkind in der DDR lernte frühzeitig, daß die Welt erklärbar wäre. Es genügte, eine wissenschaftliche Weltanschauung zu haben. Dafür brauchte man die Welt selbst gar nicht zu sehen, die richtige Weltanschauung erwarb man innerhalb der Grenzen der DDR. Schon das Schulkind lernte Antworten, bevor ihm die Fragen dazu eingefallen waren. Die Mauer war ein antifaschistischer Schutzwall und also erklärt. Wer sie trotzdem in Frage stellte, dem fehlte es an der erwähnten wissenschaftlichen Weltanschauung, mit der allein man alles richtig sah.

Fragen, auf die es noch keine offiziellen Antworten gab, waren einfach falsch gestellt. »So steht die Frage nicht«, sagte man, und dann wurde die Frage so lange umgestellt, bis sie zu den zuvor gefundenen Antworten paßte. In besonders kritischen Zeiten wurde jede kritische Frage mit der herzigen Gegenfrage beantwortet: »Bist du für den Frieden?« Wer hätte gewagt, diese Frage zu verneinen? Und weil man für den Frieden war, hatte man die zum Ehrenkleid ernannte Uniform der Nationalen Volksarmee anzuziehen und diesen Frieden mit der Waffe in der Hand zu verteidigen. So einfach war das.

Aber obwohl alles so einfach war, wurde es doch immer und überall wieder erklärt. Den Genossen unter uns wurde die Welt im Parteilehrjahr erklärt, den Mitgliedern der Freien Deutschen Jugend, also etwa 98 Prozent aller DDR-Jugend-

lichen, im FDJ-Studienjahr. Die Gewerkschaft schulte ihre Mitglieder, alle Massenorganisationen veranstalteten Schulungen, auf denen immer wieder dieselben Fragen mit denselben Antworten versehen wurden. Manchmal war auch – so nannte man das – eine neue Frage herangereift, etwa ob man den DDR-Bürgern das Westfernsehen denn wirklich verbieten könnte. Die verblüffend revolutionäre, neue Antwort auf diese neue Frage aber lautete: »Nein, aber um so mehr müssen wir unsere ideologische Arbeit verstärken.«
Ideologische Arbeit aber bedeutete noch mehr Schulungen, noch mehr Versammlungen, um den Leuten wenigstens die Zeit fürs Westfernsehen zu rauben. Ganze Berufszweige waren mit nichts anderem befaßt, als den Leuten ihr Weltbild zu erklären, natürlich streng wissenschaftlich.
Ich lernte bereits als sehr junger Pionier, zu einer Zeit, als all mein Bewußtsein vom Hunger bestimmt war, was Kommunismus wäre. Mein Geschichtslehrer, der vorher Bäcker gewesen war, hatte eine sehr einfache und schon deshalb wunderbare Erklärung gefunden. Im Kommunismus könnte jeder von uns einfach zum Bäcker gehen und sich soviel Streuselschnecken einpacken lassen, wie er wollte. Streuselschnecken aber waren für uns damals die größten aller käuflichen Delikatessen. War es ein Wunder, daß ich nur zu gern an diesen Kommunismus der unbegrenzten Streuselschnecken glauben wollte?
Ein nicht ganz so leichtgläubiger Mitschüler zweifelte damals bereits an diesem versprochenen Backwarenparadies. Er meinte, so viele Streuselschnecken könnten gar nicht gebacken werden, wie wir essen wollten. Aber der Lehrer wußte auch hierauf eine überzeugende Antwort. Nach den ersten Bauchschmerzen würden wir schon so vernünftig

sein, nicht mehr Streuselschnecken zu verlangen, als uns guttäten.

Die späteren, mehr wissenschaftlichen Erklärungen, die uns vermittelt wurden, sprachen von der gesetzmäßigen Entwicklung vom Niederen zum Höheren. Mit dem Wort von der Gesetzmäßigkeit aller menschlichen und gesellschaftlichen Entwicklung entzog man jede Behauptung auch dem leisesten Zweifel. Der Sozialismus mußte einfach gesetzmäßig siegen, das beruhigte auch den ängstlichsten Zweifler. Schließlich hatte auch der Kapitalismus gesetzmäßig über den Feudalismus gesiegt. Da mußte man sich also gar keine Sorgen machen.

Der realpropagierte Sozialismus unterschied sich dadurch vom versprochenen Kommunismus, daß es in ihm noch nach Leistung gehen sollte, während im Kommunismus allein die Bedürfnisse bestimmen sollten – also doch Streuselschnecken für jedermann, bis alle Bäuche platzen. Da das aber in so bildhafter Vereinfachung absurd klingt, erfand man eine ganze Sprache, die die primitive Streuselschnecke zur wissenschaftlich fundierten, objektiven Gesetzmäßigkeit formulierte.

Diese Sprache der Partei wurde überall dort gesprochen, wo sich mehr als fünf DDR-Bürger versammelten, und gedruckt stand sie in allen »Materialien der Partei«. Das Zentralkomitee der SED veranstaltete etwa halbjährig ein Plenum, und die Materialien jedes dieser Plenen (so hieß unser Plural) waren für jeden Genossen »Anleitung zum Handeln«. Das hieß, jeder hatte zu wiederholen, was im jeweils letzten Plenum von der Partei beschlossen worden war. Als die Partei auf einem Plenum beschlossen hatte, die Robotertechnik zu entwickeln, geschah das unter anderem durch einfache Umbenennung. Jeder Halbautomat wurde zum Vollautomaten, jeder Vollautomat zum Roboter erklärt, und schon war geschehen, was in unseren Losungen stand: »Was die Partei beschloß, wird sein.«

Eine wichtige Rolle in der wissenschaftlichen Aneignung unserer Wirklichkeit spielten die Losungen. Als das Fleisch knapp geworden war, stand überall: »Fisch auf jeden Tisch.« Als in der DDR zu viele Eier produziert worden waren, gab man die Losung aus: »Nimm ein Ei mehr.« Alle Welt lachte über unsere Losungen. Ich lachte auch, aber eigentlich schämte ich mich eher dafür, daß mich erwachsene Leute für so dumm hielten, an solche Losungen zu glauben. Ganz bin ich diese Scham auch in der neuen Demokratie nicht losgeworden, wo ich jetzt lesen kann »Freiheit statt Sozialismus«, was in etwa der Alternative »Kartoffeln statt Brot« entspricht.

Die neuen Dummheiten sind vielfältig, die alten waren nur einfältig, also leichter zu durchschauen. Und wir haben sie ja auch durchschaut. Immer wenn so eine neue Losung auftauchte, fragte jeder jeden: »Für wie blöd halten die uns eigentlich?«

Eine Frage, die ich übrigens in letzter Zeit bei jeder zweiten Nachricht aus Bonn wieder höre.

Aber zurück zur DDR. 1965 befaßte sich das elfte Plenum der Partei mit Fragen von Kultur und Kunst. Der Kunstbegriff der Parteiführung entsprach in etwa dem, was Onkel Willy aus Posemuckel schon immer gesagt hat: »Ich hab' zu Hause genug Sorgen, da brauchen die mit ihrer Kunst nicht auch noch zu kommen.« Kunst hatte die Menschen zu erbauen, die schönen Seiten des sozialistischen Lebens zu zeigen und Probleme nur dann zu behandeln, wenn sie gelöst waren. Für die Satire bedeutete das, lachend von den Fehlern der Vergangenheit Abschied zu nehmen. Alles andere war Nörgelei.

Auf jenem elften Plenum wurden – das hatte Seltenheitswert

– Namen genannt. Die negative Erwähnung Stefan Heyms beispielsweise kam einem Berufsverbot gleich. Denn die »Materialien der Partei« hatten amtlichen Charakter. Aber nicht nur Künstlerinnen und Künstler wurden von der Partei gemaßregelt, auch die Petroleumlampe als Symbol kleinbürgerlich-westlicher Denkweise geriet in den Verdacht, vom Klassenfeind ins ganz und gar elektrifizierte Sozialismusbild eingeschleust zu sein.

Ich war damals Schauspieler am Berliner Kindertheater, wo es natürlich auch Schulungen gab. Uns die Weisheiten des elften Plenums näherzubringen, erschien Karl-Eduard von Schnitzler. Er hielt sich nicht auf bei Heym oder Biermann, er kam direkt auf die Petroleumlampe zu sprechen. Wörtlich sagte er: »Gegen eine Petroleumlampe in einem Film wäre ja nichts zu sagen, aber wenn in drei Filmen zehn Petroleumlampen auftauchen, dann ist das mehr als bedenklich.«

Ich erinnere mich so genau daran, weil ich nicht begreifen konnte, wieso da niemand lachte. Vermutlich war ich der einzige, der Herrn von Schnitzler zuhörte. Denn das war auch eine Besonderheit des DDR-Schulungswesens – die da geschult werden sollten, leisteten zwar keinen Widerstand, aber sie schliefen und kamen so von jeder Schulung gestärkt zurück an die Arbeit. Insofern hatte jede Schulung auch einen Sinn.

Als ich später bei der *Distel* als Autor arbeitete, wurde ein Philosoph zu einer unserer Autorenbesprechungen eingeladen. Er beklagte, daß zu jener Zeit – es war wohl Mitte der siebziger Jahre – in DDR-Filmen soviel gestorben würde. In einem der so tiefgründig kritisierten Filme hatte sogar eine der dargestellten sozialistischen Persönlichkeiten Selbstmord begangen. Als ich ihm entgegnete, daß sich auch mir bekannte sozialistische Persönlichkeiten von Tod

und Selbstmord bedroht fühlten, gab der Philosoph das sogar zu. Da aber die marxistische Philosophie noch keine befriedigende Antwort auf die Frage des Todes gefunden hätte, sollten sich auch die Künstler zurückhalten in der Darstellung des ungelösten Sterbeproblems.
Daß ein Kommunist im Kampf um eine bessere Welt starb, das sollte ruhig dargestellt werden, da es der historischen Wahrheit entspreche. Daß aber Kommunisten in dieser besseren Welt, in der wir ja nun nachweislich lebten, sterben könnten, war im sozialistischen Menschenbild nicht vorgesehen. Schon in den Geboten der Jungen Pioniere stand nicht nur, daß diese Pioniere gut lernen, sondern auch, daß sie fröhlich sind. Und wo schon die Kinder so fröhlich sein sollen, kommen die Veteranen aus dem Lachen gar nicht mehr heraus.
In ihrer Selbstdarstellung war die DDR ein Land des Lächelns. War die Situation besonders ernst, dann berief man sich bei uns auf den historischen Optimismus. Das führte zu jener schlechten Laune, für die wir DDR-Bürger schon bekannt waren, bevor uns die Bundesregierung zu ganz neuem Optimismus ermunterte. Eine Kinderzeitschrift bei uns hieß *Fröhlich sein und singen,* auch kurz und liebevoll *Frösi* genannt. Wenn ich heute in die Verlautbarungen der Bundesregierung zum Aufschwung Ost beziehungsweise zum Solidarpakt schaue, fühle ich mich manchmal an diese fröhliche Kinderzeitschrift erinnert.
Und als mir neulich ein leitender Herr der Berliner Treuhand erklärte, wie wunderbar der Markt doch alles regele, fühlte ich mich an die Streuselschnecken meines Geschichtslehrers erinnert. Ich mag an keine Wunder mehr glauben, seit mir so viele ganz logisch erklärt worden sind, ohne daß auch nur eines von ihnen eingetreten wäre.
Die Entwicklung vom Niederen zum Höheren – ich bezweif-

le, daß der Übergang von der Urgesellschaft zur Sklavenhaltergesellschaft ein Fortschritt war. Was aber den unbestreitbaren technischen Fortschritt angeht, so hat dazu Tucholsky im Jahre 1932 alles in einem Satz gesagt: »Man sollte gar nicht glauben, wie gut man auch ohne die Erfindungen des Jahres 2500 auskommen kann!«

Wieso ich nie bei der Stasi war

Daß ich nie für die Staatssicherheit gearbeitet habe, verdanke ich unter anderem meiner Mutter. Sie hatte nur wenige Prinzipien, aber eines war für sie unumstößlich, und wir Kinder bekamen es immer wieder zu hören: Gepetzt wird nicht. Es ist wohl nicht alles falsch, was altmodisch klingt.
Ehrlicherweise muß ich aber hinzufügen, daß mich der Staatssicherheitsdienst auch nie um meine Mitarbeit gebeten hat. Mein Bruder erzählte mir vor kurzem, wovon er früher nie gesprochen hatte – ihn hätten die Genossen von der unsichtbaren Front, wie sie sich selbst gern nannten, mehrmals angesprochen. Schließlich habe er gesagt, daß er sich selbst für sehr ungeeignet halte, weil er so schwatzhaft wäre. Er würde seiner Frau immer alles sofort erzählen. Daraufhin ließen sie ab von ihm.
Mit der eigenen Schwatzhaftigkeit zu drohen, darauf mußte man erst kommen. Das Wort Dekonspiration war mir als totalem Geheimdienstlaien bis zur Wende unbekannt. Überhaupt hielt ich Geheimdienst für eine Art spätpubertären Indianerspiels. Spätestens nach der Pubertät hatte ich allen Spaß am Indianerspiel verloren.
Mein Freund Ostberg, den wir alle nur Ossi nannten, als wir noch nicht ahnen konnten, daß wir alle mal so genannt werden würden, wurde auch einmal sehr intensiv geworben. Schuld daran war ein Freund aus West-Berlin, der regelmäßig zu uns kam, meist um mit uns zu feiern. Immer

wenn's am schönsten wurde, gegen Mitternacht, mußte er zurück in seinen langweiligen Westen. Das fand er ungerecht.
Damals durfte man nur Verwandte zu einem »besuchsweisen Aufenthalt« zu sich einladen und mußte dafür einen Antrag bei der Volkspolizei stellen. Wir beschlossen, aus unserem nahen Westfreund Paul einen entfernten Vetter Paul zu machen. Da Ossis Verwandtschaftsverhältnisse durch Kriegs- und Nachkriegseinwirkungen ganz und gar undurchschaubar schienen, sollte er den Antrag stellen.
Ich weiß nicht, wie, ich weiß nur, daß die Stasi dem Ostberg auf den falschen Vetter kam. Zunächst aber merkte ich nur, wie Ostberg sich verändert hatte. Er wirkte nervös und abweisend. Auf Fragen antwortete er nicht. Als ich eines Tages darauf bestand, daß er mir sagte, was er denn gegen mich hätte, ging er mit mir erstmal aus dem Haus. Draußen im Park neben dem Theater könnten wir reden. Und dann erzählte er, daß die Stasi ihn mit dem Antrag für Paul erpresse. Wenn er aber zur Mitarbeit bereit sei, würde man den falschen Vetter nicht nur vergessen, er könnte auch jederzeit einreisen und bleiben, so lange er wollte. Ostberg hatte natürlich abgelehnt, aber die Genossen blieben hartnäckig. Sie erwarteten ihn abends in seiner dunklen Wohnung, wenn er aus dem Theater kam, nur um ihn zu fragen, ob er es sich überlegt hätte. Wenn er das Telefon abnahm, war da kein Amt, sondern die ewig selbe Frage: »Herr Ostberg, haben Sie es sich überlegt?«
Ich schlug ihm vor, zu uns zu ziehen und vorläufig nicht in seine Wohnung zu gehen. Das machte er und hatte also in den Augen der Staatssicherheit »dekonspiriert«. Wie gesagt, wir wußten damals beide noch nicht, was das ist. Aber wenn heute ringsum immer wieder neue Inoffizielle Mitarbeiter der Staatssicherheit enttarnt werden, zögere ich, sie sofort

als das zu betrachten, als das sie allgemein betrachtet werden – als Schurken.
Es gibt zwischen dem Himmel der Opposition und der Hölle der Staatssicherheit Dinge, von denen demokratische Schulweisheit nicht träumen mag.
Kurz vor der Volkskammerwahl im März 1990 war mein Telefon gestört. Der Stördienst kam, sah und sagte, daß er hier nichts anfassen würde. Dafür sei ein besonderer Dienst zuständig. Als ich fragte, was denn überhaupt los sei, sagten die wackeren Postmänner, sie dürften mir nicht sagen, daß ich davon ausgehen müßte, daß mein Haus verwanzt wäre. Auf den zuständigen Dienst mußte ich dann fast eine Woche warten, um zu hören, was ich bis dahin nicht wissen durfte. Irgendwer hatte im Keller versucht, ein Relais herauszureißen, mit dem weitergesendet wurde, was die Wanzen meldeten. Dabei war die Telefonleitung halt beschädigt worden.
Nun sollte ich einen weiteren Dienst bestellen, der mir auf meine Kosten die Wanzen entfernen würde. Auf diese Dienstleistung habe ich verzichtet.

Wieso meine Arbeit auch Gegenstand wissenschaftlicher Betrachtung wurde

Die deutsche Literatur- beziehungsweise Theaterwissenschaft und ich, wir kennen einander nur vom Wegsehen. Das war schon zu DDR-Zeiten so, und ich sehe wenig Anlaß zu glauben, daß sich das einmal ändern könnte. Kindertheater und Kabarett – nein, so tief steigt kein deutscher Wissenschaftler hinab, solange er sein Geld noch mit Ernsthafterem verdienen kann. Sicher hat schon mancher von ihnen sehr ernsthaft »Über das Komische« promoviert. Aber eine deutsche Doktorarbeit hat mit freiwilliger Komik so viel zu tun wie ich mit dem Kanzler. Wir kennen einander gar nicht. In Theaterkritiken liest man immer mal wieder, daß eine Aufführung ins Kabarettistische abgeglitten sei, was fast immer als herber Vorwurf zu verstehen ist. Nein, wo gelacht wird, geht der Kritiker nicht mit. Denn was soll er einem lachenden Zuschauer noch erklären? Wenn ein Zuschauer lacht, hat er doch längst von selbst verstanden. Was aber Zuschauer und Leser in Theater und Literatur heutzutage ohne kritische Anleitung verstehen, das kann einfach keine deutsche Kunst sein. Eine leichte Hand haben in Deutschland nur die Taschendiebe. Kunst wiegt hier schwer. Das Leichte liegt uns nicht am Herzen, sondern schwer im Magen.

Als ich einst in der DDR gegen alle wissenschaftliche Vernunft den Lessingpreis verliehen bekam, wunderte sich ein namhafter Theaterwissenschaftler öffentlich und gründlich. Der Arme war als Vorjahrespreisträger dazu verpflichtet, die Laudatio auf mich Unernsten zu halten, und konnte sich nach bestem Schulwissen und Gewissen nicht erklären, was Lessing mit Satire zu tun gehabt haben könnte. Lieber erklärte er in seiner wissenschaftlichen Beweisnot seinen guten alten Lessing zum Vorläufer des Kindertheaters der Deutschen Demokratischen Republik, als zuzugeben, daß der ehrwürdige Verfasser der Hamburgischen Dramaturgie ganz und gar nicht nebenbei auch ein Satiriker war, ein frecher Hund, der kaum einem Streit aus dem Wege ging. Nein, uns deutschen Dichtern unterläuft schlimmstenfalls mal eine Komödie, die wir aber mit vielen, vielen deutschen Trauerspielen wiedergutzumachen haben. Sonst werden wir nie zu dem, was Stoff für unsere ernste Wissenschaft ist. Das Komische läßt sich nämlich nicht einfach erklären und kompliziert schon gar nicht. Die Erklärung eines Witzes ist so nahrhaft und wohlschmeckend wie ein Kochrezept. Daß sich der Geschmack des Puddings beim Essen erweise, solche Banalitäten durfte Brecht vielleicht noch sagen. Deutsche Literaturwissenschaftler aber kochen selbst nicht und brauchen deshalb auch nicht erst zu kosten. Sie analysieren die Rezepte, um dem Pudding auf den Geschmack zu kommen. Lachen aber ist zu leichte Kost und selbst schon Analyse. Ich lache – das heißt nämlich viel zu einfach: Ich habe verstanden.

Wissenschaft in Deutschland aber lacht nicht, sondern analysiert so lange und so tief, bis sie sich selbst nicht mehr versteht und folglich der Selbstanalyse bedarf, der Sekundäranalyse sozusagen. Und so bedarf deutsche Literaturwissenschaft eigentlich schon lange keiner Primärliteratur

mehr. Sie hat ja selbst schon soviel Sekundärrohstoff hervorgebracht, daß sie sich noch über Jahrhunderte mit demselben beschäftigen könnte, ohne irgend etwas Primäres zu vermissen. Wer liest noch Goethe, seit es Gundolf gibt?
Eine rühmliche Ausnahme unter unseren Sekundärwissenschaftlern ist der eine Reich-Ranicki. Er bedarf längst keines literarischen oder sekundärliterarischen Anlasses mehr, denn er ist selbst zum Gesamtkunstwerk geronnen. Dem Manne ist alles Stichwort für lange, ganz eigene Reden, an denen das Wie alles, das Was gar nichts ist. Denn was er eben über die Zunge gerollt hat, widerlegt er mit lispelnder Grazie sofort wieder, wenn er damit nur die Lacher auf seine Seite bekommt. Und da er sie alle und immer auf seiner Seite braucht, wechselt er eben spielend alle Seiten und hat damit etwas geschaffen, was so ganz und gar nicht deutsch, weil viel zu amüsant ist – das bisher unbekannte Genre Literaturclownerie.
Ich bin richtig froh, daß er mich zu DDR-Zeiten aus reiner Unkenntnis nicht hat loben können. So muß er mich heute auch nicht verreißen wie weiland die böse Wolf oder den guten Müller. Mich hat er weder literarisch noch politisch versehentlich unter- oder überschätzt. Mich hat er immer nur übersehen. Und dabei wollen wir's lassen, damit ich weiter so unbeschwert über ihn lachen kann.
Andere Wissenschaftler haben ihr kritisches Auge schon auf mich geworfen, zwar keine deutschen, aber doch immerhin ordentlich habilitierte. Zwei solcher Arbeiten habe ich noch im Hause, eine stammt von einer Londoner Germanistin, die andere von einem Lyoner Germanistikprofessor. Beide haben sie über Satire in der DDR geschrieben, und das ist – ich bitte beide herzlich um Verzeihung, denn ich kenne beide und mag sie auch –, ja, das ist komischer, als Satire in der DDR selbst je hätte sein können. Das ist nämlich, und

das ist nun mal immer am komischsten, ganz und gar unfreiwillig komisch.
Der Spaß allerdings erschließt sich nur dem Eingeweihten wirklich ganz. Ein kleines Beispiel nur: In einem gereimten Text brauchte ich einen Endreim auf »was weiß ich«. Aus keinem andern Grunde sagte ich der bedichteten Person nach, sie wäre grade »dreißig«. Was bei mir um des Reimes willen geschah, analysierte die Wissenschaftlerin schicksalhaft. Sie ermittelte das Geburtsjahr der literarischen Person und schloß daraus auf den zwangsweise folgenden Lebenslauf bis in sein dreißigstes Jahr. Darüber aber hatte ich beim Schreiben und die Zuschauer hoffentlich beim Hören nie nachgedacht. Nein, ein Witz, wenn er erklärt wird, wird augenblicklich albern.
Aber warum soll es uns Leicht- und Klarschreibern bessergehen als den vielen durch und durch analysierten Schwer- und Dunkelschreibern deutscher Zunge? Schiller hat viel leichtfertiger gereimt als ich. Und er mußte doch damit rechnen, der deutschen Literaturkritik zur Analyse vorgeworfen zu werden.
Nun glaube ich allerdings nicht, daß sich noch irgendein deutscher, englischer oder französischer Germanist nach Satiren aus der DDR bücken wird, nachdem die ganze DDR zu einer reinen Fußnote in unseren unsterblichen Stasi-Akten geworden ist. Von uns wird bleiben, was uns durch und durch ging – der Wind, den man mit diesen Akten noch machen kann.
Als damals die freundliche Germanistin aus London bei mir war, hatte ich noch ganz andere Sorgen. Sie fragte mich, was man damals als Westler einen DDR-Bürger noch fragte: Ob sie mir irgendwie helfen könnte. Ich sagte im Scherz ja, sie könnte mir ja mal Kopien meiner Texte besorgen. Kopiermaschinen hatten wir damals nicht, und mein Geschreibe

hatte ich damals noch im Selbstverlag, da Staatsverlage so was Subversives nicht verlegten. Darauf nahm die liebe Frau von allem ein Exemplar mit nach London, vervielfältigte es daselbst und schickte mir viele, viele Kopien nach Ost-Berlin.

Einige dieser Londoner Kopien liegen noch heute in meinem Schrank, denn ehe ich sie alle verschickt hatte, kam die bekannte Wende, und aus der ganzen brisanten Kabarettliteratur wurde über Nacht Altpapier. Und das schlummert nun tief unten im Schrank neben allen wissenschaftlichen Analysen dazu.

Wieso ich meine Stasi-Akte nicht sehen will

Also erstens besteht ja immer die Gefahr, daß man gar keine hat, und was wird aus einem Widerstandskämpfer, wenn die Stasi von ihm gar keine Notiz genommen hat? Ehe ich mich so trauriger Gewißheit aussetze, spekuliere ich lieber, was drinstehen könnte, wenn es eine von mir gäbe: nichts Neues. Mehr als ich von mir weiß, können die gar nicht gewußt haben.

Und daß sie durchaus nicht alles gewußt haben, weiß ich ganz sicher. Denn auch ich habe öfter mal das getan, was wir alle immer mal tun – ich habe anders geredet, als ich gedacht habe. Zum Beispiel, um nicht Soldat werden zu müssen. Da ich weder in die Armee noch ins Gefängnis wollte, hab' ich mich gewunden wie ein Aal. Ich habe nicht ehrlich verweigert, sondern so gelogen, daß sie mich nicht packen konnten.

Einzelheiten hierzu schreibe ich in ein anderes Kapitel. Denn manche Erfahrungen muß man einfach weitergeben, auch wenn es sich um lauter Lügen handelt. Man kann ja auch für eine gute Sache lügen. Und keinen Wehrdienst halte ich nach wie vor für eine gute Sache.

Da, was früher böse war, heute grundsätzlich gut ist, kann ich guten Gewissens gestehen: Auch ich habe Böses getan. Das Gute daran ist, daß ich damals nicht dabei erwischt wurde. Ich habe nämlich auf meine sehr unkonspirative Art

etwas geleistet, was zu DDR-Zeiten höchst strafwürdig war und Fluchthilfe hieß. Ich tat das nicht, weil ich mutig war, sondern nur so naiv, daß ich mir nicht vorstellen konnte, daß man auch für Selbstverständlichkeiten eingesperrt werden könnte. Meine Frau dachte genauso, und wir hatten die Geschichte längst vergessen, weil sie für uns ganz und gar folgenlos blieb.
Eingerührt hatte sie unser Westfreund Paul, den wir einmal zu unserem Vetter aus Dingsda zu machen versucht hatten. Er hatte im Westen einen ehemaligen Ostarzt kennengelernt, der einen Ärztekongreß in München benutzt hatte, um im Westen zu bleiben. Seine Frau war noch im Osten und wollte/sollte irgendwie nachkommen. Das hatte Paul zu organisieren versprochen.
Meine Rolle dabei würde man in Geheimdienstkreisen wohl mit Kurier bezeichnen. Paul vermied es, die Frau selbst zu treffen, weil das – wie er sagte – gefährlich sein könnte. Ich sollte mich also mit ihr treffen, um ihr zu sagen, was Paul mir gesagt hatte. Beim ersten Treffen hatte ich ihr nur herzliche Grüße ihres Mannes auszurichten. Ähnlich brisant stelle ich mir auch viel von der Arbeit aller möglichen Geheimdienste vor. Man sagt »Schönen Gruß von Walter«, und der Gegrüßte weiß, wo das konspirative Waffenlager liegt. Bei Walter unterm Kopfkissen.
Beim zweiten Treffen lud ich die – übrigens hübsche – Dame zu mir nach Hause ein, weil ich es da gemütlicher fand als in irgendwelchen Berliner Kneipen. Paul untersagte mir das aus Gründen der Konspiration, die ich zwar nicht verstand, aber akzeptieren mußte. Auf westlicher Seite waren – wie Paul mir auch sagte – Fachleute am verschwörerischen Werk, und ich war nun wirklich kein Fachmann der Verschwörung.
Trotzdem gelang die Flucht – ich weiß nicht wie, aber Paul

dankte mir für meine nachrichtendienstliche Mitarbeit, die sich darauf beschränkt hatte, daß ich der Frau zwei-/dreimal mitteilte, wann sie wen wo anrufen beziehungsweise treffen sollte. Mein Unrechtsbewußtsein war so unterentwickelt, daß ich nie das Gefühl hatte, damit etwas Verbotenes zu tun.

Daß die Sache letztlich doch schiefging, hatte weder mit Paul noch mit mir zu tun. Kaum war die Frau bei ihrem Mann im Westen, stellte sich heraus, daß die Ehe schon im Osten nicht funktioniert hatte. Die Frau ließ sich scheiden und ging zurück in den Osten. Wie sie das gemacht hat, weiß ich nicht. Ich habe sie nie wieder gesehen, und Paul hatte keine Lust mehr, über die ganze Geschichte zu reden.

Meinen Nichten und Neffen, von denen mehrere in den Westen gingen, versuchte ich das zuerst immer auszureden. Es ist mir bei keinem gelungen. Dafür besprachen wir dann aber immer, wie man die Flucht am gefahrlosesten bewerkstelligen könnte.

Diese Gespräche fanden in unserer Berliner Wohnung statt. Daß diese Wohnung verwanzt sein könnte, darauf kamen wir nicht. Und sie war es wohl auch damals noch nicht, sonst wäre ja wohl keine Flucht gelungen.

Daß man übrigens die Stasi hier und da auch für ganz private Zwecke arbeiten lassen konnte, ohne daß sie selbst – die allwissende Stasi nämlich – etwas davon ahnte, das ahnte ich erst sehr spät. Nach meiner Scheidung hatte ich eine sehr liebe, sehr schreibfaule Freundin in Dänemark. Wir sahen uns aus verständlichen Gründen sehr selten. Um so wichtiger war für mich der Briefverkehr. Immer wenn ich fand, daß sie mir viel zu selten schrieb, behauptete sie an ihrem sicheren dänischen Telefon, die Stasi hätte ihre vielen Briefe abgefangen.

In einer sehr schwachen Stunde in Ost-Berlin gestand sie mir dann später, daß sie all die abgefangenen Briefe nie geschrieben hatte, weil sie nach ihrer anstrengenden Arbeit einfach zu müde war. So wie gewiß nicht alles wahr ist, was die Stasi von uns aufgeschrieben hat, war und ist nicht alles wahr, was wir von der Stasi erzählten und erzählen. Die Wahrheit ausgerechnet bei einem Geheimdienst zu suchen, erscheint mir mehr und mehr fragwürdig.
Ich kann mir einfach nicht vorstellen, daß ausgerechnet die Stasi anders funktioniert haben soll als der Rest dieses Systems. Hier wurden doch Berichte über alles und alle zusammengeschrieben, die mit der Wirklichkeit so wenig zu tun hatten, wie eben Dichtung mit Wahrheit zu tun hat. Auch bei der Stasi machte man doch wohl Karriere, indem man von Leistungen berichtete, die buchstäblich nur auf dem Papier standen.
Ich weiß von einem guten Freund, der bei der Stasi ohne sein Wissen als IM geführt wurde. Er hat es mir sofort erzählt, als er davon erfuhr. Denn er war zutiefst erschrocken. Ich war's auch. Nicht weil ich meinem Freund mißtraue. Dazu kenne ich ihn zu gut. Aber auch der unsinnigste Verdacht reicht heute und hier aus, um wieder mal Leben zu zerstören.
Die verfolgende Unschuld sucht ihre Spuren in Akten, die von deutschen Beamten angelegt wurden. Und daß Beamte nicht lügen, das können wohl nur Beamte behaupten. Daß aber ein Beschuldigter seine Unschuld beweisen muß, wenn die Staatssicherheit im Spiel ist, das gehörte auch schon zu den Methoden der Staatssicherheit. Die Saat ist aufgegangen, wir ernten alle noch mal, was die Stasi gesät hat.
Nein, ich möchte meine Akte nicht sehen. Allerdings wurde

ich auch weder erpreßt noch eingesperrt. Daß sie mich – wie andere auch – überwacht hat, weiß ich nicht erst seit heute. Und was erfahre ich von Menschen Neues, wenn ich weiß, wer da über mich berichtet hat?

Wieso ich lieber blauäugig bin als blind

Nein, ich will nicht recht behalten. Ein Satiriker, der zum Klassiker wird, kann nicht am Ziel seiner Wünsche sein. Heine und Tucholsky wären wohl nicht böse, wenn man heute über ihr Werk sagen könnte: ganz schön geschrieben, aber längst nicht mehr unsre Sorgen.
Teil der deutschen Misere ist, daß sie noch alle ihre Kritiker überlebt hat, um sich dann mit ihnen zu schmücken. Das andere Deutschland, auf das sich das eigentliche Deutschland immer dann beruft, wenn der Scherbenhaufen angerichtet ist, mußte zu Lebzeiten meist emigrieren. Daß es in der Bundesrepublik einen Büchner-Preis gibt, heißt noch lange nicht, daß er heute einem Büchner verliehen würde. Dem Dichter Volker Braun wurde zu DDR-Zeiten vorgeworfen, er hänge Utopien nach. Nach dem Ende des absolut utopiefreien Sozialismus wird vom Ende aller Utopien gesprochen. Das ist ein realpolitischer Kehraus, der wohl suggerieren soll, daß es zum Bestehenden nun mal keine Alternative gibt. Ich muß nicht Kohl zum Kanzler haben, um mir eine Alternative vorstellen zu können. Ich brauche schließlich auch keinen Triebtäter als Beispiel für die These zu nehmen, daß der Mensch nun mal so ist, wie er ist. Wir ehemaligen DDR-Bürger beweisen doch gerade, daß wir gar nicht so sind, wie wir waren.
Nein, mir wurden in dieser DDR zu viele ewige Wahrheiten

gepredigt, um noch an eine einzige glauben zu können. Die nicht weniger ewige Wahrheit, daß der Mensch eben so ist, wie er ist, wurde von ebendiesem Menschen immer mal wieder widerlegt. Da Marx vorerst unwiderruflich widerlegt ist, berufe ich mich ausdrücklich nicht auf seinen Satz vom Sein, das da das Bewußtsein bestimmen soll, sondern versuche eher realpolitisch zu formulieren: Gewisse Rahmenbedingungen braucht der Mensch schon, um sich so oder so zu verhalten.

Kannibalen werden nicht als Kannibalen geboren, sie haben aber gelernt zu essen, was auf den Tisch kommt. Und die Vegetarier unter uns Kannibalen haben ihren festen Glauben an das Gute in ihrer Ernährung auch nicht aus der Muttermilch gesogen. Ich will nicht bestreiten, daß manche meiner charakterlichen Mängel angeboren sein können. Manche wurden mir auch mit Sorgfalt anerzogen, die meisten habe ich mir durchaus freiwillig abgeguckt.

Daß ich feige bin, daß ich mich abgefunden habe mit Dingen, die in der DDR eben so waren, kann ich weder mit einer traumatischen Kindheit noch mit der Allgegenwart der Staatssicherheit entschuldigen. Ich wurde nicht gelebt, ich habe gelebt. Also habe ich auch höchst eigenmächtig versagt, wo ich versagt habe.

Zu DDR-Zeiten hatten wir uns angewöhnt, keinen Fehler bei uns, aber alle im System zu suchen. Da war kein Kellner schuld an seiner Unfreundlichkeit, kein Handwerker konnte etwas für seinen eigenhändig angerichteten Pfusch. Alles lag am System. Wenn heute derselbe Handwerker unter veränderten binnenwirtschaftlichen Bedingungen Steuern hinterzieht, neigen wir dazu, auch das aufs System zu schieben. Von Lambsdorff lernen heißt eben heute siegen lernen.

Und ist es in der für uns so neuen Freiheit von polizeilicher

Überwachung nicht auch üblich geworden, Ausländer oder ihre Wohnungen anzuzünden? Und liegt das nicht etwa an diesem System, das so unbegreifliche soziale Unterschiede nicht nur zuläßt, sondern produziert?
Wenn der Mensch aber so ist, wie er eben ist, und man ihn nicht ändern kann, was regen wir uns dann auf über Ausländerfeindlichkeit? Die Angst vor dem Fremden, vor allem vor der fremden Armut, wenn einem die eigene Armut plötzlich vertraut wird, produziert bei uns Menschen nun mal Haß und Gewalt.
Wenn schon zurück zur Natur, warum dann nicht wirklich auf die Bäume, wir Affen? Womit ich um Gottes willen nicht die heute und in Freiheit lebenden Affen beleidigen möchte. Sie halten, wenn ihre tierischen Verhältnisse das erlauben, gewisse Regeln des Umgangs miteinander ein. Sie folgen ihrem Instinkt.
An die Stelle des Instinktes ist bei uns Menschen die öffentliche Meinung und das Feuilleton getreten. Wenn aber diese öffentliche Meinung nach rechts rückt, folgen ihr alle Parteien. Und das Feuilleton beklagt oder konstatiert einfach das Ende aller Utopien. Der Mensch ist eben so.
Und die unverbesserlichen linken Spinner – Rechte spinnen nicht, sie schaffen Tatsachen – sitzen weinend in der Ecke, weil alle über sie lachen. Mein Gott, haben wir damals in der DDR über Leute gelacht, die noch an den lieben Gott glaubten, obwohl Gagarin im Weltraum war und diesen lieben Gott da nicht getroffen hatte. Von ähnlichem Humor ist die Kunde vom Ende der Utopie.
Thomas Mann irrte, wenn er behauptete, die Menschwerdung bleibe ewig unerledigt. Sie ist erledigt. Der Mensch ist eben so. Das steht im *Spiegel,* in der *FAZ* und überall da, wo man sich keine Illusionen mehr macht.
Anfang der achtziger Jahre hing hier in Ost-Berlin eine

Losung, über die ich seinerzeit sehr gelacht habe: »Die Ideen von Marx und Engels werden siegen, weil sie wahr sind.« Daran glaubten dieselben Leute, die dem Dichter Volker Braun vorwarfen, Utopien anzuhängen statt zu akzeptieren, daß die Machtfrage längst an die Stelle der Gretchenfrage gerückt war.

Unser Trick im DDR-Kabarett bestand darin, daß wir die erlebte Wirklichkeit mit den propagierten Idealen verglichen. Der Vergleich geriet auf tragische Art komisch. Die real existierende Demokratie in der Bundesrepublik läßt sich mit nichts mehr vergleichen. Oder glaubt hier noch einer an Ideale nach dem Ende aller Utopie?

Wieso hier immer noch Provinz ist

Ich habe eine gute Freundin, die mit einem ehemals mittelhohen SED-Funktionär verheiratet ist. Schon zu DDR-Zeiten konnte sie tun und lassen, was sie wollte, immer hieß es: Na ja, bei dem Mann! Dabei gehört sie zu den selbständigsten, emanzipiertesten Menschen, die ich kenne.
Aber der Mann war auch für mich zu Beginn unserer Freundschaft ein Problem. Zu meinen wenigen Prinzipien gehörte es, jede Nähe zur Macht zu vermeiden. Angesichts der allgemeinen Geistlosigkeit dieser Macht fiel das sehr leicht. Die meisten Witze, die so über Funktionäre gemacht wurden, trafen ja zu. Bei diesem Mann allerdings wurde es kompliziert. Ich lernte ihn kennen, und er war mir sympathisch. Keines der Vorurteile, die wir über Funktionäre hatten, traf bei ihm zu.
Er war nicht nur Kulturfunktionär, er versteht auch etwas von Kunst und Kultur, liebt Bilder, Bücher, Theater und sogar Kabarett. Von Zensur hielt er sowenig wie ich, obwohl er sie hätte ausüben müssen. Seinem Marx glaubte er mehr als ich, unsere DDR sah er kaum weniger kritisch als ich. Daß er von Amts wegen mit diesem Staat verheiratet war, hinderte ihn nicht, an ihm zu verzweifeln und dieser Verzweiflung öffentlich Ausdruck zu geben. Das grenzte für die, die ihren Verstand bei der Parteidisziplin schlafen gelegt hatten, schon an Konterrevolution.
Da ich glaubte, daß er viel besser informiert wäre als ich,

versuchte ich manchmal, mir bei ihm Rat zu holen oder mir Dinge erklären zu lassen, die ich nicht begriff. Das meiste davon schien er allerdings auch nicht mehr zu begreifen. Seine Hoffnung, wie meine übrigens auch, hieß Gorbatschow.

Jedenfalls gehörte er, als ich ihn kennenlernte, zu denen, die man mit gutem Recht zur Opposition innerhalb der Partei zählte. Seit die Wende in der DDR ihre hundertachtzig Grad erreicht und unser aller Eppelmann endlich die Wahrheit über uns alle herausgefunden hat, wird er mit allen anderen ehemaligen Funktionären in den großen, bösen SED-Topf geworfen. Früher hatte er – selten genug für einen Kulturfunktionär – viele Freunde unter Künstlern, die sich schon früher oder auch nur heute der DDR-Opposition zuzählen. Aus vielen früheren Freunden jedenfalls wurden Feinde.

Und meine Freundin hat nun – außer diesen sozusagen ehelich angeschafften Feinden – noch viele eindeutig selbst erworbene. Hauptvorwurf aber ist und bleibt die Ehe mit diesem Mann. Wer in der DDR etwas war oder mit einem verheiratet war, der etwas war, der hat sich einfach von selbst erledigt. Da muß man nicht erst fragen, was er getan hat. Allein das Gewesensein bestimmt heute das Bewußtsein mancher Zeitgenossen. Ich war was, also bin ich nichts mehr.

Meine Freundin aber hat einen wirklich entscheidenden Nachteil – sie war und ist so intelligent und selbstbewußt, daß man als Mann einfach Angst bekommen muß um seine angeborene Überlegenheit. Leider ist Intelligenz bei Frauen nicht nur den Männern unheimlich. Dummheit ist nun mal nichts Geschlechtsspezifisches, sondern transsexuell.

Nun wäre Intelligenz allein vielleicht noch verzeihlich, un-

verzeihlich ist und bleibt, daß meine Freundin Erfolg hat. Auf der Bühne und im Leben. Und das bei dem Mann!
Wer weiß, wie es im Theater und in artverwandten Institutionen zugeht, der weiß auch, wie Kollegenneid brennen kann. »Kein Feuer, keine Kohle kann brennen so heiß wie heimlicher Neid, von dem jedermann weiß.« Intrigen am Theater sind so alt, wie es das Theater selbst ist. Aber wenn zu diesem gewöhnlichen Theateralltag auch noch so ein Wendealltag kommt, wie wir ihn hier im Osten erleben, dann rächen sich alle Erfolglosen von gestern an den Erfolgreichen von gestern und heute. Kein schlechter Musikant, der nicht am System gescheitert wäre. Und wer früher das hohe C sang, erreichte das nur dank der Partei, ob er nun drin war oder nicht.
Es gab hier früher einen Witz über einen Stotterer, der sich beim Rundfunk als Nachrichtensprecher beworben hatte. Als er gefragt wurde, ob er denn angenommen wäre, sagte er: »N-n-na-türlich n-n-nicht. B-b-bin ja nicht in der P-p-partei.« Solche parteilosen Stotterer führen jetzt manchmal das große Wort von den alten und neuen Seilschaften, die sie noch immer am Nachrichtensprechen hindern.
Ich weiß sehr gut, daß längst nicht alle gestottert haben, die in der DDR verboten waren. Aber nicht alle ungedruckten Bücher, nicht alle nichtaufgeführten Theaterstücke waren nur verboten. Manche waren ganz einfach zu schlecht.
Einer meiner Kabarettkollegen, der vor Jahren in den Westen ging, weil er sich mit Recht in der DDR unterdrückt fühlte, wurde innerhalb von Monaten zum entschiedenen Hasser des westdeutschen Monopolkapitalismus, der seine Werke nun genauso unterdrückte, wie es die Kommunisten zuvor in der DDR getan hatten. Er fand nämlich in Hamburg sowenig einen Verleger, wie er ihn vorher in Ost-Berlin gefunden hatte.

Die Glücksverheißungen der Partei – die SED hatte ja versprochen, das Volk glücklich zu machen – machten aus jedem Unglücklichen einen Unterdrückten. Keiner mußte einsehen, daß er etwas nicht konnte. Er durfte ja nicht.
Statt nun endlich das zu tun, was sie so lange wirklich oder vermeintlich nicht durften, versuchen viele nur noch zu beweisen, was sie alles nicht durften, und denen, die angeblich oder wirklich mehr durften, ihr Können abzusprechen. Sicher gab und gibt es in jedem System verkannte Genies. Die DDR jedenfalls mit ihrer Kindergartenmentalität hat unverhältnismäßig viele produziert. Und so werden wohl noch viele unbekannte Schulzes über den einen berühmten Müller herfallen, und kein Weltruhm hilft dem gegen die Schläge aus der Provinz.
Ich weiß aus doppelter Erfahrung, was Kleinstadt ist, schließlich hab' ich nicht nur vierzig Jahre in der DDR, sondern auch achtzehn Jahre in Finsterwalde gelebt. Da kennt einer den andern, und was sich kennt, das weiß auch, wie man sich verletzen kann. Mag einer weltberühmt sein, zu Hause weiß man doch, was wirklich mit ihm los ist. Uns muß man mit Weltruhm nicht kommen. Den Faust mag die Welt kennen, wir kennen unsern Goethe in Weimar viel besser.
Die DDR war im Guten wie im Bösen ein Land der kleinen Leute. Mag das Land auch verschwunden sein, uns kleine Leute gibt es noch. Und unsere Provinz tragen wir im Herzen.

Wieso ich nicht mehr der Jüngste bin

Ja, wieso bin ich das eigentlich nicht mehr? Das ist etwas, was ich bis heute leider noch nicht so ganz begriffen habe. Schließlich war ich doch schon zu Hause der Jüngste und schien es ewig zu bleiben, damals, als ich es überhaupt nicht sein wollte. Ich verfluchte diese ewig scheinende Jugend an mir. Als meine Freunde bereits wußten, was richtiger Liebeskummer ist, wartete ich noch auf Stimmbruch und männlichen Bartwuchs.
Als ich dann zur Schauspielschule kam, hatten die meisten meiner Mitschüler schon Lebenserfahrungen gemacht, während ich nur das Abitur hatte. Und mein erstes Theaterengagement war folgerichtig an einem Kindertheater. Gab es da ein Kind zu spielen, dann hatte ich das zu spielen. Und gab es mehrere Kinderrollen, fiel mir natürlich die jüngste zu.
Auch mein zweites Engagement war an einem Kindertheater. Und im Fernsehen entdeckte man mich auch – weil ich so jung kam. Ich spielte dort ausschließlich ganz jugendliche, eigentlich noch kindliche Kleinverbrecher, die zu früh auf die schiefe Bahn geraten waren, um von einem richtigen Erwachsenen gespielt zu werden. Allerdings gab es richtige, große Verbrecher im DDR-Fernsehen sowieso nur, wenn die Geschichte im bösen Westen spielte. Denn selbst die Verbrecher durften im Sozialismus nie ganz, sondern immer nur ein bißchen böse sein. Wie ja auch sozialistische Widersprü-

che nie antagonistisch genannt werden durften, weil im Sozialismus einfach alles lösbar zu sein hatte. Ich hatte das Wesen eines nichtantagonistischen Widerspruchs im Kabarett einmal so erklärt: Ein nichtantagonistischer Widerspruch ist so was wie eine Frau, die nur ein bißchen schwanger ist.

An mir selbst erlebte ich auch so einen nichtantagonistischen Widerspruch: Ich wurde zwar mit der Zeit ein bißchen älter, aber nie so richtig. In den Theaterferien ließ ich mir immer mal einen Bart wachsen, um wenigstens privat ein bißchen reifer zu wirken. Aber wenn die Spielzeit wieder begann, mußte mit dem Bart die Reife wieder aus dem Gesicht sein, weil ich nun mal ewige Jugend zu spielen hatte. So etwas prägt einen ganz offensichtlich.

Daß ich wirklich nicht mehr der Jüngste war, merkte ich erst in einem Alter, in dem der fortgeschrittene Bundesbürger bereits mit der ersten Midlife-crisis auf dem Therapeutensofa gelegen hat. In der DDR galt nun mal auch der rüstige Mittvierziger durchaus noch als junges Talent.

Ich war wieder mal in Brüssel und versuchte dort, das wunderbar poetische Kinderstückchen *Guignol* von Jacques Prévert zu inszenieren. Die Schauspieler liebten alle ihren Prévert, einander jedoch schienen sie eher zu hassen als zu lieben. Es war die Zeit, da Bergmanns *Szenen einer Ehe* vor aller Augen und in aller Munde waren. Solche Szenen spielten sich auch im Ensemble ab, obwohl da keiner verheiratet war mit seinem Bühnenpartner. Zunächst versuchte ich zu ignorieren, was ich nicht verstand.

Aber ich hatte meine Regierechnung ohne die moderne Psychoanalyse gemacht. Alles Talent, alle Energie der Schauspieler flossen in persönliche Auseinandersetzungen statt in Stück und Rolle. Als sich eine der Darstellerinnen weigerte, weiter mit ihrem Partner zu spielen, bat ich sie um

ein Einzelgespräch, allerdings nicht auf der Couch, sondern an einem ordentlichen Kaffeehaustisch. So wie Eifersucht auch bei Liebespaaren manchmal auf puren Mißverständnissen beruht, kann auch Eifersucht bei Bühnenpartnerschaften durchaus nur eingebildet sein.
Ich versprach, die Sache mit dem Partner zu klären, und stieß dabei natürlich auf neue Mißverständnisse, die, als solche erkannt, eigentlich keine Probleme mehr hätten sein dürfen. Aber so einfach wie das Leben ist die Kunst nun mal nicht. Also probierten wir nachmittags nicht mehr, sondern versuchten in Einzel- und Gruppengesprächen die Probleme zu klären, die vormittags auf der Bühne entstanden waren.
So wurde langsam, aber sicher aus dem Solistenhaß eine Ensembleliebe, wie ich sie selten im Theater erlebt habe. Und siehe, die Arbeit begann, allen Spaß zu machen.
Nur eines der Gespräche ging total schief, das mit dem ältesten der insgesamt sehr jungen Schauspieler. Er fühlte sich von der ihn umgebenden Jugend mißverstanden. Ich hatte als junger Spund gewisse Hemmungen, so einem erwachsenen Menschen mit meinen Ratschlägen zu kommen. Als er mir dann sagte, wir wären eben zwei verschiedene Generationen, versuchte ich abzuwiegeln, indem ich ihm sehr taktvoll zu verstehen gab, daß er ja doch nicht so viel älter als ich sein könnte. Er starrte mich ganz und gar entgeistert an, und ich erfuhr, daß er zehn Jahre jünger war als ich.
Seitdem lege ich mich auf keinen Altersunterschied mehr fest, bevor ich ihn genau kenne. Aber bevor mir jemand sagt, wie jung er eigentlich ist, halte ich meine Umgebung grundsätzlich für älter als mich selbst. So komme ich mit meinem zunehmenden Alter einigermaßen zurecht. Solange die anderen älter sind, ist man ja noch nicht so alt. Und Alter hat

sowieso eines mit der Jugend gemein – beide sind relativ. Und relativ jung kann man ewig bleiben. Aber eben doch nicht der Jüngste.

Als vor einiger Zeit ein sehr junger Darsteller in Dresden Schallers und meine Texte als Opa-Kabarett abqualifizierte, rieten wir ihm ungerührt – man läßt sich ja so eine Kränkung nicht anmerken –, doch in Zukunft sein junges Kabarett zu machen. Er machte, und heraus kam nicht nur junges, sondern geradezu kindliches Zeug. Aber das war durchaus kein Triumph für uns Alte. Denn das Lied vom fehlenden Nachwuchs ist auch im Kabarett ein altes Lied.

Als ich damals noch zu diesem ewig fehlenden Nachwuchs gehörte, empfand ich auch ein gewisses Mitleid für meine älteren Kollegen. Wie schwach waren doch ihre Texte gegen meine genialen Entwürfe. Und wenn das Publikum nicht lachte, dann wollte ich sowieso nicht Kabarettautor, sondern ein großer Dichter werden. Ich habe sehr lange gebraucht, bis ich das wurde, wofür ich mich heute halte: ein brauchbarer Kabarettautor. Der Weg zum großen Dichter erschien mir einmal viel kürzer, damals, als ich Handwerk noch für etwas Altmodisches hielt. Daß ich heute dem Genialischen so skeptisch gegenüberstehe, liegt vielleicht doch daran, daß ich nicht mehr der Jüngste bin.

Wieso heute vieles nicht mehr wahr sein soll

Nein, Antikommunist war und bin ich bestimmt nicht. Kommunist zwar auch nicht, aber – das gebe ich zu – manchmal wäre ich's schon gern gewesen. Ich habe als Kind immer davon geträumt, einmal alles genau zu wissen, vor allem aber zwischen Gut und Böse unterscheiden zu können. Daß ich das nicht gelernt habe, liegt nicht am fehlenden guten Willen, es liegt an meiner mangelnden Glaubensfähigkeit. Immer fand und finde ich ein Haar in der Suppe, und dann schmeckt sie mir nicht mehr. Nicht mal an das absolut Böse mag ich glauben, wenn alle mit dem Finger auf den gefundenen Teufel zeigen. Wurden nicht gerade diese neuen Teufel bei uns gestern noch als Götter gehandelt? So schön es ist, ein sauberes Schwarzweiß zu zeichnen. Ich sehe immer nur grau.

Frau Hurm, meine Finsterwalder Oberschullehrerin, lag kurz vor ihrem Tod nach einem Schlaganfall im Krankenhaus. Ich besuchte sie häufig, durfte auch außerhalb der Besuchszeit zu ihr. Sie hatte keine Verwandten. Als ich einmal an ihrem Bett saß, betrat der Finsterwalder Superintendent das Krankenzimmer. Er war ein höchst salbungsvoller Pastor, den Frau Hurm schon deshalb nicht mochte, weil er zu Nazizeiten allzu fromm der Obrigkeit gehorcht hatte. Er nannte Frau Hurm »meine Tochter«, fragte nach ihrem Befinden und was sie so täte. Sie antwortete ihm – ich wäre

am liebsten im Boden versunken: »Herr Pfarrer, im Augenblick throne ich.« Das verwirrte den Seelsorger nicht weniger als mich. Er verließ fluchtartig das Krankenzimmer. Ich starrte verlegen aus dem Fenster, und Frau Hurm begann plötzlich zu weinen. Das hatte ich noch nie erlebt.
Dann sagte sie ganz leise, daß sie jetzt nur zu gern an Gott glauben würde, es aber einfach nicht könnte. Und dann verlangte sie von mir, ihr zu versprechen, nie zu versuchen, einem anderen seinen Glauben auszureden. Ich versprach's und verließ das Zimmer unter einem Vorwand.
Ein paar Jahre zuvor hatte ich ihr versprochen, nie in eine Partei einzutreten. Ich habe beide Versprechen eingehalten, ohne mir aber meiner Sache immer sicher zu sein. Aber dankbar bin ich heute noch, daß sie mir die beiden Versprechen abverlangt hat. Noch heute frage ich mich oft: Was würde Frau Hurm dazu sagen? Ich sitze jetzt noch an ihrem Schreibtisch, um mich herum stehen ihre Bücherregale. In vielen Büchern finde ich noch ihre Zettel. Obwohl sie über dreißig Jahre tot ist, hat sie unverändert Einfluß auf mich.
Und wenn diese Frau Hurm nun gläubige Kommunistin gewesen wäre? Dann wäre ich es vermutlich auch geworden. Es gab, als ich jung war, viele gute Gründe, Kommunist zu werden. Schließlich hat auch der Kalte Krieg Überzeugungstäter auf beiden Seiten geschaffen. Und ob eine Überzeugung gut ist oder schlecht, das ist für den Überzeugten keine Frage.
Es gibt ja nicht nur den Zufall der Geburt, der allein entscheidet über alles, was danach kommt. Die vielen Pfarrerskinder, die sich gleich nach der Wende ihrer politisch so sauberen Weste rühmten, kamen mir ziemlich lächerlich vor. Ist es wirklich ein persönliches Verdienst, in der DDR nicht Pionier oder FDJler gewesen zu sein? Haben das nicht Mutti und Vati fürs Kindlein entschieden?

Ich bin Pionier geworden, als das weder selbstverständlich noch Pflicht war. Wir gehörten, obwohl ich in Finsterwalde geboren wurde, nicht so recht zu den Einheimischen. Also wollte ich doch wenigstens zu einer kleinen Gruppe gehören. Meine Mutter hat das weder gefördert noch verhindert. Sie hat uns Kinder viel mehr selbst entscheiden lassen als andere Eltern. Aber wir mußten dann eben auch die Folgen tragen.
Als ich sechzehn war, hatte unser Russischlehrer ein Treffen mit russischen Soldaten und ihren Familien organisiert. Da wurde auch viel Alkohol getrunken. Mich mußten meine Freunde nachts völlig betrunken nach Hause bringen. Meine Mutter nahm mich stumm in Empfang, machte keinerlei Vorwürfe. Als ich am nächsten Morgen aber alkoholkrank war und nicht zur Schule gehen konnte, ging sie selbst in diese Schule, um dort zu sagen, daß ihr Sohn noch zu betrunken wäre, um zum Unterricht zu kommen.
Ich fand das damals furchtbar gemein. Schließlich wußte ich doch, was andere Eltern ihren Kindern für schöne Entschuldigungen schrieben. Aber das war die Konsequenz der Freiheit, in der ich aufwuchs. Ich durfte vieles, was meine Freunde nicht durften. Aber diese kleinen Freiheiten hatte ich dann auch selbst zu verantworten.
Wie hab' ich mich immer nach der starken Hand eines Vaters gesehnt, nicht ahnend, welche Einschränkungen mit so einer starken Hand wohl verbunden gewesen wären.
Natürlich war ich dauernd auf der Suche nach Ersatzgöttern. Ich fand sie in Büchern, zuerst bei Karl May, dann auch mal in sowjetischer Heldenliteratur. *Wie der Stahl gehärtet wurde* hieß eines dieser sozialistischen Heldenepen. Zum Glück nahmen wir das im Literaturunterricht durch, das beste Mittel, um einem schlechte wie gute Bücher zu verleiden.

In der Schule behandelte Helden verloren sofort ihren Glanz. Überhaupt wurde und wird der Einfluß dessen, was in der DDR sozialistische Erziehung genannt wurde, weit überschätzt. Ich hatte gute Lehrer, die in der Partei waren, und schlechte, die nicht drin waren. Das gilt auch noch für meine Kinder. Und propagierte Vorbilder, wie sie in Schule und Presse oder Fernsehen angeboten wurden, wurden niemals wirklich angenommen. Darüber, wie Kinder dachten und handelten, entschieden – wie heute auch – viel mehr Eltern und Mitschüler, manchmal auch Lehrer, jedenfalls nicht der Lehrplan in der Schule.
Mein Lebensweg wäre vermutlich in einem anderen System nicht so viel anders gewesen, als er in der DDR war. Auch unter demokratischen Verhältnissen wäre ich irgendwann bei der Satire gelandet. Zwischen Anpassung und Widerstand lebt man ja nicht nur in Diktaturen. Opportunisten brauchen keine Diktatoren, um sich anzupassen. Unsere neue Demokratie zum Beispiel eignet sich wunderbar auch für Opportunisten.
Ich habe einen ehemaligen Parteisekretär neulich in seinen gebrauchten Mercedes einsteigen sehen, und er fluchte dabei laut auf die verdammten Kommunisten, die ihm so ein feines Auto jahrzehntelang vorenthalten hätten. Ich dachte, er wollte nur einen Witz machen, weil er doch wissen mußte, daß ich ihn noch in seiner Funktion erlebt hatte. Aber es war kein Witz, und ich hab' auch nicht gelacht.
Schaller und ich werden immer wieder von Leuten als »rote Socken« denunziert, die uns noch vor Jahren die Linie der Partei nahezubringen suchten. Und ein Handwerker, der mir noch zu DDR-Zeiten vieles in seiner Freizeit reparierte und damals fast jeden Satz mit dem herzlichen Wort begann: »Diese Scheißkommunisten ...«, erzählte mir neulich, er wähle nur noch die PDS.

Der Handwerker übrigens lachte, als er mir das sagte, denn er weiß noch, was er früher gesagt hatte. Manchmal reden wir über unser aller Wandel. Und dann lachen wir und verstehen uns selbst nicht so ganz. Aber wir beide haben es ja relativ gut – wir waren nie so richtig auf der falschen Seite. Wir waren irgendwie so dazwischen. Er hat in seinem volkseigenen Betrieb sehr ordentlich gearbeitet und abends am Stammtisch ordentlich geschimpft.

Das, was er am Stammtisch gesagt hat, habe ich – wenn auch ein wenig differenzierter – auf der Kabarettbühne gesagt. Dabei bediente ich mich – pfui Teufel – der Sklavensprache. Die Sprache des Stammtischs ist ohnehin nicht meine, und die Herrensprache ist es auch nicht, das alte Parteichinesisch sowenig wie das neue Politiker- oder Juristenlatein.

Um noch mal auf den erwähnten Parteisekretär im Mercedes zurückzukommen, so glaube ich gar nicht, daß er heute wirklich anders denkt, als er früher gedacht hat. Er dachte und denkt vermutlich: »Man muß doch irgendwie weiterleben.« Und so ganz unrecht hat er vermutlich auch nicht. In meiner Nachbarschaft leben viele Leute, von denen ich nicht mehr weiß, als daß sie für die Staatssicherheit gearbeitet haben. Ich habe sie früher gefürchtet, bis ich mir dann sagte, meine Angst ist Teil ihrer Macht über mich.

Jetzt glaube ich manchmal, dieselbe Angst in ihren Augen zu sehen. Oft schauen sie weg, wenn ich ihnen begegne, und reagieren ganz erleichtert, wenn ich sie noch grüße wie früher. Schließlich sind manche von ihnen auch Eltern von Mitschülern meiner Kinder. Ich wußte und weiß nur, daß sie für die Staatssicherheit gearbeitet haben, nicht aber, was sie da getan haben.

Nein, angenehm war mir diese Nachbarschaft nie. Aber als ich davon erfuhr, hatte ich mein Haus schon gekauft. Mir fiel auf, wie viele Westautos in unserer Straße standen, und ich fragte den Handwerksmeister auf meinem Hof, ob hier lauter Kollegen von ihm wohnten, denn Handwerker waren die wirklichen Reichen in der DDR. Der Mann reagierte empört und fand die Verdächtigung ungeheuerlich. »Ich bin doch nicht bei der Stasi!« sagte er beleidigt und ließ mich stehen.

Von da an wußte ich also, wer meine Nachbarn waren. Wenn ich Probleme mit meinem alten Auto hatte, brauchte ich nur die Motorhaube zu öffnen, und diese Nachbarn kamen, um mich zu fragen, ob sie mir helfen könnten. Und sie halfen, wenn sie konnten. Sie waren Nachbarn wie andere auch, allerdings aufmerksamer von Zeit zu Zeit.

Als ich mal vom Einkaufen nach Hause kam, stand einer dieser Nachbarn in meiner Wohnung und meinte vorwurfsvoll: »Herr Ensikat, Sie haben gegen die Vorschriften von Sicherheit und Ordnung verstoßen – Sie haben den Schlüssel in der Tür steckenlassen.« Ich habe den aufmerksamen Nachbarn hinausgeworfen und darauf bestanden, meine Tür so offenzulassen, wie mir das gefiel. Gegenüber war ein Polizeirevier, im Nachbarhaus wohnten Stasileute – sicherer konnte man gar nicht wohnen.

Daß diese Nachbarn dann meine offenen Türen benutzten, um hier ihre Abhöranlage einzubauen, darauf kam ich nicht. Als ich es erfuhr, fand ich das einfach absurd, eher komisch jedenfalls als empörend. Sie hätten mich doch nur zu fragen brauchen, und ich hätte ihnen gesagt, was ich denke.

Es stimmt einfach nicht, daß wir alle verstummten, sobald einer von der »Firma« zu uns trat. Hieß diese Firma bei uns nicht auch »Meinungsforschungsinstitut«? Und »die da oben« sollten ruhig wissen, wie wir wirklich dachten. Ich kannte zwar nicht die Bezeichnung IM, aber von vielen

Spitzeln wußte ich lange vor Aktenöffnung, daß sie's waren. Ich habe sie viel weniger gefürchtet als verachtet.
Anfang 1992, als die ersten Opfer Einsicht in ihre Stasi-Akten genommen hatten, verkündete einer der »Ausgeforschten« triumphierend vor laufender Kamera: »Wir kriegen euch alle, auch die letzten IMs!« Da schwankte ich auch zwischen Mitleid, Furcht und Verachtung. Man soll ja keinem seinen Glauben ausreden, aber die Grenzen zwischen Gut und Böse bleiben fließend.

Wieso ich mich nicht mehr schäme, aus Finsterwalde zu sein

Ich sammle Freunde. Zu DDR-Zeiten brachte ich von fast allen Reisen neue Freunde mit. Als ich einmal im belgischen Liège ein Kinderstück inszenierte, lernte ich einen jungen amerikanischen Regisseur kennen, der zur selben Zeit am selben Theater ein Stück für Erwachsene inszenierte. In den Arbeitspausen oder abends nach der Probe sprachen wir viel über internationale Literatur und Theater im allgemeinen, über DDR-Theater im besonderen.
Alles, was er von der DDR kannte, waren ein paar Theateraufführungen. Das hatte sein DDR-Bild so schön gemacht, daß er das Land unbedingt sehen wollte. Ich lud ihn ein, mich in Berlin zu besuchen. Und er kam kurz darauf.
Wir taten, was ich mit jedem westlichen Besucher tat, der mit dem üblichen Tagesvisum eingereist war, aber länger bleiben wollte. Wir gingen zum staatlichen Reisebüro auf dem Alexanderplatz und mieteten dort ein Hotelzimmer. Da die DDR unbedingt und immer Devisen haben wollte, bekam man, wenn man so ein teueres Zimmer mietete, problemlos das erforderliche Visum dazu. Meine Freunde sahen in der Regel dieses Zimmer höchstens einmal, nämlich bei der Ankunft. Denn natürlich wohnten sie bei mir.
Der Spaß war zwar teuer, aber eine andere Möglichkeit,

Leute, mit denen man nicht verwandt war, in die DDR zu holen, gab es kaum. Mein amerikanischer Freund ging jeden Abend ins Theater und war ziemlich begeistert von dem, was er da zu sehen bekam. Ein Land, in dem so gutes, kritisches Theater gemacht wurde, konnte nicht so schlecht sein, wie es in seinen Zeitungen gestanden hatte, vermutete er.

Nun war und bin ich gewiß keiner, der die DDR schlechter machen wollte oder will, als ich sie gesehen und erlebt habe. Wenn mir jemand erzählte, wie unerträglich hier alles wäre, verteidigte ich manchmal, was ich selbst oft genug auch unerträglich fand. Aber wenn jemand diese DDR allzu schön sah, dann trübte ich das schöne Bild mit eigenen häßlichen Erfahrungen. Ich kann mich an die Einzelheiten unserer deutsch-amerikanischen Gespräche, die wir übrigens in dem uns gemeinsamen Französisch führten, nicht mehr erinnern. Ich weiß nur noch, es waren meist lange Diskussionsnächte.

An einen Gesprächsanlaß kann ich mich noch erinnern. Er kam nach Hause und erzählte mir sehr erstaunt, daß ihn ein DDR-Polizist angehalten und kontrolliert hätte, als er aus seiner, also der amerikanischen Botschaft in Ost-Berlin kam. Ob es bei uns vielleicht Antisemitismus gäbe, fragte er. Denn er konnte sich diese Kontrolle nur mit seinem jüdischen Aussehen erklären. Dieses Aussehen war mir übrigens noch gar nicht aufgefallen. Als ich ihm sagte, wie gut und weshalb alle westlichen Botschaften in Ost-Berlin bewacht wären, staunte er erst recht.

Ich erzählte ihm, daß DDR-Bürger diese westlichen Botschaften ohne besondere Erlaubnis eigentlich gar nicht betreten durften. Wenn sie es doch taten, dann mußten sie zumindest damit rechnen, kontrolliert zu werden. Das wußte ich, weil ich oft genug in der belgischen Botschaft war,

um das kostbare belgische Visum zu bekommen, das durchaus nicht so leicht zu haben war, wie die freien Länder der damals allein freien Welt sagten. Wir kamen ganz allgemein auf die Menschen- und Bürgerrechte zu sprechen, von denen in der DDR nun wirklich keine Rede sein konnte.
Das verblüffte ihn außerordentlich. Wie manches andere hatte er als freier Amerikaner auch nicht recht glauben können, daß die DDR ihre Bürger eingesperrt hielt. Mir war er schließlich auch in einem westlichen Land begegnet, und ich machte auf ihn durchaus nicht den Eindruck eines entlassenen Gefangenen. Auch die Leute auf den Ostberliner Straßen sahen nicht aus, als bewegten sie sich in einem Gefängnis. Es war ein langes Gespräch, das ich längst vergessen hätte, wäre mein Freund nicht vor kurzem wieder zu mir nach Berlin gekommen.
Diesmal war er mit einer Gruppe Bostoner Studenten da, um mit ihnen das vereinigte Berlin zu besichtigen, von dem er sagte, es erscheine ihm jetzt geteilter als damals. Damals allerdings, daran erinnerten wir uns lachend, hatte er ja nur Ost-Berlin gesehen, und wenn man einmal die Grenze passiert hatte, sah man sie gewöhnlich nicht mehr, bevor man wieder abreiste.
Ich hatte oft den Eindruck, daß viele westliche DDR-Besucher von dieser DDR nur das sahen, was sie sehen wollten beziehungsweise sowieso schon wußten. Das Bild war von vornherein fertig und mußte durch Augenschein nur bestätigt werden. Für den einen war es das triste, graue Mauerländchen mit den traurigen, unterdrückten Menschen, die überall in trostlosen Schlangen herumstanden. Für die anderen war es das Land der sozialen Gleichheit, der schönen Kultur mit den wunderbaren Theatern, den kulturbeflissenen Menschen, denen es eigentlich viel besserging, als sie selbst von sich sagten.

War es ein Wunder, daß meine Meinung zu dieser DDR – je nachdem, wer mich zu ihr befragte – durchaus unterschiedlich ausfallen konnte? Meinem theaterbegeisterten Amerikaner jedenfalls hatte ich – das sagte er mir erst jetzt, im Sommer 1992 – sein ganzes idyllisches Sozialismusbild zerstört. Ich hätte ihm diese ganze schöne Theater-DDR so mies gemacht, daß er sehr traurig weggefahren wäre.

Das hatte ich nicht beabsichtigt, und es war mir auch nicht aufgefallen, daß er nicht wiedergekommen war. Viele solcher Freunde waren nur einmal hier, und keinem habe ich geraten, nicht wiederzukommen. Aber oftmals kamen sie von sehr weit her, Reise und unbenutztes Hotelzimmer waren sehr teuer, und so schön war es ja nun wirklich auch für den versierten Westreisenden nicht, den Eisernen Vorhang mit den eisernen Kontrollen zu passieren.

Die meisten von ihnen hatten mich ja eingeladen, sie auch mal zu Hause zu besuchen. Aber das konnte ich eben nur, wenn sie mir eine sehr offizielle Einladung mit möglichst vielen amtlichen Stempeln schickten. In dieser Einladung mußte unbedingt stehen, daß der Gastgeber alle Reise- und Aufenthaltskosten übernehmen würde. Nun sind Theaterleute, und die meisten meiner Freunde sind nun mal bloß Theaterleute, selten sehr reich.

Also mit dem Gegenbesuch war das so eine Sache. Aber irgendwann, irgendwo traf ich doch viele von ihnen immer mal wieder, und meist war es so, als hätten wir uns gerade erst getrennt. Wir konnten an die alten Gespräche anknüpfen, in denen es fast immer um das gegangen war, was uns auch jetzt noch beschäftigte – um unsere Arbeit.

Jetzt muß jeder Westler damit rechnen, daß ich auch zu ihm komme, wenn er mich leichtfertig einlädt. Ganze Familien sollen ja schon auseinandergebrochen sein, nur weil sie sich jetzt immer und überall besuchen können und so lange bleiben, wie sie wollen. Mir geht es kaum anders als früher – manche Freunde sehe ich heute, verliere sie morgen aus den Augen, um sie dann wie früher bei dieser oder jener Gelegenheit wiederzutreffen.

Eine besondere Rolle spielten natürlich immer die Westberliner Freunde. Für sie war die Mühe relativ klein, zu uns zu kommen. Wie entnervend jeder einfache Grenzübertritt sein konnte, das kam einem kaum in den Sinn, wenn man nicht gerade selbst mal wieder vor den Grenzbeamten stand.

Unter den mir sehr wichtigen Westberliner Freunden ist der Leiter des *Grips-Theaters*, Volker Ludwig. Kennengelernt haben wir uns erst 1987, als er mit einer Gruppe von *Grips*-Schauspielern in Leipzig war. Wir hatten das kleine Treffen mit Hilfe des Theaterverbandes und mit viel bürokratischer Mühe organisiert. Aus heute gar nicht mehr nachvollziehbaren Gründen war in der DDR alles, was aus West-Berlin kam, doppelt suspekt.

Ich habe in Oberhausen, Addis Abeba, Brüssel, Oran und sonstwo auf der Welt arbeiten dürfen. Aber nie in West-Berlin. Und gerade da gab es ja die beiden deutschen Kindertheater, die mich am meisten interessierten – *Grips* und *Rote Grütze.* Zu ihnen kam ich nur heimlich, besuchsweise. West-Berlin war von allem feindlichen Ausland das feindlichste, vermutlich nur, weil es auch das nächste war.

Nach dem kleinen Theatertreffen in Leipzig fuhr ich mit Volker Ludwig zurück nach Berlin. Am Bahnhof Friedrichstraße verabschiedeten wir uns, wie sich eben Westberliner und Ostberliner dort verabschiedeten. Natürlich versprachen wir, unbedingt Verbindung miteinander zu halten. Aber wiedergesehen haben wir uns erst nach der

Wende. Seitdem sehen wir uns, sooft das nur geht, und irgendwann machen wir auch mal etwas zusammen – Kindertheater oder Kabarett. Das sagen wir uns oft, und manchmal glauben wir auch noch länger daran, als wir darüber sprechen.
Diese Art des Alltagstheaters, wie es *Grips* und *Grütze* seit vielen Jahren machen, war in der DDR immer verpönt. Bei den einen aus politischen Gründen, bei den anderen aus künstlerischen Erwägungen. Linkes Gedankengut war der schwarzen SED-Führung immer das gefährlichste. An ihm konnte man allzuleicht ermessen, wie wenig diese DDR mit dem zu tun hatte, was auch heute noch für mich links ist. Mich verblüfft immer wieder, wenn ich höre, mit der DDR wäre eine linke Utopie gestorben. Mit der DDR ist zwar etwas Real-existiert-Habendes, aber keine Utopie zugrunde gegangen.
Auf die Gründe für die künstlerische Ablehnung dieser Art von Theater möchte ich gar nicht eingehen. Ich mache mir doch keine Feinde, wo alles so einträchtig ist – am deutschsprachigen Kindertheater. Jedenfalls sind diese Gründe zwar vielfältig, haben aber nicht allzuviel mit Kunst zu tun. Wer so vordergründig und anhaltend Erfolg hat wie gerade das *Grips-Theater,* der kann doch wohl keine wirkliche Kunst machen. Kollegen sind eben auch am Kindertheater nur Kollegen. Und von Lebenden sagt man eben nur Gutes, solange sie dabei sind.
Volker Ludwig jedenfalls sagte mir eines Tages, er würde mich gern mit einer Frau bekannt machen, die mich allein deshalb kennenlernen wollte, weil ich auch aus Finsterwalde stamme. Der Makel der Finsterwalder Geburt spielte eigentlich seit dem Tode meines Großvaters eine sehr untergeordnete Rolle, aber daß mich jemand nur wegen dieser Herkunft kennenlernen wollte, das erschien mir als Grund doch

eher komisch als triftig. Aber er sagte auch den Namen der anderen Finsterwalderin – Inge Deutschkron.
Von ihr hatte ich nicht nur schon gehört, ich kannte auch das Theaterstück *Ab heute heißt du Sara.* Volker Ludwig hatte es nach ihrem Buch *Ich trug den gelben Stern* geschrieben, das noch heute am *Grips-Theater* gespielt wird. Inge Deutschkron jedenfalls kam zu uns, und wir gehören seitdem zusammen – wir zwei Finsterwalder. Seltsamerweise spielt diese Stadt in unseren Gesprächen fast immer eine Rolle.
Seit wir uns kennen, sage ich mir: Wenn so eine Frau aus Finsterwalde stammt, gibt es für keinen Menschen mehr einen Grund, sich für Finsterwalde zu schämen.
Glücklicherweise allerdings hatte sie die Stadt längst und noch freiwillig verlassen, als ich dort geboren wurde. In der Zeit nämlich war Finsterwalde schon judenfrei. Und als wir neulich zusammen durch Finsterwalde gingen und uns erzählten, was wir von der oder jener Straßenecke noch wußten, von dem oder jenem Haus, da sahen wir hier und da auch antisemitische Schmierereien.
Ich weiß nicht, ob inzwischen in Finsterwalde wieder ein Jude wohnt, aber so wie der Antisemitismus für seine bodenlose Dummheit den Juden nicht braucht, braucht ja auch der Fremdenhaß den Fremden nicht. Hier, in meinem fast noch ausländerfreien Hohenschönhausen habe ich neulich auch an einer Wand lesen können: »Hohenschönhausen bleibt deutsch.« Das möge der liebe Ausländergott verhüten. Sartre hat doch wohl immer noch recht – Antisemitismus beginnt mit der Frage, ob einer Jude ist oder nicht.
Ich weiß nicht, ob es werbeträchtig ist, im eigenen Buch anderer Leute Bücher zu empfehlen. Aber wer wissen will, was für kluge, mutige Menschen auch in Finsterwalde geboren worden sind, der lese Inge Deutschkrons *Ich trug den gelben Stern.*

Im übrigen fällt mir zum Thema Antisemitismus nur noch ein, was einst Werner Finck lange vor mir eingefallen war, als ihn im Kabarett ein Nazi »Judenschwein« schimpfte. Er sagte in aller Bescheidenheit: »Sie irren sich, mein Herr. Ich sehe nur so intelligent aus.«

Nachrichten aus der Provinz Leipzig

Wieso mich Jean Villar nach Avignon einlud

An der Leipziger Theaterhochschule, an der es auch eine theaterwissenschaftliche Abteilung gab, waren zwei Studenten, die von sich behaupteten, der französischen Sprache mächtig zu sein. Die andere studierte Theaterwissenschaften, und sie war Genossin. Als Jean Villar nun einen Studenten von unserer Schule einlud, auf seine Kosten am Theaterfestival in Avignon teilzunehmen, war die Bedingung, der- oder diejenige mußte französisch können. Die Auswahl war also nicht groß und für die Hochschulleitung leicht zu treffen. Die Genossin sollte fahren.

Sie war übrigens nicht nur Genossin, sondern auch eine attraktive und mir auch noch sympathische Frau. Verheiratet. In der DDR heiratete man – vermutlich mangels anderer Zerstreuung – gewöhnlich sehr früh. Als ich vom Reiseglück meiner Kommilitonin erfuhr, war ich zwar neidisch, aber ich dachte, wenn sie heute fahren kann, kann ich vielleicht morgen. Die Mauer gab es noch nicht.

Aber dann wurde ich eines Tages ins Sekretariat der Hochschulleitung bestellt, wo mir eine der dort regierenden Damen Seelig, Fröhlich oder Schön (ich weiß nicht mehr, welche, ich weiß nur noch, wie schön sie alle hießen) mitteilte, daß die Hochschulleitung beschlossen hätte, mich nach Frankreich zu schicken. Vor lauter Freude vergaß ich zu fragen, warum ich und warum nicht die Genossin. Das

fiel mir erst ein, als ich ihr auf der Straße begegnete. Sie war verständlicherweise nicht gerade fröhlich oder selig, sondern nur noch schön, aber durchaus nicht unfreundlich zu mir. Mir gönne sie die Reise, sagte sie. Und das war nur gerecht, ich hatte sie ihr ja auch gegönnt.
Aber wissen wollte ich denn doch, warum nun plötzlich ich und nicht sie fahren sollte. Sie druckste ein bißchen herum, sprach von einer dummen Geschichte. Wie gesagt, sie war verheiratet und hatte – das war die dumme Geschichte – ein Verhältnis mit einem anderen Genossen, den ich Nichtgenosse durchaus darum beneidete. Deshalb also hatte man ihr ein Parteiverfahren gemacht, und sie durfte zur Strafe für innerparteiliche Bettsünden nicht ins sündige Frankreich. Ich als nicht verheirateter Nichtgenosse durfte Verhältnisse haben und außerdem nach Frankreich. Ist es ein Wunder, daß ich erst viel später heiratete und nie Genosse wurde?
In Avignon wurden wir in Gruppen eingeteilt, und ich kam in eine vorwiegend deutsche Gruppe, in der die wenigsten ein besseres Französisch sprachen als ich. Bei unserer ersten Zusammenkunft sollten wir uns einander auf französisch vorstellen. Das gelang allen, denn außer den Namen brauchten wir nur Stadt, Land zu sagen.
Nur ich habe versagt. Alle meine deutschen Freunde hatten Deutschland als ihr Herkunftsland angegeben, nur ich sagte in Verkennung der historischen Tatsachen, ich käme aus der DDR. Damit hatte ich nach Ansicht aller anderen Deutschen dem deutschen Ansehen in Frankreich geschadet.
Die meisten meiner deutschen Landsleute mieden mich von da an, so daß ich meine Französischkenntnisse einfach verbessern mußte. Die Franzosen wollten wissen, wieso meine Landsleute plötzlich so böse auf mich wären. Als ich ihnen sagte, daß man in Deutschland nicht sagt, daß man

aus der DDR kommt, weil es die DDR offiziell nicht gäbe, begriffen sie das genausowenig, wie ich es begriffen hatte. Deutsche Verständigung war damals schon so schwer, und ich kann mich nur wundern, wie viele sich heute wundern, daß diese Verständigung noch immer nicht richtig klappt. Ich war doch weder stolz darauf, aus Deutschland zu kommen, noch aus der DDR. Ich wollte doch nur die Wahrheit sagen, und daß es diese DDR eben wirklich gab, das wird auch den Westdeutschen seit der Wiedervereinigung schmerzlich bewußt. Aber sie hätten es vorher wissen können.

Wie berechtigt meine deutsche Scham war und ist, mußte ich in Avignon noch einmal erfahren. Ich hatte mich mit einer Amerikanerin angefreundet. Wir sprachen das internationale Schulfranzösisch, das wohl nur den Franzosen unbekannt ist. Bei einem Ausflug zur Mühle des Herrn Daudet pflückten wir fröhlich Lavendel, und nachdem wir alles andere besprochen hatten, fragte sie mich, woher ich eigentlich käme. An meinem Akzent wäre ich nicht zu erkennen. Da war ich furchtbar stolz und sagte ganz schamlos, ich käme aus Deutschland. Vorsichtshalber erwähnte ich die DDR diesmal nicht.

Sie sagte gar nichts mehr, lief davon, und ich sah sie erst im Bus zur Rückfahrt wieder. Obwohl ich merkte, daß ihr das durchaus nicht recht war, setzte ich mich neben sie und fragte, was denn los sei. Sie sagte nur, sie sei Jüdin und ich solle mich bitte woanders hinsetzen. Ich stand beschämt auf, setzte mich aber wieder und sagte ihr, was ich von Juden und ihrem Schicksal in Deutschland wüßte, und gerade weil mich das alles so bedrückte, würde ich sie bitten, mit mir zu reden. Sie erzählte von ihrer Familie, die fast vollständig in Auschwitz umgekommen war, von ihren Eltern, die sich nach New York gerettet hatten und denen sie vor ihrer

ersten Europareise versprechen mußte, nie mit einem Deutschen ein Wort zu wechseln.
Wir haben uns noch lange geschrieben, von Leipzig nach New York und umgekehrt. Und immer in unserem schlechten, aber gemeinsamen Französisch, und wir haben uns trotzdem verstanden.
Übrigens habe ich auch unter den Deutschen in Avignon Freunde gefunden. Eine der Freundschaften hält bis heute, obwohl das Ehepaar, das ich damals kennenlernte, längst geschieden ist. Auch an sie habe ich einen Brief in schlechtem Französisch geschrieben. Das war kurz nach dem Mauerbau in Berlin, als dann in der DDR auch die Wehrpflicht eingeführt worden war.
Ich bat sie – wie gesagt, streng konspirativ auf französisch –, mir zur Flucht aus der DDR zu verhelfen. Daß die Stasi Briefe kontrollierte, wußte ich, aber daß sie mein Französisch verstünde, das hielt ich für ausgeschlossen.
Der Brief hatte keinerlei Folgen. Die Stasi hat ihn offensichtlich nicht gelesen oder nicht verstanden. Und meine Freunde konnten mir damals nicht helfen.

Wieso ich Ulbricht bat, mich einzusperren

Als in Berlin die Mauer gebaut wurde, lag ich in Leipzig im Krankenhaus und war sprachlos. Ich hatte Pfeiffersches Drüsenfieber und war fest überzeugt, nun für immer die Stimme verloren zu haben. Für einen, der Schauspieler werden will, immerhin ein gravierender Verlust.
Dabei hatte ich doch nur Wasser getrunken, als ich im Zug von Avignon zurück nach Paris fuhr. Daß es kein Trinkwasser war, wußte ich. Aber Geld, um mir im Zug ein Getränk zu kaufen, hatte ich nicht. Und ehe ich meinen westdeutschen Mitreisenden gesagt hätte, daß es bei mir nicht mal zur Brause reichte, wäre ich lieber tot umgefallen. Armut war – das steckte ganz tief in mir – eine Schande.
Wer aus dem Osten kam, in dem sowieso alles so schlimm war, daß man keinem erklären konnte, wieso man es dort aushielt, der durfte nicht auch noch arm sein. Ich bezahlte meinen armseligen Stolz mit sechs Wochen Krankenhausaufenthalt. Die Stimme kam schon nach einer Woche zurück.
Am Tag, als ich aus dem Krankenhaus entlassen wurde, ging ich natürlich sofort zu unserem Kabarett. Ich wußte, daß gerade Premiere des neuen Programms gewesen sein mußte, mit Texten von mir! Als ich in unseren Keller kam, sah ich zunächst viele fremde Herren in Ledermänteln. Es hatte für mich wirklich den Anschein, als würde jemand aus

dem Westen hier einen Hetzfilm gegen die Staatssicherheit drehen. Oder war's nur ein Studentenulk? Ich fragte mit der neu erworbenen Respektlosigkeit, welches Stück hier probiert würde und wo denn Gomorrha wäre. Gomorrha war Sodanns Spitzname. Einer der Herren in Leder fragte mich, wer das sei. Am ursächsischen Tonfall, der noch in keinem Westfilm erreicht wurde, erkannte ich, daß es sich hier nicht um westliche Übertreibung, sondern um durchaus östliche Realität handelte.

Die zwei oder drei noch anwesenden Freunde vom Kabarett sahen ganz und gar unbeteiligt, aber durchaus auffällig an mir vorbei. Ich entschloß mich, sie nun auch nicht mehr zu kennen, sagte irgendwas von einem Irrtum und ging, so langsam meine Angst mir das erlaubte, zurück zum Ausgang.

Sodann war als Rädelsführer bereits verhaftet, die anderen vom harten Kern unseres konterrevolutionären Nestes kamen ein paar Tage später ins Gefängnis. Nach mir fragte keiner. Das fand ich, nachdem ich wieder Abstand von den Vertretern der Staatssicherheit hatte, eher beleidigend als beruhigend. Als Autor leidet man im Kabarett ohnehin unter ständiger Mißachtung. Immer werden nur die im Bühnenlicht gesehen, uns im Dunkel unserer Schreibstuben übersieht man.

Ich schrieb einen Brief an Walter Ulbricht, im Ton verbindlich, in der Sache hart: Er solle mich doch bitte schön auch einsperren lassen. Denn wenn meine inhaftierten Freunde Staatsfeinde wären, müßte ich das schließlich auch sein. Ulbricht hat mir nie geantwortet. Statt seiner sprach mich eine Dozentin unserer Theaterschule an. Ich solle doch den Unsinn lassen. Es würde keinem helfen, wenn einer mehr ins Gefängnis käme. Dieser Logik mochte ich nicht folgen. Konsequenz erschien mir wichtiger als Logik.

Aber dieselbe Frau versprach auch, uns zu helfen. Sie heißt Käte Seelig und war damals Ästhetikdozentin an der Leipziger Schule. Sie war die einzige von allen Lehrern dort, die sich offen für die Inhaftierten einsetzte. Sie hatte offensichtlich nicht an Ulbricht geschrieben. Sie wandte sich an den Filmregisseur Konrad Wolf, von dessen Bruder man nur wußte, daß er ein hohes Tier bei der Staatssicherheit und Kunstfreund wäre.

So erfuhren wir überhaupt erst mal, was den Inhaftierten vorgeworfen wurde – lauter Staatsverbrechen, Aufruf zur Konterrevolution, antikommunistische Hetze und was es so gab an Schönem und Gutem in der DDR der sechziger Jahre.

An der Schauspielschule begann das damals Übliche – man hielt alle möglichen Versammlungen ab, um sich von den Staatsfeinden, die eben noch unsere Freunde gewesen waren, zu distanzieren. Die Partei distanzierte sich von ihrem Genossen Sodann und schloß ihn aus. Wie das vor sich ging, weiß ich nicht. Die Genossen blieben unter sich. In der FDJ-Gruppe gab es harte Auseinandersetzungen. Kaum einer hatte die politische Reife, die offensichtliche Unwahrheit zu glauben, auch nicht unser FDJ-Sekretär. Er wiederholte dauernd: »Wir wissen zwar alle, was los ist, aber wir müssen ihn ausschließen ...«

Als ich ihm sagte, daß ich nicht gut für Sodanns Ausschluß stimmen könne, ohne auch meinen eigenen Ausschluß zu verlangen, meinte er ziemlich resigniert, daß es mit einer Gegenstimme ja noch ein vorzeigbares Ergebnis wäre, das von der Hochschulgruppe akzeptiert werden könnte.

Das Ergebnis wurde akzeptiert. Alle fühlten sich elend, der sozialistischen Demokratie genügt zu haben. Zur selben Zeit wurde eine Sekretärin der Theaterhochschule zu einer mehrwöchigen Gefängnisstrafe verurteilt, weil sie einen po-

litischen Witz erzählt hatte, von dem ich nur noch weiß, daß wir ihn alle kannten und erzählten.
Etwa vierzehn Tage, bevor die Gerichtsverhandlung in Leipzig in Sachen »Rat der Spötter« begann, kannte ich das Urteil bereits. Ich hatte nämlich wieder einen Brief geschrieben, diesmal nicht an Ulbricht, sondern nur an das Leipziger Gericht. Ich bat darum, als Zuschauer an der Verhandlung teilnehmen zu dürfen. Diesmal bekam ich sogar eine schriftliche Antwort, in der stand, daß man unendlich bedauere, aber die räumlichen Verhältnisse im Gerichtssaal seien so, daß nur die engsten Angehörigen der Angeklagten dort Platz fänden.
Und dann zog mich Käte Seelig wieder mal beiseite und sagte, ich sollte jetzt keine unnötige Unruhe verbreiten. Sie habe gerade erfahren, daß alle Angeklagten mit einer Bewährungsstrafe von ein bis zwei Jahren davonkämen. Wie gesagt, da hatte die Verhandlung noch gar nicht begonnen. Ich hielt also Ruhe und ging baden, während in Leipzig verhandelt wurde. Das war im Juni 1962. Als ich eines Nachmittags vom Baden nach Hause kam, stand in meiner Studentenbude ein völlig veränderter, bei jedem Geräusch zusammenschreckender Peter Sodann. Er war am Morgen desselben Tages entlassen worden, und man hatte ihm ein Zimmer zugewiesen, von dessen Fenster er auf die Gitter seiner gerade verlassenen Gefängniszelle sehen konnte.
Dann erzählte er von seinem Gefängnisleben, davon, wie er dort den Ersten Mai gefeiert hätte, indem er nämlich das Essen verweigert hätte. Und dann, ziemlich zum Schluß, sagte er: »Solche wie mich werden sie noch mal zu Ehrenmitgliedern der Partei machen.«
Das taten sie nicht. Aber nach einem Jahr Bewährung in der Produktion durfte er sein abgebrochenes Schauspielstudi-

um wieder aufnehmen. Insgesamt zwei Jahre Lebenszeit für ein Kabarettprogramm …
In der Gerichtsverhandlung war es auch um einen Text von mir gegangen. Die beanstandeten Zeilen des Textes lauteten:

> Im Osten große Hungersnot.
> Bevölkerung ist zum Teil schon tot.
> Regierung lebt von Russisch Brot.

Daß die Regierung der DDR von Russisch Brot lebte, das war westliche Propaganda, hieß es in einem Gutachten, das der getreue Rektor der Leipziger Theaterhochschule für das Gericht verfaßt hatte. Daß ich diese Holperverse verfaßt hatte, wurde nirgendwo gesagt. Die Angeklagten beharrten darauf, daß sie allein alles Böse zu verantworten hätten. Die Texte wären grundsätzlich im Kollektriv entstanden. Kabarettautoren kämpfen heute noch um ihre Anerkennung als Mitverursacher von Kabarettveranstaltungen.

Nachrichten aus der Provinz Dresden

Wieso Modrow nicht mehr ins Kabarett kam

Soweit ich das beurteilen kann, beschränkte sich das Interesse der oberen Parteiführung der SED an Kunst und Kultur im wesentlichen auf das jüngere weibliche Darstellungspersonal. Da wurde wohl der eine oder andere Tee miteinander getrunken, und die Gerüchteküche berichtete auch immer mal von intimeren Begegnungen der Fürsten mit ihren Soubretten.

Kunst und Kultur dienten der Parteiführung nur für persönliche Repräsentationszwecke. Sie bestellten sich Kunst als Festakt mit Estrade, wo schön gesungen, schön geblasen und schön getanzt wurde. Dem Wort lauschten sie nur, wenn es lobend oder nachweislich klassisch war. Kunst war für die führenden Genossen etwas Volkstümliches, das möglichst zum internationalen Ansehen der DDR beitragen sollte.

Kabarett gehörte folglich nicht dazu. Und wenn sie doch mal einen Spaßmacher zu sich bestellten, dann wurden die Späße vorher einer strengen Prüfung auf Verträglichkeit unterzogen. Eine breite Mittelschicht von Funktionären hatte dafür zu sorgen, daß die schmale Oberschicht von jedem falschen Wort verschont blieb. Was falsch war und was richtig, das mußten die Armen erahnen. Denn was heute richtig war, konnte schon morgen falsch sein und umgekehrt.

Als einer dieser Funktionäre uns einmal vortrug, was denn richtiges Kabarett wäre, fand er das schöne Wort vom sozialistischen Kabarettismus der DDR. Er war, wie andere Funktionäre auch, in die Kultur strafversetzt worden.
In ein richtiges Kabarett verirrte sich selten einmal einer der mächtigeren Fürsten. Wenn es aber geschah, dann löste das meist nur Unruhe aus. Denn dann wurde nicht mehr diskutiert, dann wurde telefonisch untersagt, was Anstoß erregt hatte. Und der Anstoß lauerte nun einmal überall.
Ende des Jahres 1976 inszenierte ich in der *Herkuleskeule* ein Programm, das Wolfgang Schaller und der wunderbare Hänsel Glauche (er war der unbestrittene Dresdner Kabarettstar) geschrieben hatten. Es hieß *Ein kleines bißchen Stück* und war so etwas wie eine *My Fair Lady*-Parodie. Anstelle von Professor Higgins stand da ein Professor der Gesellschaftswissenschaft auf der Bühne und lehrte ein einfaches, ehrliches DDR-Mädchen, die Sprache der Partei zu sprechen, die häßliche Wirklichkeit also schönzuformulieren.
Die Idee fand ich sehr lustig, der politisch ziemlich scharfe Text war durch Schwanksituationen und die fröhliche *Lady*-Musik so verkleidet, daß wir dachten, damit durchzukommen. Aber – es war die Zeit der Biermann-Ausweisung – die Zensur war noch hellhöriger geworden als sonst.
Biermann übrigens war zu jener Zeit in Dresden – und nicht nur dort – eher unbekannt. Meine Schwester, die damals in einem kleinen Ort bei Berlin Musik und Mathematik unterrichtete, rief mich in Dresden an. Sie sollte ihren Schülern erklären, was für ein böser Mensch dieser Biermann sei. Von mir wollte sie nun erst mal wissen, wer das überhaupt sei. Ich riet ihr, sich zu ihrem Nichtwissen zu bekennen.
Die Dresdner Funktionäre – nur zur Erinnerung: da gab's

seinerzeit kein Westfernsehen – hatten sich auch kundig gemacht. Sicher wußten auch sie nicht, wer Biermann war und welche Lieder er so sang. Um so besser wußten sie, was ihre Partei ihm vorwarf. Höchste Wachsamkeit schien geboten – der Biermänner gab es viele für sie. Daß die Parteiführung den einen so berühmt gemacht hatte, sollte der jetzt so Berühmte dieser greisen Parteiführung nicht allzusehr nachtragen.

Jedenfalls führte die wieder mal akut gewordene augenblickliche politische Situation im Wasserglas DDR zu der bekannten Aufregung, und die Wellen schlugen auch nach Dresden. Plötzlich wurden ganz neue feindliche Untiefen im Textbuch unseres Kabarettstückchens entdeckt. Wir versuchten Zeit zu gewinnen, sagten, das Textbuch wäre sowieso nicht mehr gültig. Und das stimmte sogar. Wir änderten ja auf jeder Probe, wie das auf Kabarettproben halt üblich ist.

Also erschien die beunruhigte Kommission auf einer dieser Proben und stellte mit Entsetzen fest, daß auf der Bühne alles ja noch viel schlimmer aussähe als im Textbuch. Besonders die Darstellung der heldenhaften Bauarbeiter der DDR als Trinker und Bummelanten widersprach dem, was man einst in vollem Ernst das sozialistische Menschenbild nannte. Wenn Bauarbeiter das sähen, sie würden uns von der Bühne jagen, meinten die besorgten Funktionäre.

Wir meinten, das ausprobieren zu müssen, luden eine Baubrigade zur Probe ein, dazu die Genossen mit dem sozialistischen Menschenbild. Die Bauarbeiter hatten keine Ahnung von ihrem Menschenbild, lachten sehr und bescheinigten uns nach der Probe und im Angesicht der Funktionäre, daß wir noch untertrieben hätten. Die Wirklichkeit auf den Baustellen dieser Republik sähe viel schlim-

mer aus. Da dies die Stimme der Arbeiterklasse war, widersprach auch die Partei nicht länger.
Anderes mußten wir dann doch noch ändern. Wir taten es, wenn auch widerwillig. Die Alternative hätte Verbot bedeutet. Viele meiner westlichen Kollegen haben mir gesagt, daß es für sie geradezu ein Wunschtraum wäre, einmal verboten zu werden. Diesen Wunschtraum hatten wir uns alle schon mehrmals erfüllen können. Da wir uns aber nicht verbieten lassen wollten, führte das zu Kompromissen, die heute so unbegreiflich erscheinen.
Der Kompromiß war so, daß wir meinten, ihn gerade noch mitmachen zu können. Wir hatten Vertrauen in unser Publikum, das nur zu gut vom Mißtrauen der Zensur wußte. Die Voraufführungen liefen auch sehr gut. Dieses Publikum verstand viel mehr als auf der Bühne wirklich gesagt wurde. Dank der Zensur verstanden sich Bühne und Zuschauerraum besonders gut aufs unausgesprochene Wort.
Am Tag vor der Premiere wurde uns hoher Premierenbesuch angekündigt – der Erste Sekretär der Bezirksleitung Dresden der SED, Hans Modrow, wollte kommen. Ich verstand die Bedeutung der allgemeinen Aufgeregtheit nicht. Der will halt auch mal lachen über seine DDR, dachte ich. Ich kannte die Partei eben zu wenig und ihre Führung schon gar nicht. Die Angst der mittleren Ebene, mit der wir es zu tun hatten, hielt ich immer für übertrieben, dumm und feige. Die konnten doch nicht so blöde sein und an die eigene Propaganda glauben. Dachte ich.
Das Protokoll verlangte, daß mit dem Oberführer auch eine ganze Schar von Unterführern erschien. So waren die ersten drei oder vier Reihen des kleinen Saales, der insgesamt nur dreizehn Reihen faßte, besetzt von Leuten, die normaler-

weise nicht ins Kabarett kamen. Und schon gar nicht mit ihrem obersten Chef. Premieren im Kabarett sind selten ein Erlebnis. Diese war eine Katastrophe.
Eisiges Schweigen, wo in den Voraufführungen gejubelt worden war. Modrow schien nicht zu lachen, also lachte keiner, der mit ihm gekommen war. Und dann machte sich in den hinteren Reihen ein so hämisches Gelächter breit, das weniger der Bühne als den vorderen Reihen galt. Stück und Aufführung waren gewiß nicht gerade freundlich. Aber so böse, wie da die hinteren Reihen gegen die vorderen anlachten, so böse hatten wir das alles nicht gemeint.
Modrow ging nicht in der Pause, wie wir angenommen hatten. Er blieb bis zum Schlußapplaus, in dem wieder von hinten gegen die vorn geklatscht wurde. Die Premierenfeier war entsprechend fröhlich. Ja, es wurden sogar noch Erfolgsprämien verteilt. Denn nach den Voraufführungen hatte ja alles nach Erfolg ausgesehen.
Der würde sich in der zweiten Vorstellung mit normalem Publikum auch wieder einstellen, sagten wir uns. Was geht uns so ein humorloser Funktionärshaufen an?
Daß er uns sehr wohl etwas anging, erfuhr ich am nächsten Morgen im Hotelzimmer. Schaller klingelte mich aus dem Bett, weil ihn die Bezirksleitung vorher aus dem Bett geklingelt hatte. Die Vorstellung wäre erst mal abzusetzen, war ihm kurz mitgeteilt worden. Nach gründlicher Überarbeitung von Textbuch und Inszenierung würde man weitersehen.
Nein, ich wollte nicht mehr weitersehen. Ich wollte ausschlafen und nach dem Hickhack vor der Premiere nicht noch mal Kompromisse machen. Schaller meinte, wir sollten doch erst mal abwarten, welcher Art die neuen Einwände wären. Und ob das alles von Modrow selbst käme, wüßten

wir ja auch nicht. Wir wissen bis heute nicht, wer da sein Veto eingelegt hatte.
Damals genügte es ja wirklich, daß ein führender Genosse grimmig guckte, weil er mit seiner Bettgenossin verzankt war oder einfach schlecht geschlafen hatte, und die seinem Blick folgenden Genossen wußten sofort und genau, was sie nun zu tun hatten – alles verbieten, was den führenden Blick noch weiter trüben könnte.
Ein Wort, das in dem Stück häufig vorkam, das Wort Sekretär nämlich, sollte unbedingt durch ein anderes ersetzt werden. (Modrow war Erster Sekretär der Bezirksleitung.) Wir ersetzten es durch das nicht minder schöne Wort Funktionär und hatten damit nichts verändert …
Als die hohe Kommission wieder zur Probe kam, um die Bearbeitung zu begutachten, rechneten wir fest damit, gefragt zu werden, ob wir sie vielleicht verkohlen wollten. Denn verändert war ja sonst nichts. Aber das letzte Wort auf der Bühne war gerade gesprochen, da sprang der verantwortlichste von allen verantwortlichen Genossen auf und sprach den denkwürdigen Satz: »Jetzt wird nach vorn gelacht!«
Damit war das Stück wieder zugelassen. Es lief lange und erfolgreich. Wie man aber »nach vorn lacht«, damit habe ich mich noch in mehreren Kabarettexten beschäftigt. Ich kam zu dem Ergebnis: »Nach vorn lacht man nur über das, was hinter einem liegt.«
Modrow kam übrigens nie wieder in unser Kabarett. Das schien uns nicht die schlechteste aller Möglichkeiten. Wir konnten in Dresden Kabarett machen, das anderswo kaum möglich war. Auch im Dresdner Staatstheater wurde so kritisches Theater gemacht, wie es woanders kaum zu sehen war.
Als wir zum Schluß von dieser ganzen DDR nur noch ihr

Ende erhofften, setzten wir doch – soweit ich mich erinnere – in Modrow noch einige Hoffnungen. Und das taten nicht nur wir unwissenden DDR-Bürger. ARD und ZDF präsentierten ihn lange als Hoffnungsträger. Aber wer mag sich schon noch erinnern, wenn das Vergessen soviel einfacher und schneller ist?

Wieso ich einmal ausreisen sollte

An vieles kann man sich heute einfach nicht mehr erinnern, etwa an ein Leben ohne Fernseh- oder Faxgerät. Daß ich zwanzig Jahre ohne Dusche und Badezimmer gelebt habe, fällt mir jeden Morgen wieder ein, wenn ich unter der Dusche stehe. Daß ich noch viel länger ohne Fernsehen und Fax gelebt habe, weiß ich zwar theoretisch auch noch. Aber wie das war, weiß ich praktisch nicht mehr. Ich weiß nur noch, daß mir Unwissendem beides damals gar nicht gefehlt hat.

Heute würde mir bestimmt etwas fehlen, nähme man mir mein täglich Fax. Schaller hat sich, nachdem er erfuhr, daß ich eines hätte, sofort so ein Faxgerät angeschafft. Er schreibt mir nicht nur alles vor, er macht mir auch alles nach. Und nun faxen wir uns also unsere Faxen von Berlin nach Dresden oder umgekehrt, und so sind wir endlich technisch auf der Höhe der für uns so neuen Zeit.

Früher waren wir auf die alte Tante Briefpost angewiesen, die unsere Pointen manchmal so langsam beförderte, daß sie keine mehr waren, wenn sie ankamen. Deshalb sagten wir uns manche Texte damals auch durchs Telefon.

Das war mühsam. Ich habe nie gelernt, den Telefonhörer so mit der Schulter ans Ohr zu drücken, daß ich beide Hände frei habe zum Schreiben beziehungsweise Festhalten des Blattes. Na ja, meist mußte Schaller ja mitschrei-

ben, weil die Texte normalerweise für Dresden bestimmt waren.
Daß wir beide am Telefon nicht allein waren, ahnten wir schon lange. Auf einmal wußten wir es ganz genau. Da wurde nämlich einer dieser durchtelefonierten Texte in der *Herkuleskeule* schon verboten, bevor er dort überhaupt angekommen war. Ich hatte ihn abends dem Schaller durchgesagt, und als er damit am nächsten Morgen in sein Kabarett kam, war die Staatssicherheit schon beim Direktor gewesen und hatte dem Ahnungslosen einen ihm noch unbekannten Text verboten. Der Direktor staunte noch, als wir uns schon nicht mehr wunderten.
Im Text war es um Umweltzerstörung gegangen, von der wir hätten wissen müssen, daß sie – jedenfalls auf dem Gebiet der DDR – eine böswillige Erfindung des Klassenfeindes war. Smog gab es bei uns nicht, höchstens mal »verstärkte Nebelbildung über Industriegebieten«.
Nun hätten wir also beweisen können, daß unser Telefon abgehört worden war. Wir hätten sozusagen die Staatssicherheit bei sich selbst anzeigen können, worüber die sich vermutlich sehr gewundert hätte. Schließlich verhielt es sich mit dem Abhören wie mit der Umweltzerstörung – beides durfte es in der DDR gar nicht geben.
Der Text übrigens kam doch auf die Bühne. Der Stasi waren ein paar sinnige Abhörfehler unterlaufen, und Schaller konnte sein Telefonprotokoll als korrigierte Fassung des alten, zu Recht beanstandeten Textes ausgeben.
Ein anderer Text ist nie auf die Bühne gekommen, obwohl wir ihn ordentlich eingereicht und uns auch zu eventuellen Änderungen bereit erklärt hatten. Das Thema war nämlich äußerst heikel – es ging um die Stasi selbst, Mielke kam persönlich drin vor. Trotzdem war es nicht das, was ich unter einem politisch brisanten Text verstehe. Es war eher eine

Ulknummer über die Geheimniskrämerei in der DDR. Die meisten der DDR-Geheimnisse kannte jeder Laie, nur der Fachmann wußte, daß sie geheim waren. Aber über die Staatssicherheit durfte man auch nicht ulken, obwohl wir das unentwegt taten, allerdings ohne sie beim Namen oder gar beim Namen ihres obersten Führers zu nennen.
Die ganze Leitung der *Herkuleskeule* war wegen dieses Textes in die Bezirksleitung der Partei bestellt worden, wo ihr in ungewohnter Schärfe die Aufführung ein für allemal verboten wurde. In den letzten Jahren war es ja meist ein Kuhhandel um einzelne Wörter gewesen – streiche ich dieses böse Wort, darf ich jenes sagen. Über den Stasitext auch nur zu diskutieren, lehnte man diesmal ab.
Schaller, der ja seine Leute in Dresden inzwischen ziemlich genau kannte, sagte mir – anders als sonst –, es hätte wohl keinen Zweck, wir sollten den Text einfach vergessen. Seiner Meinung nach käme das Verbot gar nicht aus Dresden. Er vermutete, der Stasichef selber steckte dahinter.
Wer die DDR kannte, wird sich darüber kaum wundern. Die großen Herren des Politbüros kümmerten sich um jeden Schlüpfergummi. Einem Gerücht zufolge soll auch das Berliner Aufführungsverbot für Schaller und mich zwischen zwei Politbüromitgliedern ausgehandelt worden sein. Der Berliner Parteichef soll für ein völliges Verbot gewesen sein, während der Kulturchef des Politbüros dafür war, uns im »Tal der Ahnungslosen«, also in Dresden, wenigstens zu dulden. Ein totales Verbot hätte zumindest Aufsehen erregt, und Aufsehen wollte man in der Kulturszene immer vermeiden, seit die Biermann-Geschichte soviel sozialistischen Staub aufgewirbelt hatte.
Ich weiß ja, wie abenteuerlich komisch das alles klingt. Aber es war nun mal so, und uns kam das alles auch gar nicht so komisch vor, wie es heute ist. Wir fanden das eher traurig,

und manchmal gab es uns auch dieses komische Gefühl von Wichtigkeit, die keine war, aber eben wenigstens ein Gefühl davon.
Wenige Tage nach dem Dresdner Verbot des Stasitextes rief mich ein mir von früher bekannter Berliner Theaterleiter an und bat mich zu einem dringenden Gespräch in sein Büro. Seine erste Frage war, ob es mir öfter passierte, daß Texte von mir verboten würden. Ich konnte fröhlich bejahen und fügte hinzu, daß ich daran ja wenigstens merkte, daß ich wirklich noch Satire machte. Den Witz fand er gelungen. Dann sagte er – Kabarettfreund, der er selbst natürlich war –, daß er dieses Gespräch in höherem Auftrage führte.
Als ich ihn fragte, in wessen Auftrag er spräche, sagte er nur: »Du weißt doch, um welchen Text es sich handelt.« Und da ahnte ich doch wenigstens, wer der Auftraggeber sein könnte. Im Laufe des Gesprächs sollte ich doch mal sagen, ob ich irgendwas brauchte. Vielleicht könnte mir ja hier oder da geholfen werden. Ich dankte höflich für das Angebot und erklärte mich als wunschlos glücklich. Das hielt mein Gesprächspartner für Ironie, und so fragte er mich schließlich, ob mich die DDR so ankotze, daß ich sie verlassen wollte. Auch da gäbe es ja Mittel und Wege. Das hielt ich nun wieder für Ironie und verabschiedete mich.
Erst zu Hause hab' ich begriffen, daß das Angebot wohl ernst gemeint war. Und jetzt ärgerte ich mich wirklich. Nicht, weil ich das Angebot nicht angenommen hatte, sondern weil ich es nicht erkannt und so zurückgewiesen hatte, wie ich das gern getan hätte. Dafür hab' ich später kaum eine Möglichkeit ausgelassen, um zu sagen, daß man mich – freiwillig jedenfalls – nicht loswürde.
Viele DDR-Bürger träumten davon, einmal in den Westen zu kommen. Ich hatte häufig einen anderen Traum: Ich

wäre durch irgendeinen Zufall plötzlich im Westen gelandet und dürfte nun nicht mehr zurück. Na ja, dieser Traum hat sich ja nun erfüllt. Der von den anderen und meiner auch. Mit einem Unterschied: In die DDR möchte ich wirklich nie wieder zurück. Alles Nähere hierzu steht in Brechts kurzem Gedicht vom Radwechsel.

Wieso es in der DDR so wenig Stars und so große Vorbilder gab

Es gibt wohl nur wenige Länder auf der Erde, die so viele gute, sehr gute und hervorragende Schauspieler hervorbrachten wie die DDR. Und doch gab es damals bei uns viel weniger Stars als jetzt, da man schon nach zwei Vorabendserien zum prominenten Fernsehstar erklärt werden kann. Stars, also erklärte Ausnahmeerscheinungen, waren im sozialistischen Menschenbild nicht vorgesehen. Irgendwie sollten wir doch alle gleich sein. Vorbilder waren bei uns allenfalls Helden der Arbeit, die niemand kannte, und natürlich die Mitglieder der ruhmreichen Parteiführung, deren Bilder bei Demonstrationen vorangetragen wurden und auch die schlimmsten Dreckecken der Republik zierten.

Als Stalins Bild hier noch in allen Betriebskantinen hing, sprach man bei uns verächtlich vom westlichen Starkult. Als Stalins Denkmäler demontiert wurden, verurteilte man hier allenthalben auch den Personenkult, und Ulbricht, nun unter seinem eigenen übergroßen Bild stehend, verkündete, daß es diesen Personenkult in der DDR nie gegeben hätte und nie geben würde.

Als Ulbricht dann von Honecker demontiert war, verschwanden auch seine allgegenwärtigen Porträts aus den Amtsstuben und von den Briefmarken. Sein sonst so großer Name wurde einem ebenso großen Berliner Sportstadion wieder entzogen, und es vergingen mehrere, nahezu vorbildlose Monate, bis Honeckers Bildnis alle weißen Flecken der DDR-Gegenwart wieder ausfüllte. Sein persönliches Zentralorgan, das *Neue Deutschland,* erinnerte uns jeden Morgen an das ruhmreiche Gesicht unseres Staatsratsvorsitzenden. Bis zu zwanzig Bildnisse von ihm waren in einer einzigen Ausgabe zu bewundern. Und auch die Götter neben ihm im Politbüro ließen es nur allzugern zu, daß wir uns ein Bild von ihnen machten.

Die *Aktuelle Kamera* – so hieß die Nachrichtensendung des DDR-Fernsehens – ließ keines Tages Abend werden, ohne uns zu zeigen, wer uns da so unfehlbar weise regierte. Die Hofberichterstattung gehörte zu unserem Feudalsozialismus wie der alltägliche Schönwetterbericht aus allen guten Teilen der DDR. Und wenn dann einmal von schrecklichen Schneekatastrophen außerhalb der gutsozialistischen Grenzen berichtet werden mußte, dann schlossen sich garantiert schöne Bilder fröhlich rodelnder DDR-Kinder an. Und je älter unsere greise Führung wurde, desto unsterblicher wurde sie für uns fotografiert.

Neben dieser Parteiführung wurden uns auch immer mal unsere überall führenden Spitzensportler ans Massenherz gelegt. Und feierte mal ein versehentlich sehr bekannter Dichter einen höheren, runden Geburtstag, dann konnte es schon geschehen, daß auch sein Bild auf der Kulturseite in Briefmarkengröße eingerückt wurde. Auch Schauspieler sah man hier und da in Maske und Kostüm auf Gruppenbildern, also Szenenfotos.

Später veranstaltete dann die einzige Fernsehzeitung des Landes auch jährliche Umfragen nach den jeweiligen Publikumslieblingen des DDR-Bildschirms. Aber diese Lieblinge waren meist nur einem engeren Publikum bekannt, dem Publikum nämlich, dem man das Westfernsehen nie hatte verbieten müssen, weil es das sowieso nicht hatte empfangen

können. Dresden wählte sozusagen stellvertretend für die ganze Republik seine, fast nur ihm bekannten Lieblinge. Besonders die Berliner mußten sehr lachen, als einmal ein Mann wie Karl-Eduard von Schnitzler zum Fernsehliebling gewählt wurde. Ich fragte damals in Dresden herum, sie stritten ab, Schnitzler gewählt zu haben, wie sie heute noch abstreiten, je die CDU gewählt zu haben. Jedenfalls wurde zu alten DDR-Zeiten das ganze in Ost-Berlin produzierte Fernsehen daselbst kaum gesehen.
Trotzdem gab es in der DDR auch wirklich populäre Schauspieler und Schauspielerinnen, die es wurden, ohne dazu gemacht worden zu sein. Dazu gehörte Marianne Wünscher, mit der ich sehr gern arbeitete, aber sehr ungern über die Straße ging. Sie wurde überall erkannt, von wildfremden Leuten gegrüßt oder einfach so angestarrt, daß man als Begleiter nicht mehr wußte, wo man hingucken sollte. Mit ihr war man nie allein, wo immer man auch hinkam.
Ich weiß nicht, ob sie das genossen hat. Ich weiß nur, daß sie als Mensch und als Schauspielerin wunderbar und sehr verwundbar war. Sie hatte unendlich viel schauspielerische Erfahrung, gar keine Routine und sehr viel Lampenfieber auch noch vor der hundertsten Vorstellung. Sie hatte in unzähligen Filmen gespielt, in noch mehr Fernsehspielen und war doch immer dem einen Theater treu geblieben, ihrer Ostberliner Volksbühne. Wenn es denn so etwas wie Volksschauspieler gibt, sie war es und spielte doch am liebsten Shakespeare und Hauptmann. Ganz nebenbei war sie eine begnadete Kabarettistin.
Daß man auch als Nur-Kabarettist einem größeren Publikum bekannt sein konnte, obwohl doch Kabarett in der DDR diesem größeren Publikum nie zugemutet wurde, das blieb für mich immer ein Wunder. In Dresden gab es so eine Ausnahmeerscheinung – Hans Glauche. Als ich ihn kennen-

lernte, war er noch ganz und gar unbekannt, einer von fünf Dresdner Kabarettisten, die da in einer Dresdner Kirchenruine als *Herkuleskeule* meist vor halbleerem Saal spielten. Glauche galt als besonders ungeschickter, laienhafter Darsteller. Schließlich hatte er auch nie eine schauspielerische Ausbildung absolviert, er hatte nur sein Talent, von dem aber noch niemand etwas ahnte. Auch mein Talent, obwohl für mich bereits klar erkennbar, galt damals noch nichts. Texte von mir wurden an der *Herkuleskeule* zwar schon gespielt, aber das geschah wohl noch mehr aus Mitleid. Denn der Direktor Manfred Schubert hatte Mitleid mit jedem Nachwuchsautoren und spielte notfalls selbst, was seine Kollegen nicht spielen wollten.

Ich saß einmal auf der Probe, Hans Glauche stand auf der Bühne und versuchte vergeblich, die sehr professionellen Anweisungen des Regisseurs umzusetzen. Das war so komisch, daß ich mit meinem undisziplinierten Lachen die Probe störte und des Saales verwiesen wurde. Ich ging in die Garderobe, um auf den unglücklichen Hans Glauche zu warten. Er kam schließlich, war verzweifelt und wollte nicht glauben, was ich ihm da sagte, nämlich daß ich ihn umwerfend komisch fände.

Dann fragte ich ihn, schließlich waren wir ja beide verkannt, ob wir nicht mal was zusammen machen wollten. Er wollte, und wir überlegten zusammen, was das sein könnte. So fanden wir eine Figur, mit der Glauche – zumindest in Dresden und Umgebung – Weltruhm erlangte, den Einzelfahrscheinverkäufer. Damals standen an allen größeren Dresdner Straßenbahnhaltestellen solche Fahrkartenverkäufer, die immer nur ein Wort riefen: »Einzelfahrscheine!« Ich ließ Glauche in dieser Figur die allgemeine Politik und das lokale Dresdner Geschehen kommentieren. Damit wurde er so populär, daß bald kein Mensch mehr auf der Straße

»Einzelfahrscheine!« rufen konnte, ohne damit Gelächter auszulösen. Die Einzelfahrscheinverkäufer waren längst schon durch Fahrscheinautomaten abgelöst, da verkaufte Glauche noch seine und meine »Einzelfahrscheine« auf der Bühne der *Herkuleskeule*.
Das war die Weltsicht des kleinen Sachsen, wie nur Hans Glauche sie ausdrücken konnte. Er sah die Welt von so weit unten, daß alles Höhere lächerlich wurde. Als er einmal im Fernsehen auftrat, natürlich nicht mit einem satirischen Text, sondern mit etwas Humorigem, da erregte er – das grenzte an Wunder – sogar in der alles andere als sachsenfreundlichen Hauptstadt Aufsehen. Meine Berliner Kollegen, die wußten, daß ich viel in Dresden arbeitete, fragten mich nach diesem wunderbaren Komiker, der sich so mühelos auch in Berliner Herzen sächseln konnte. Aber seine Fernsehkarriere blieb kurz und ziemlich scherzlos. Der im DDR-Fernsehen zugelassene Humor konnte seinem Ansehen als Dresdner Kabarettist eher schaden als nützen. Und wen die Dresdner ins Herz schließen, den brauchen sie nicht auf dem Bildschirm zu sehen, um ihn auf der Straße wiederzuerkennen.
Aber daß ich den Hänsel – wie wir ihn alle nannten – so besonders gern hatte, lag nicht nur daran, daß er auf der Bühne so einmalig war, sondern auch im Leben. Er gehörte zu den wenigen Darstellern, die ihre Textautoren auch dann nicht vergaßen, wenn sie den Text schon auswendig kannten. Jedes Jahr zu Weihnachten bekam ich von ihm ein Paket, anfangs war das immer ein Kasten mit dem begehrten Meißner Wein. Später, als auch Hänsels Popularität nicht mehr ausreichte, um an diesen edlen Mangeltropfen heranzukommen, schickte er mir Dresdner Christstollen.
Und dazu schrieb er jeweils herrlich komische Briefe. Als dann 1978 am 27. September meine Tochter geboren wur-

de, schickte er ihr eine goldene Uhr und einen Brief, den ich hier unbedingt abschreiben möchte. Denn er zeigt ein bißchen von dem Humor dieses kleinen, großen Kabarettisten aus Sachsen.

Liebe Karoline!
Entschuldige bitte, daß wir Dir erst heute schreiben. Wir dachten uns, Du möchtest Dich sicher erst ein bißchen einleben. Wie wir von Tante Lierck erfahren haben, hängst Du mehr an Deiner Mutter. Aber glaube uns: Bald wirst Du auch Deinem Vater mehr zugetan sein, Deine Geschwister achten und wie unsere Susen, die jetzt die 2. Klasse besucht, die ganze Republik lieben.
Die beiliegende Uhr soll Dir immer sagen, in was für einer großen Zeit Du lebst. Mache Deinen Eltern verständlich, daß wir stolz auf Dich sind und sie zu einem Mädchen wie Dir herzlichst beglückwünschen.

Immer Deine Glauches
Freital, am 27.10.78

Als meine Tochter neulich beim Kramen die Uhr wiederfand, sagte sie begeistert: »Mensch, die ist ja total in!« Wenn Hans Glauche noch lebte, man würde das von ihm bestimmt auch noch sagen können.

Wieso ich einmal die Tür hinter mir zuschlug

Ich bin ein sehr harmoniebedürftiger, eher schüchterner Mensch und mache gewöhnlich Türen leise hinter mir zu. Da ich weiß, wie komisch ich wirke, wenn ich schreie, tue ich das so gut wie nie. Meine Kinder können es bezeugen, ich habe mich – wenn überhaupt jemals – nie laut durchzusetzen versucht. Mir ist zwar der eine oder andere Teller beim Abwaschen schon kaputtgegangen, geworfen habe ich nie damit.

Auch im Umgang mit der Zensur, und das war mein täglicher Umgang, wurde ich nie laut. Manchmal versuchte ich über ihre Kleinlichkeit und Dummheit zu lachen, oft allerdings verzweifelte ich eher stumm. Die Zensur begann ja nicht erst mit dem persönlichen Eingriff der beamteten Zensoren selbst.

Als ich einmal einen mir ganz harmlos erscheinenden Text für einen Darsteller der *Distel,* der gleichzeitig Parteisekretär war, geschrieben hatte, gab er mir den mit der Bemerkung zurück, er riskiere doch nicht, meinetwegen ins Gefängnis zu gehen. Das war irgendwann in den siebziger Jahren, als zwar Kabarettexte immer mal verboten, aber keine Kabarettisten mehr eingesperrt wurden.

Viele Zensoren verdarben den Brei, bevor er überhaupt gekocht wurde. Der erste Zensor saß immer neben mir an der Schreibmaschine und sagte, noch bevor der kritische

Gedanke auf dem Papier war: »Das kriegst du doch sowieso nicht durch.«
Und bis ein Text schließlich auf die Bühne kam, hatte er so viele ehrenamtliche und beamtete Zensoren zu passieren, daß ich mich im nachhinein nur wundern kann, was trotzdem noch auf unsere Kabarettbühnen gelangte.
Es gab zwar immer mal wieder Tauwetterperioden, aber die kamen und gingen, wie das Wetter eben kommt und geht. Wie weit die Zensur mal auftaute, das hing gewöhnlich mit der politischen Großwetterlage in der Provinz DDR zusammen. Viel hing aber auch von Mut oder Feigheit, Intelligenz oder Dummheit der örtlichen Funktionäre ab. Was in Sachsen manchmal möglich war, war in Berlin undenkbar. Hier wachte außer der Stadtregierung auch noch die Zentrale, und manchmal versuchten beide einander in Wachsamkeit zu übertreffen.
Aber auch vom Mut der Kabarettleiter hing viel ab. Und vom Klima im Ensemble. Als in der Dresdner *Herkuleskeule* einmal ein Programm verboten wurde – das war 1969 –, sollte auch der Direktor Manfred Schubert aus dem leitenden Verkehr gezogen werden. Da stand das ganze Ensemble auf und sagte, wenn Schubert gehen müßte, gingen alle. Also mußte keiner gehen.
Schubert wurde ein paar Monate auf eine Blockparteischule geschickt – er war nämlich »Blockfreund« – und leitete das Kabarett weiter, bis er aus gesundheitlichen Gründen, die man nicht erfinden mußte, selbst zurücktrat. Rotlichtbestrahlung nannte man so ein Nachsitzen auf Parteischulen.
Seit Ende der siebziger Jahre schreibe ich mit meinem Freund und Kollegen Wolfgang Schaller zusammen. Das heißt, wir streiten uns seitdem über fast jedes geschriebene Wort, beleidigen einander nach Kräften und raufen uns zum Schluß wieder zusammen. Eben hat er mich wieder

angerufen, um mir überaus freundlich mitzuteilen, daß er mich zwar für einen bedeutenden Autoren halte, aber den Text, den ich ihm gerade zugeschickt hätte, könne ich doch wohl nicht ernst meinen.
So geht das nun schon fast fünfzehn Jahre, und irgendwann einmal wird jeder von uns ein Buch vollschreiben können mit den ausgesuchtesten Beleidigungen, die ihm der andere zugefügt hat. Nein, Spaß macht das nicht, aber wir kommen nicht voneinander los. Es gab eigentlich immer nur einen Punkt, in dem wir uns ganz und gar einig waren, und dieser Punkt war erreicht, sobald es um Zensur ging, besonders Selbstzensur.
Hatte ich mal einen Text wütend runtergeschrieben, ohne alle Rücksicht und Vorsicht und eigentlich nur für den innerbetrieblichen Gebrauch, und ihm mit der Bemerkung zugeschickt, daß ich selbst wohl wüßte, daß man das nicht aufführen könnte, kam von ihm garantiert die Antwort, gerade das müßte jetzt auf die Bühne und die Zeit der feigen Rücksicht wäre nun zu Ende. Ähnlich habe ich auf entsprechende Texte von ihm reagiert, und das eine oder andere davon kam dann auch tatsächlich an das Licht unserer Kabarettöffentlichkeit.
Eines unserer konsequentesten Kabarettstücke hieß »Auf dich kommt es an, nicht auf alle«. Wie immer mußten wir die erste Fassung des Textes bei Partei und Regierung zur Begutachtung vorlegen. Bevor ein Vertreter der Partei mit uns sprechen wollte, sollte das der Verantwortliche des Rates des Bezirkes Dresden tun.
Das war ungewöhnlich. Noch ungewöhnlicher war, daß er uns einlud, ihn morgens um acht Uhr in seinem Büro zu besuchen. Gewöhnlich besuche ich keinen Menschen morgens vor zehn und empfange auch vorher selbst keine Besuche. Schaller sagte mir am Telefon, diesmal müßte es sein.

Mein Gott, er tut alles, um mich zu ärgern, und bestimmt sowieso darüber, was ich zu tun und zu lassen habe. Wieso das noch heute so ist, obwohl uns doch keine feindliche Zensur mehr verbindet, weiß ich nicht.
Also – acht Uhr, Rat des Bezirkes Dresden, Abteilung Kultur, Büro des Ratsmitglieds. Wenigstens Kaffee steht auf dem Tisch. Ich versichere noch einmal, ich bin ein ruhiger und gewöhnlich freundlicher Mensch. Morgens um acht bin ich sogar ganz besonders ruhig und sage kein einziges Wort. Außer dem munteren Frühaufsteher Schaller – ich begreife nicht, was mich überhaupt mit ihm verbindet – ist auch noch der Kabarettdirektor Schubert von der Morgenpartie. Wir werden freundlich begrüßt, sind ja auch alte Bekannte.
In den ersten Sätzen betont dann unser alter Bekannter, wie sehr er Schallers und meine Arbeit schätze, wie oft er uns in Schutz genommen habe gegen Verleumdungen und Verdächtigungen, und überhaupt sei er doch – das müßten wir ja wissen – ein großer Freund unseres kleinen Kabaretts. Dafür habe er schon manche Schläge seiner Oberen einstecken müssen.
Diesmal aber fände er selbst alles bestätigt, was sonst andere über uns sagten. Auf die unerträglich muntere Frage von Schaller, was das denn bitte schön konkret sei, schlägt unser guter Bekannter das eingereichte Manuskript auf, liest ein paar Sätze daraus vor und beweist damit, daß dies die Konterrevolution und der Antikommunismus in Reinkultur seien.
So ganz wach war ich zwar noch immer nicht, aber sitzenbleiben mochte ich nun auch nicht mehr. Ich beschimpfte den leitenden Genossen noch etwas verschlafen, aber doch schon ziemlich unflätig, empfahl ihm, doch künftig sein Kabarett, das er so liebte, allein zu machen, und warf die

Tür so laut hinter mir zu, daß ich davon fast selbst aufgewacht wäre.
Vor dem hohen Haus war eine Parkbank, auf der ich meine Kollegen erwarten wollte. Ich mußte nicht lange warten. Nach einigen Minuten kam Schaller und sagte, er bedauere nur, nicht gleich mit mir mitgegangen zu sein. Etwas später kam auch der friedfertige Manfred Schubert und meinte nur, da könnte man eben nichts machen.
Wir fuhren in Schallers schönes kleines Haus im schönen kleinen Pillnitz, sagten einander immer wieder, daß das ja mal so hätte kommen müssen, und schließlich gäbe es so viele andere Berufe. Und ein bißchen stolz waren wir auch. Schaller wollte es zukünftig als Schwänkeschreiber versuchen. Mir blieb ja noch mein Kindertheater.
Nach zwei oder drei Stunden klingelte das Telefon. Die Bezirksleitung Dresden der SED meldete sich. Das alles müsse ein Irrtum gewesen sein. Der Genosse sei vorgeprescht, ohne sich mit der Partei vorher abzustimmen. Man bäte uns um ein weiteres Gespräch. Als wir uns sofort bereit erklärten, sagte man uns rasch, nein, sofort ginge das nicht, vielleicht in zwei bis drei Wochen. Ich fuhr also zurück nach Berlin, nachdem wir vereinbart hatten, auch beim nächsten Gespräch konsequent zu bleiben und das Programm so oder gar nicht auf die Bühne zu bringen.
Das nächste Gespräch fand in den Räumen des Kabaretts statt. Die Genossen kamen in großer Besetzung. Es wurden Freundlichkeiten ausgetauscht, die alle nicht sehr echt klangen. Die Partei versicherte, wieviel ihr an »unserer« *Herkuleskeule* läge. In der DDR sprach man eben nicht nur von »unseren« Menschen, sondern auch von »unserem« Kabarett, »unseren« Kunst- und Kulturschaffenden. Von »unseren« Dissidenten allerdings sprach man nicht. Wer erst mal Dissident war, gehörte nicht mehr zu dem, was »unser« war.

Wir aber, das wurde uns mehrmals versichert, gehörten noch zu uns.
Dann ergriff der Genosse Ratsmitglied für Kultur – so hieß das wirklich – das Wort, um zu sagen, daß er neulich wohl etwas übertrieben hätte, und man könnte doch über alles reden. Und dann ging die übliche Krämerei los. Es wurde um Worte gefeilscht, Halbsätze und Betonungen. Dabei fiel immer wieder der uns allen so bekannte Satz: »Ihr wißt doch, wenn es nach uns ginge, wär' doch viel mehr möglich. Aber laßt einen aus Berlin kommen ...«
Und das war die reine Wahrheit. Es genügte, daß irgendein Landwirtschafts- oder Braunkohlefunktionär aus der Hauptstadt kam, und schon zitterten die Dresdner Parteifesten. Wir versicherten den armen Genossen, daß wir ja auch nicht vorhätten, sie auf diese Weise zu stürzen, und strichen bereitwillig das eine oder andere antikommunistische Komma zum Wohle der Partei.
Die Aufführung in der Regie von Gisela Oechelhaeuser – es war ihre erste Kabarettregie überhaupt – wurde ein Riesenerfolg. Das Stück wurde – wiederum von Gisela Oechelhaeuser inszeniert – auch in Berlin, im Theater im Palast der Republik, aufgeführt. Dort allerdings bekam es wirklich manchmal beklemmende Wirkung. Denn wenn man aus den Fenstern des Theaters sah, konnte man auf die Zentrale der Macht, auf das Haus des Zentralkomitees, schauen. Und um ebendie ging es ja in dem Stück.
Als ich im Winter 1988/89 bei einem Berliner Pfarrerkonvent zu einer Lesung eingeladen war, sagte mir der gastgebende Geistliche, diesmal könnte ich dort ganz offen reden. Es wären nur seine Amtsbrüder zugegen. Die Gemeinde hätte er bewußt ausgeladen, da er vermutete, es könnten Stasileute dabeisein. Daß ein Pfarrer IM sein könnte, darauf kam er damals noch nicht.

Nach der Lesung wurde wie üblich diskutiert, und einer der Pfarrer, der das Kabarettstück »Auf dich kommt es an, nicht auf alle« in Berlin gesehen hatte, fragte, ob wir das vielleicht im Auftrage der Stasi geschrieben hätten. Denn in diesem Stück würde doch all das ausgesprochen, was nirgendwo sonst gesagt würde. Oder ob Schaller und ich einfach Narrenfreiheit hätten.

Ich kann nur eines mit absoluter Sicherheit sagen: Die Staatssicherheit war grundsätzlich bei jeder Berliner Aufführung dabei, denn der Palast der Republik, in dem die Aufführungen stattfanden, war immer von Staatssicherheit bewacht. Aber am Stück selbst hatten sie keinen Anteil, es sei denn, Schaller oder ich waren IM. Aber das versuchen wir gerade herauszubekommen.

Übrigens traf ich einen Herrn von der Wachmannschaft des Republikpalastes im Jahre 1991 wieder – hinter der Bühne der *Distel.* Der Vorstand der Treuhandanstalt hatte eine ganze Vorstellung bei uns gekauft. Das Haus war abgesperrt und bewacht, als fände dort eine Sitzung des alten SED-Politbüros statt.

Ich durfte – mehrfach kontrolliert – das eigene Haus betreten und begegnete vor und hinter der Bühne auffällig vielen solcher unauffälliger Herren. Als ich einen von ihnen fragte, was er denn früher getan hätte, sagte er grinsend: »Dasselbe wie jetzt. Objekt- und Personenschutz, früher im Palast der Republik, jetzt mal hier, mal da.«

Auch im Zuschauerraum war's während der Vorstellung wie bei einer Protokollveranstaltung in der unguten alten DDR. Erst als Frau Breuel lachte, lachte der Vorstand befreit mit. Dann allerdings auch über reichlich unfreundliche Bemerkungen zur Treuhand selbst.

Na ja, lieber Narrenfreiheit als gar keine.

Wieso wir in München spielen durften, aber nicht in Ost-Berlin

Kabarett war lange Zeit in der DDR so etwas wie eine geheime Verschlußsache für Eingeborene. Was da in den Kellern oder Dachböden sozialistischer Geheimniskrämerei gesagt wurde, sollte möglichst nicht nach außen dringen. Der Klassenfeind sollte um Himmels willen nicht wissen, was wir alle wußten.

Zwar konnte man westlichen Besuchern den Eintritt nicht verbieten, schon weil damals der freundliche Ossi den feindlichen Wessi nicht auf den ersten Blick erkannte. Und wenn er ihn doch erkannte, so war er doch damals nur sein Klassen- und nicht schon sein Herzensfeind.

Nicht einmal Journalisten konnte man verbieten, über das zu schreiben, was sie eigentlich hatten hören und sehen sollen. Kameras und Mikrophone allerdings sollten draußen bleiben. Daß trotzdem immer wieder ganze Texte von meinen Kollegen und mir in den Westmedien erschienen, lag allein an deren Heimtücke und ihrer winzigen Technik.

Ich wurde immer mal wieder – anfangs nur beiläufig – gefragt, ob ich den oder jenen Text in den Westen gegeben hätte. Ich hatte nicht. Heute könnte ich es ja zugeben. Damals ging es mir vor allem darum, im Osten aufgeführt zu werden. So verlockend es war, in westlichen Medien zu erscheinen, da uns die östlichen ja verschlossen waren, so

genau wußte ich doch um die Konsequenzen. Ich wollte unbedingt da wirken, wo ich meinte, etwas bewirken zu können, wie wenig das auch immer sein mochte.
Ob ich damit recht hatte, weiß ich heute noch weniger als damals, obwohl wir doch heute eigentlich alles besser wissen sollten.
Übrigens hat mir nie eines der Medien, die da was von mir sendeten oder druckten, ein Honorar auch nur angeboten. Ich weiß nicht, ob der Einigungsvertrag für solche Art Altschulden eine Regelung vorgesehen hat. Jedenfalls weiß ich noch genau von einem solchen »Raubdruck« im *Spiegel.* Das muß Anfang der siebziger Jahre gewesen sein. Ich bekam etwas Ärger deshalb.
Für ein *Distel*-Programm hatte ich einen für damalige Verhältnisse unglaublich scharfen Text geschrieben, der durch viele Hände gegangen war, ehe er auf die Bühne gelangte. Er hieß »Dialektisch for you«. Den also hatte *Der Spiegel* abgedruckt, allerdings ohne Nennung des Autorennamens. Da ich den *Spiegel* damals noch nicht zu kaufen bekam, erfuhr ich von meinem anonymen Ruhm erst Wochen später.
Der Direktor der *Distel* bestellte mich in sein Büro, um mir meinen beim Klassenfeind erschienenen Text unter die Nase zu halten. Das hatte er schon öfter getan, diesmal aber schien es ernster zu sein. Er verlangte von mir eine Erklärung, weil er seinen Oberen erklären sollte, was wir uns doch alle leicht erklären konnten.
Ich sagte ihm, was wir alle wußten, nämlich daß diese gerissenen Westjournalisten es doch wirklich fertigbrachten, mit ihren winzigen Mikrophonen in den feindlichen Jackentaschen alles mitzuschneiden, was wir vor ihnen geheimzuhalten hatten. Schließlich hatten wir selbst ihnen dazu geraten, wenn sie so blauäugig waren und einen

von uns um Erlaubnis baten, Tonbandmitschnitte zu machen.
Für meine zahlreichen Freunde vom Stockholmer Rundfunk jedenfalls habe ich selbst auf diese Art und Weise ganze Programme mitgeschnitten. Beim *RIAS, SFB* und *Deutschlandfunk* hatte ich damals noch keine so engen Freunde. Der Genosse Direktor aber sagte mir, daß seine Genossen von oben nicht länger glauben wollten, daß wir unsere Texte nicht selbst – und natürlich für Honorar – an den Klassenfeind verkauften.
Ich bat, nachlesen zu dürfen, was da im *Spiegel* von mir gedruckt war. Und siehe, sie hatten einen Versprecher der Darstellerin Hannelore Erle, über den ich mich bei der Premiere so geärgert hatte, mitgedruckt. Ich konnte meinem Direktor, und mein Direktor konnte seinen Parteioberen beweisen, daß der Klassenfeind hier ganz allein und konspirativ gearbeitet hatte.
Schaller und ich haben uns oft über westliche Kritiker geärgert, die über uns genau das schrieben, was die Partei uns vorwarf. Nun muß man ihnen allerdings zugestehen, daß sie damals gar nicht wissen konnten, wie oft sich ihr Urteil mit dem der Zensur deckte. Und wenn sie dann noch ihr Erstaunen darüber zum Ausdruck brachten, daß so etwas überhaupt bei uns gesagt werden durfte, dann zitterten am meisten die Genossen Aufpasser vor ihren Aufpassern, weil sie – nunmehr nachweislich – nicht aufgepaßt hatten.
Wie wollten wir das aber westlichen Journalisten damals erklären? Wenn wir es versuchten, verstanden sie uns meist nicht. Das verstehe ich heute. Schließlich können wir uns manche Mechanismen heute selbst nicht mehr erklären, obwohl wir sie damals zu durchschauen meinten. Je näher das Ende dieser DDR kam, von dem wir alle nicht ahnten, daß es das wäre, desto undurchschaubarer wurden manche

Mechanismen. Daß da einfach nichts mehr funktionierte, das ahnten wir kaum.
Unser Kabarettstück »Überlebenszeit« wurde zum Jahreswechsel 1988/89 von einer Jury von Theaterleuten und Kritikern ausgewählt, zum 2. Nationalen Theaterfestival in die Hauptstadt eingeladen zu werden. Die Einladung galt als Auszeichnung und stand in allen Zeitungen, weil bei uns grundsätzlich alles in allen Zeitungen stand, was berichtet werden durfte beziehungsweise sollte. Das *Neue Deutschland* war das Zentralorgan und druckte vor, was die anderen nur noch nachzudrucken brauchten.
Daraufhin wurde Schaller in die Dresdner Bezirksleitung der SED bestellt, wo man ihm mitteilte, daß die *Herkuleskeule* mit diesem Stück selbstverständlich nicht nach Berlin fahren dürfte. Wenn dort bekannt würde, was man in Dresden erlaubt hätte, könnte das für Dresden böse Folgen haben. Man warte doch in Berlin nur darauf, einen Anlaß zu bekommen, um Modrow abzuschießen.
Zur selben Zeit wurde ich ins Berliner Kulturministerium bestellt, wo man mich fragte, wie man die Dresdner schützen könnte vor der Berliner Parteizentrale. Wir hätten zwar recht mit dem, was wir in unserem Stück sagten, aber soviel Wahrheit könnte man in Berlin keinem leitenden Genossen zumuten. Das Kulturministerium war endgültig zwischen alle Stühle geraten. Da hatte man versucht, Zensur nicht mehr auszuüben, und mußte nun fürchten, dafür selbst verboten zu werden.
Wir fanden einen Kompromiß. Seit langer Zeit lag für das Dresdner Kabarett eine Einladung aus München vor. Wir sollten mit der »Überlebenszeit« im Cuvilliés-Theater gastieren. Aber das Gastspiel war nicht genehmigt worden. Nun sollten wir lieber dorthin fahren, weil kaum Gefahr bestand, daß ein leitender Genosse aus der Zentrale diese feindliche

Aufführung in München sehen würde. Als Gegenleistung sollten wir das Berlin-Gastspiel – aus welchen Gründen auch immer, möglichst aber technischen – absagen.
Es war ein Kuhhandel. Aber die Situation war inzwischen so unüberschaubar geworden, und daß Kohl uns einmal alle retten würde, darauf kamen wir einfach nicht. Schaller tröstete mich und ich ihn. Schließlich war unser erstes Kabarettstück »Bürger schützt eure Anlagen« auch erst sieben Jahre nach der Dresdner Uraufführung nach Berlin gekommen. DDR-Satiren hatten ein langes Leben. Berlin bleibt uns immer noch, fahren wir erst mal nach München, dachten wir.
Und fuhren. Und hatten Angst. Nicht vor unserer Zensur, sondern vor dem Münchner Publikum. Was wußten die Leute da unten von uns und unseren Problemen? Und was würden die Medien mit dem Ereignis anfangen? Bei anderen, kleineren Gastspielen im Westen waren wir immer wieder nach der Zensur gefragt worden. Schaller und ich hatten uns längst abgewöhnt, das zu bestreiten, was sowieso alle wußten: Es gab sie. Das sagten wir auch in jede Kamera, in jedes Mikrophon, und davon gab's in München viele.
Bei der Münchner Premiere erkannten wir jedes zweite Gesicht im Zuschauerraum wieder. Wir wußten zwar nicht immer genau, wer wer war, aber daß da fast jeder wer war, das erkannten wir. Zum Glück erkannten wir auch unsere Münchner Kollegen unter den Zuschauern. Hildebrandt war da, Schneyder, Polt – wir hatten den Eindruck, daß alle da waren.
In einer Kritik stand etwas, worüber wir uns am meisten freuten: In diesen zwei Stunden Kabarett wäre mehr über die DDR zu erfahren als in zwanzig Jahren Fernsehberichterstattung.
Nach der Vorstellung gab die Dresdner Bank einen Emp-

fang. Wir Ostler bekamen einen Coupon in die Hand gedrückt, auf dem stand: »Speis und Trank frei.« Ich hatte so meine Probleme, mich ausgerechnet von der Dresdner Bank freihalten zu lassen, aber Dieter Hildebrandt meinte, ich würde mir am meisten nützen, wenn ich die Bank schädigte. Ich vermute aber, ich habe keinem geschadet.
Und dann fragte mich Hildebrandt, ob ich schon wüßte, daß wir zusammen im Juni auftreten würden. Ich wußte nicht. Aber Dieter versicherte mir, wir würden. Er wußte schon Tag und Auftrittsort. Es wurde eine lange, fröhliche Nacht in München. Als ich am nächsten Vormittag in die Münchner Pinakothek ging, war ich allein mit meinem Kater, und wir wußten uns keines der Bilder zu erklären. Ich muß unbedingt noch mal hin, um nachzuschauen, was ich da gesehen habe.
Das war im März '89. Im Mai bekam ich von der Künstleragentur der DDR kommentarlos einen Vertrag zugeschickt, auf dem stand »Kabarettauftritt in Bonn«. Als ich bei der Agentur anrief, um nachzufragen, worum es sich handelte, wußte man mir nichts zu sagen. Sie hätten von »ganz oben« die Weisung erhalten, mir diesen Vertrag zuzuschicken. Den gleichen Vertrag bekam meine Freundin Gisela Oechelhaeuser und unser Pianist.
Es konnte sich nur um den Auftritt handeln, von dem Dieter Hildebrandt in München gesprochen hatte. Wir telefonierten miteinander, um zu besprechen, was wir eigentlich machen würden. Jeder seins und irgendwas zusammen. Ich schrieb einen Anfangstext, einen Dialog Hildebrandt/Ensikat, die Begegnung von Ost- und Westkabarettist.
Die Veranstaltung, organisiert von der SPD-Landesgruppe Nordrhein-Westfalen, hieß »Streitfall Satire«. Es kam zu keinem Streit. Ich weiß nicht mehr, wie gut oder wie schlecht die Veranstaltung war, ich weiß nur noch, wie aufgeregt wir

alle waren. Dieter hatte vorher schon gewarnt. Er sagte, ich sollte von dem Publikum nicht zuviel erwarten, es wären alles nur Politiker und Journalisten.

Ja, ich kannte fast alle Gesichter da unten wieder. Manche waren so unbeweglich, wie ich das von den heimischen Funktionären und Journalisten kannte. Wenn wir nicht dran waren, hatten wir Zeit, das Publikum zu betrachten. Wir wollten das dümmste Gesicht herausfinden und fanden es sehr schnell.

Der Herr, zu dem es gehörte, kam nach der Vorstellung zu uns hinter die Bühne, um uns zu gratulieren. Er stellte sich vor, und ich habe Dieter Hildebrandt nie wieder so hämisch lachen sehen – es war der Kulturattaché der DDR-Botschaft. Nach der Veranstaltung wurde lange gerätselt, wie es zu diesem gemeinsamen Auftritt gekommen sei. Keiner konnte es wirklich erklären. Alle vermuteten, und mehr weiß ich bis heute nicht, daß da zwei von ganz oben miteinander zu unserem Wohl gekungelt hatten.

Als ich wieder in Berlin war, kam ein sehr aufgeregter Anruf aus dem Kulturministerium. Ich sollte sofort zu einer Auswertung unseres Bonner Auftritts erscheinen. Kurt Hager, im Politbüro zuständig für Ideologie und Kultur, habe sich eingeschaltet. Er muß an jenem Abend die *Tagesthemen* gesehen haben, denn da war ein kurzer Ausschnitt gesendet worden von unserem Anfangsdialog. Wir hatten uns auf unsere gemeinsame Berufsbezeichnung in unseren unterschiedlichen Systemen geeinigt: Nestbeschmutzer. Das hätte ich wohl nicht sagen dürfen, oder die *Tagesthemen* hätten es nicht senden dürfen. Ich weiß nicht.

Jedenfalls bedauerte ich sehr, zu dem angesetzten Gespräch nicht erscheinen zu können. Ich mußte nach Algerien, um dort meine angefangene Inszenierung im Theater von Oran zu Ende zu bringen. Danach stünde ich zu jedem Gespräch zur Verfügung. Die Antwort vom Ministerium schien eher erleichtert. Na ja, man könnte ja auch später noch drüber reden.

Aber später wollte man gar nicht mehr. Als ich auf der Aussprache bestand, wurde ich von einem Abteilungsleiter empfangen, mit dem ich schon oft zu tun hatte. Er sagte nur: »Du wirst doch von mir nicht erwarten, daß ich mit dir jetzt das Gespräch führe, zu dem die da oben mich verdonnert haben.«

Spätestens da hätte ich wissen müssen, daß die DDR eigentlich schon nicht mehr existierte. Ein Befehl des Politbüros wurde verweigert. Ich ahnte nicht, was ich hätte wissen müssen.

Wieso ich nicht mehr so wichtig bin

Neulich, im Dezember 1992, war ich in Dresden zur Premiere eines neues Kabarettprogramms von Schaller und mir. »Gibt es ein Leben vor dem Tode?« Es war, na sagen wir, ganz hübsch. Die Leute haben viel gelacht, waren wohl hier und da auch ein bißchen betroffen. Der Schlußapplaus jedenfalls war freundlich und lang anhaltend. Die Premierenfeier danach auch.
Ich traf eine alte Kollegin aus meiner Dresdner Kindertheaterzeit. Sie gratulierte mir artig, lobte, wie man auf Premierenfeiern eben lügt, und rang sich schließlich zu einer Frage durch: »Sag' mal, woher kommt das – früher war eine Kabarettpremiere von dir und Schaller hier in Dresden ein Ereignis, über das wir noch lange danach gesprochen haben. Heute freut man sich, lacht, sagt, ja so ist es, und damit hat es sich.«
Stimmt. Damit hat es sich heute. Ich sag' nicht Gott sei Dank. Ich sag' aber auch nicht leider. Der kritische Alleinvertretungsanspruch des Kabaretts in der DDR war schließlich eher traurig als heiter. Was wir heute zu sagen haben, denken nicht nur viele so oder ähnlich. Es ist – Gott sei Dank – hier und da auch so oder ähnlich zu lesen, zu hören, zu sehen. Was wir sagen, ist nicht mehr sensationell, weil nirgends mehr verboten.
Unsere vergangene Wichtigkeit verdankten wir nun mal wesentlich der dahingegangenen Zensur. Ihr weint natür-

lich keiner eine öffentliche Träne nach, der verlorenen Wichtigkeit schon.
Und weil für moderne Menschen früher nun mal sowieso alles irgendwie besser war, kann es schon vorkommen, daß wir auch mal von alten Kabarettzeiten schwärmen. Selbst wenn unsere Programme mal schlecht waren, die Säle waren immer voll. Und die Zuschauer waren schon deshalb begeistert, weil sie einen Platz bekommen hatten. Wie viele gar nicht geschriebene Pointen lachte sich dieses wunderbare Publikum hinzu, weil es auch da Anspielungen vermutete, wo den Kabarettisten außer einem mutigen Sprachfehler gar nichts eingefallen war.
Und wieviel alten Mut entdecken wir immer wieder neu an uns, wenn wir an damals denken, als jeder Hinweis auf fehlendes Obst und Gemüse noch an den Grundfesten von Staat und Regierung zu rütteln schien. Wie vielsagend wirkte damals auch die vordergründigste Harmlosigkeit durch die hintergründige Art des Vortrags.
Nein, nicht nur unsere Verbote, auch unsere Erfolge von damals verdankten wir zum großen Teil der Zensur. Kabarett ohne Zensur kann zwar auch ganz gut sein, aber eben niemals so wichtig. Man sollte Zensur mal auf ihren Unterhaltungswert hin prüfen. Das Ergebnis dürfte verblüffend sein. »Was verboten ist, das macht uns grade scharf«, sang Biermann schon, als er selbst noch verboten war.
Ach, wir haben sie verloren, die Zensur mit ihrem doppelten Wichtigmachereffekt. Jetzt müssen wir die Leute ganz allein unterhalten. Zensur findet an der Abendkasse statt, und gegen nichtgekommene Zuschauer kämpfen Spötter selbst vergebens.
Zu Wendezeiten fand das Theater in der DDR auf der Straße statt. Unsere Säle blieben leer. Dann kamen die Westler, um sich das östliche Exotenkabarett mal anzuschauen. Und sie

wunderten sich wohl sehr über uns, wie wir uns über sie wunderten. Aber wir waren ja dankbar, daß sie kamen. Auch wenn sie sich manchmal benahmen, als hätten sie nicht nur ihre Eintrittskarte, sondern unseren ganzen Laden gleich mitgekauft.

Als wir einmal einen dieser Zuschauer, der mit seinem kalbsgroßen Hund in die *Distel* kam, darauf hinwiesen, daß wir eigentlich keine Tiervorstellungen gäben, bestand er darauf, seinen treuen Begleiter bei sich zu behalten. Er ginge immer mit Hund ins Theater, sagte er. Was wußte unser Einlaßpersonal von westlichen Theaterverhältnissen? Im Westen war ja alles lockerer als bei uns. Und der lockere Hundebesitzer versicherte ja auch, daß sein Tier weder belle noch beiße.

Und er hatte ja recht. Außer seinem Hecheln war im Saal nichts zu hören, auch von der Bühne nichts. Da faßte sich unsere mutige Thekenfrau ein Herz, lockte das kunstsinnige Tier mit einer Schale Wasser in den Vorraum, und sein Herrchen duldete schulterzuckend die Diskriminierung seines Begleiters.

Irgendwie muß es sich herumgesprochen haben, daß Hunde im Osttheater nicht gern gesehen sind. Zu uns jedenfalls kam keiner mehr. Dafür kamen die bald wieder, für die unsere Programme eigentlich geschrieben waren – die Ostzuschauer. Anfangs waren sie schon an ihrer weniger lockeren Kleidung und Haltung zu erkennen, dann nur noch an ihrem Lachen. Daran sind sie auch heute noch manchmal zu erkennen. Aber im Zuschauerraum der *Distel* passiert doch immer mehr etwas, was draußen so gar nicht zu gelingen scheint: Man lacht sich langsam zusammen.

Natürlich wollen alle von uns unterhalten werden. Aber manche Zuschauer – nicht nur aus dem Osten – kommen

auch, um von der Bühne zu hören, was sie sich selbst zu sagen schon wieder oder noch nicht trauen würden.
Politisch ist die Freiheit ja jetzt für alle da, aber beim Chef, bei Kollegen kann man sich auch in der Demokratie mit mancher Ansicht schaden. Die Gesetze mögen in ganz Deutschland jetzt demokratisch sein. Die Gewohnheiten sind älter. Und wo der Arbeitsplatz gefährdet ist, da hat auch die Meinungsäußerung ihre Grenzen. Also ein bißchen Ventil sind wir auch heute noch, aber eben nur ein Ventil neben anderen.
Daß Kabarett allgemein immer mehr zur Belustigungsanstalt wird für Leute, denen es im Grunde doch gutgeht, die also über alles lachen können und wollen, hat weniger mit Demokratie als mit Marktwirtschaft zu tun. Je unverbindlicher der Spaß, desto mehr Leute zahlen, um mitzulachen. Das Anliegen mancher Kabarettveranstaltungen ist nur noch die Abendkasse.
Ich kenne Kabarettveranstaltungen, deren ganzer Reiz in ihrer Geschmacklosigkeit besteht. Und die Leute unten schlagen sich vor Vergnügen auf die Schenkel – selten so gelacht über die deutsche Schwiegermutterlibido! Auch sogenanntes Frauenkabarett klingt manchmal schon wie weibliches Offizierskasino. Frauenstammtisch muß nicht emanzipatorischer sein als Männerstammtisch.
Auch was im Fernsehen unter Satire läuft, ist oft so unverbindlich albern und setzt den Humor, den es zu verbreiten vorgibt, eigentlich nur beim Zuschauer voraus. Was mich daran ärgert, ist nicht, daß es gesendet wird – was soll einen an diesem Fernsehen noch ärgern? Nein, daß man jede Geschmacklosigkeit zur Satire erklären kann, das macht mich altmodischen Tucholsky-Freund so traurig. Und wenn mich nach so einer Sendung dann jemand arglos fragt: »Ach, Sie machen auch Kabarett?«, dann beneide ich jeden

verkannten Lyriker dieser Welt, der zwar nicht gelesen, aber auch mit Kabarett nicht in Zusammenhang gebracht wird.
Daß die Leute über die ältesten Witze am lautesten lachen, stimmt natürlich. Das ist schon wegen der Wiedersehensfreude so. Aber nicht jeder alte, dumme Witz ist gleich Satire, wie ja auch nicht jeder Erfolg im Kabarett ausschließlich auf Mißverständnissen beruht. Nein, auch das Betroffenheitskabarett, in dem der gute Kabarettist seinem bösen Publikum den Spiegel vorhält und das betretene Schweigen der so Angesprochenen für moralische Erschütterung hält ... Den Satz schreibe ich nicht zu Ende. Dem aufmerksamen Leser dürfte ohnehin nicht entgangen sein, daß wir Kabarettisten, mögen wir inzwischen auch noch so unwichtig geworden sein, uns selbst und unser Metier durchaus wichtig nehmen.
Wie Kabarett wirklich sein sollte, darüber können wir nächtelang streiten, ohne auch nur einmal zu lachen. Und die Kabarettmoden wechseln inzwischen so schnell wie andere Moden auch. Ist das lange Lied noch zeitgemäß, wo alles kurz zu sein hat? Soll man überhaupt noch singen? Darf man überhaupt noch eine Botschaft haben – und wenn ja, welche nicht? Ist der Sketch an sich nicht schon reaktionär, und ist das Couplet noch zeitgemäß? Wer nicht singen kann, findet natürlich, daß Musik grundsätzlich die Aussage aufweicht, und wer nicht reimen kann, hat prinzipielle Einwände gegen die ganze Reimerei.
Natürlich kann, was heute altmodisch ist im Kabarett, schon morgen wieder der letzte Schrei sein. Aber grundsätzlich hält jeder an seinem Prinzip fest, bis er das neue für sich entdeckt hat. Auch im Kabarett wird das Rad alle paar Jahre neu erfunden. Wo käme sonst der ganze Fortschritt her?
Zu DDR-Zeiten gab es aus politischen Gründen fast nur

Ensemblekabarett. Das war einfach besser zu überwachen als irgendwelche Einzelkämpfer, die kritisch über die unbewachten Dörfer tingelten. In dem, was wir heute noch mit Recht die alte Bundesrepublik nennen, weil eine neue einfach nicht erkennbar wird, gibt es dieses Ensemblekabarett aus ökonomischen Gründen kaum noch. Ob die Abendeinnahme nun klein oder groß ist – geteilt wird sie immer kleiner, und auch Kabarettisten sind materiell durchaus interessierte Idealisten. Ich hab' gehört, es gibt schon Millionäre unter uns. Mein Neid ist mit ihnen. Aber um Geld geht es bei uns natürlich nur, wenn die Grundsatzfragen geklärt sind. Grundsatzfrage Nummer eins ist: Wieso ist mein Kabarett besser als das der anderen? Wenn diese Frage geklärt ist, lassen wir über alles mit uns reden.
Solche Diskussionen gab es auch früher, als wir DDR-Kabarettisten noch unter uns waren. Aber es war damals – oder täuscht mich da die Erinnerung an eine nachträglich besonnte Vergangenheit? – weniger verbissen. Mochten unsere Ansichten auch verschieden sein, unsere Säle waren alle gleich voll. Das stimmte versöhnlich.
Insgesamt war die DDR ja eine eher betuliche, provinzielle Diktatur auf Rohbraunkohlenbasis, immer ein bißchen hinter dem Mond, der bei uns Mauer hieß. Nicht alle Moden drangen bis zu uns durch, aber fast alle mit Verspätung. Das empfand ich nicht immer nur als Mangel.
Aber auch das, was 1968 durch Westeuropa fegte und soviel mehr war als eine Mode, drang nur als Nachricht aus fremden Landen zu uns, betraf uns eigentlich nicht. Wirklich betroffen reagierten wir auf den Einmarsch in Prag, auf das Ende des Prager Frühlings, von dem wir ähnliche Fortschritte im Osten erhofft hatten, wie sie im Westen auf die achtundsechziger Bewegung folgten.
Mag auch der Marsch durch die Institutionen nicht gelun-

gen sein, er hat doch seine Demokratiespuren in der westlichen Gesellschaft hinterlassen. Der Einmarsch in Prag hat ebendiese Spuren im Osten beseitigt. Der damals angetretene aufrechte Gang fand sein geducktes Ende. Opposition fand nur noch in Kirche, Kunst und Literatur einen versteckten Platz. Was man selbst nicht mehr zu sagen und zu tun wagte, wollte man in Büchern gesagt und getan bekommen, auf der Bühne wenigstens als künstlerische Möglichkeit erleben.

Das machte uns alle so unverhältnismäßig wichtig. Wir waren sozusagen die mutigen Stellvertreter auf dem Boden allgemeiner Mut- und Ratlosigkeit. Wie mut- und ratlos wir dabei selber waren, das vergaßen und vergessen wir immer wieder. Auch die Kompromisse, die wir machten, um überhaupt noch in Erscheinung treten zu dürfen, vergessen wir lieber. Was heute viele gern als entschiedenes »Trotz alledem« sehen möchten, war doch meist nicht mehr als ein sächsisch-verstocktes »Nu grade«. Wo das Haupttor verschlossen war, gingen wir »nu grade« durch die Hintertür. Was wir woanders nie hätten veröffentlichen können, sagten wir auf der Kabarettbühne.

Als das, was ich schrieb, nicht gedruckt werden durfte, weil alles Gedruckte zu den Massenmedien gezählt wurde, war jedes Wort wichtig. Jetzt, da alles gedruckt werden darf, was einen Käufer findet, ist alles nur noch halb so wichtig. Wer früher wichtig genug war, um abgehört zu werden, findet sich heute nur schwer damit ab, wenn ihm nicht einmal mehr zugehört wird.

Das mag erklären, warum wir Ostdeutschen manchmal so beleidigt reagieren, wenn man uns nicht gleich ernst nimmt. Auch daß ich immer noch so oft »wir« sage statt »ich«, hat damit zu tun. Mit meinem »wir« bin ich nicht ganz so allein, wie ich mich jetzt manchmal fühle in diesem neuen Land,

in dem ich angekommen bin, ohne die Wohnung gewechselt zu haben.
An den alten Mief, auch wenn er einem noch so gestunken hat, hatte man sich doch gewöhnt. Zugegeben, der neue Mief riecht etwas besser. Aber so richtig vertraut ist er mir noch lange nicht.

Satirische Texte aus Dresden

Oh, Eurydike

Bei uns zu Haus ist alles ganz antik.
Mein Mann und ich, wir schwärmen für
die Griechen.
Wir halten nichts von Politik.
Wir möchten selbst wie alte Griechen riechen.
Sogar ein Buch hab' ich gelesen.
Da ist im Einband schon der Wurm gewesen –
gleich war mir klar:
das Buch, es war
aus der Antike –
oh, Eurydike!

Mein Zimmer ist mein Klein-Privat-Athen
mit Hausolymp und lauter nackten Göttern
aus echtem Marmor. Da vergehn
die Witze auch den allergrößten Spöttern.
Wer doch noch lacht, dem sag' ich leise –
als wär es nichts – die echten Götterpreise.
Denn grad der Neid
erhöht die Freud
an der Antike –
oh, Eurydike!

Mein Gatte steht am Tage im Beruf.
Er spielt in einer Tuchfabrik Direktor.

Doch abends steht – wie Gott ihn schuf –
mein Mann vor mir. Ich nenne ihn dann
  Hektor.
So klassisch und so schön gewachsen,
ein echter Grieche, wenn auch nur
  aus Sachsen.
Er flüstert leis:
Wird dir nicht heiß
von der Antike,
oh, Eurydike?

Und glauben Sie, dann wird mir wirklich heiß.
Dann spüre ich Antike in den Händen.
Was stört mich dann noch, wenn ich weiß,
am Morgen muß sich Hektor von mir wenden
und muß sich fortschrittlich gebärden.
Auch dieser Tag wird schließlich Abend
  werden!
Und hier zu Haus
ist's damit aus.
Hier herrscht Antike –
oh, Eurydike!

Herkuleskeule, ca. 1962

Kinderspielzeug

Ein Stückchen Holz, ein Küchenmesser –
zwei Gänsefedern auf dem Kopf;
die Bäume waren Menschenfresser,
und die Prinzessin trug 'nen Zopf.
Der Wald war voller Abenteuer –
wir starrten, wenn ein Käuzchen schrie,
gebannt in unser Lagerfeuer.
Den Rest tat unsre Phantasie.

Ein langes Kleid und Muttis Schuhe –
ein Puppenwagen für das Kind;
der junge Vater wettert: »Ruhe!«
und Mutti sagt:
»Jetzt schläft das Kind!«
Auch hier noch gab es Abenteuer –
wenn's dunkel wird,
dann weiß man nie …
Selbst Eltern sind da nicht geheuer.
Hier fehlte noch die Phantasie.

Ein Bleisoldat und kleine Panzer
mit richt'gem Motor und Geschütz;
ein kleiner Schuß –
schon fällt ein ganzer
Soldat auf seine Spielzeug-Mütz'.

Ein Offizier und zehn Soldaten
im Spielzeugladen vis-à-vis.
Ihr Kind wird gern und gut beraten –
den Rest tut seine Phantasie.

Herkulesskeule, ca. 1963
(Dies war mein erster verbotener Text.)

Worüber wir lachen

Worüber lachen die Leute?
Worüber lachen sie heute?
Lachen sie überhaupt?
Und wenn ja, ist denn Lachen erlaubt?

- Dummme Frage. Natürlich ist Lachen erlaubt. Lachen ist sogar erwünscht, solange richtig gelacht wird.
- Und wie lacht man richtig?
- Indem man dem Klassenfeind sein klar abgegrenztes Haha ins verdutzte Gesicht schleudert.
- Und wenn kein Klassenfeind da ist zum Anlachen?
- Dann können wir auch mal über uns lachen.
- Natürlich nur, wenn bei uns alle mitlachen können.
- Und woran merkt man, ob alle mitlachen können?
- Am Gesicht des jeweiligen Vorsitzenden.
- Wer ist denn das?
- Immer der, der vor dir sitzt.
- Jetzt verstehe ich endlich, was das heißt – nach vorne lachen.

– Nach vorne lachen heißt, über das lachen, was hinter uns liegt.
– So ist es. Wir sollten uns hüten, schon heute über Dinge zu lachen, die erst morgen offiziell als komisch erkannt werden.
– Wer zu früh lacht, lacht sich ins eigene Fleisch.
– Aber wer zuletzt lacht, lacht am sichersten.
– Über das, was vor uns liegt, gibt es sowieso nichts zu lachen.
– Jedenfalls nicht, bevor es hinter uns liegt.
– Aber über einen Chef lacht man doch auch nicht, solange er hinter uns steht.
– Nein, erst wenn er hinter uns liegt.

Darüber lachen die Leute.
Darüber lachen sie heute.
Doch wenn wir heute hier lästern,
dann nur über gestern.

– Ja, gestern stand zum Beispiel in der Zeitung …
– Zu früh! Was gestern in der Zeitung stand, kann heute durchaus noch aktuell sein.
– Nein, nein, es stand schon in der »Union« (CDU-Zeitung).
– Vorsicht. Über Freunde lacht man nicht.
– Auch nicht, wenn es bloß Blockfreunde sind?
– Sieh mal, für die Union kann doch eine Sache erst komisch werden, wenn sie aus

der *Sächsischen Zeitung* klipp und klar entnehmen kann, daß das *Neue Deutschland* aus der *Prawda* ersehen hat, daß das Ganze ein Witz ist.

– Ich möchte nicht *Prawda* sein.
– Ich finde, wir sollten unsere Presse endlich mal in Ruhe lassen.
– Mach ich doch – ich lese sie schon lange nicht mehr.
– Versucht ihr doch mal, jeden Tag aktuell zu sein.
– Versuchen können wir's ja. Aber wer soll das verantworten?
– Am besten jeder selbst.
– Das hieße ja, man muß sich jedes Wort überlegen.
– Und die Leute im Saal jeden Lacher.
– Schon lacht kein Aas mehr.
– Doch, da unten grinst noch einer ganz verantwortungslos vor sich hin.
– Na ja, das Grinsen können sich unsere Menschen oft nicht verkneifen, auch wenn ihnen das Lachen schon längst vergangen ist.

Worüber grinsen die Leute?
Worüber grinsen sie heute?
Grinsen sie überhaupt?
Und wenn ja, ist auch Grinsen erlaubt?

– Grinsen ist grundsätzlich zu verurteilen, aber nicht zu verbieten.
– Jawohl, wenn mein Onkel aus Düsseldorf

kommt, grinst er immer über meinen Trabant.

- Na ja, das kannst du ihm ja wirklich nicht verbieten.
- Aber du kannst es verurteilen.
- Mach ich auch, sobald er wieder weg ist.
- Denn solange er da ist, lacht der Intershop.
- Wir reden hier aber nicht vom Intershop, sondern vom Lachen unserer Menschen.
- Ich hab' unsere Menschen aber auch schon im Intershop lachen sehen.
- Natürlich. Aber das war die Freude über die Entdeckung, daß 80 Prozent der dort verkauften Waren bei uns hergestellt werden.
- Sag' mal, wär's da nicht einfacher, wir würden auch das Westgeld gleich bei uns herstellen?
- Da würde dem Klassenfeind aber das Lachen vergehen, denn ohne seine Devisen ...
- Kann ich mir gar nicht vorstellen – ein Klassenfeind ohne Devisen!
- Das wäre das gleiche wie ein DDR-Bürger ohne Optimismus.
- Ehrlich gesagt, ich hätte manchmal lieber Devisen.

Worüber freun sich die Leute?
Worüber freun sie sich heute?
Freun sie sich überhaupt?
Und wenn ja, ist auch Freude erlaubt?

– Freude ist bei uns erste Bürgerpflicht.
– Und worüber freuen wir uns so im einzelnen?
– Wir freuen uns nicht im einzelnen, wir freuen uns im allgemeinen.
– Jawohl, unsere Kinder freuen sich, unsere Kinder zu sein.
– Unsere Arbeiter freuen sich, unsere Arbeiter zu sein.
– Und unsere Rentner freuen sich …
– … daß sie in den Westen dürfen.
– Nein, daß sie immer wiederkommen dürfen. Sie freuen sich einfach, unsere Rentner zu sein.
– Was ist eigentlich der Unterschied zwischen Lachen und Freude?
– Lachen vergeht, Freude besteht.
– Verstehe ich nicht.
– Ist doch ganz einfach – wenn du zu Hause nichts zu lachen hast, freust du dich einfach auf die Arbeit.
– Und wenn du auf der Arbeit nichts zu lachen hast, freust du dich auf zu Hause.
– Ihr meint also, wenn unsere Menschen auch manchmal nichts zu lachen haben, zu freuen haben sie sich trotzdem?
– Nimm doch nur mal unsere Zuschauer – auch wenn sie heute abend nichts zu lachen haben, die Freude darüber, daß sie überhaupt Karten bekommen haben, kann ihnen keiner nehmen.
– Das ist bei uns mit vielem so, auch wenn's nachher nichts taugt, erst mal freust du

dich doch, daß du überhaupt was gekriegt hast.

– Und morgen kannst du bloß noch lachen, worüber du dich heute gefreut hast.

Herkuleskeule, 1970

Steine im Weg

(Goethe und Schiller stehen in der bekannten Pose des Weimarer Denkmals.)

GOETHE: Über allen Gipfeln
ist Ruh.
Im nächtlichen Weimar
spürest du
kaum einen Hauch.

SCHILLER: Sieh da, sieh da, Timotheus –
dort fährt der letzte Ikarus!

GOETHE: (Steigt vom Sockel und setzt sich.) Kannst runterkommen, Friedrich. In Weimar ist Nachtruhe.

SCHILLER: Kleinstadt! Möchte wissen, wozu ausgerechnet wir Denkmäler rund um die Uhr stehen müssen!

GOETHE: Wenn man wenigstens in Berlin stünde!

SCHILLER: Dieser Lenin hat's gut.

GOETHE: Zehnmal so hoch wie wir.

SCHILLER: Und in der Hauptstadt!

GOETHE: Nur weil er Genosse war.

SCHILLER: Aber den Marx haben sie auch in die Provinz gestellt, ins tiefste Chemnitz.

GOETHE: Karl-Marx-Stadt nennen sie's jetzt.

SCHILLER: Deshalb bleibt's doch Provinz.

GOETHE: Alles zieht nach Berlin. Nur uns Denkmäler lassen sie stehen.

SCHILLER: Ein Denkmal kann sich nicht wehren.

GOETHE: Und das nennen sie dann auch noch Denkmalsschutz. Wenn einer erst mal wo steht, dann steht er, solange er lebt.

SCHILLER: Na ja, aber eigentlich leben Denkmäler ja nicht mehr.

GOETHE: Doch. In der DDR leben noch manche.

SCHILLER: Was denn – Personenkult?

GOETHE: Im Prinzip ja. Aber erstens stehen diese Denkmäler meist nicht, sondern sie sitzen, und zweitens nicht auf Sockeln, sondern auf Planstellen. Aber sonst ist alles wie bei uns. Sie sind fest und unerschütterlich im Wege ... äh, zum Sozialismus.

SCHILLER: Ich denke, im Sozialismus geht es nach Leistung?

GOETHE: Natürlich. Jeder, der mal was geleistet hat, kann sich bis in alle Ewigkeit die Planstelle leisten, auf der er mal was geleistet hat.

SCHILLER: Und wenn er jetzt nichts mehr leistet?

GOETHE: Dann muß er wie wir bleiben, wo er ist, und stillhalten. Dann kann ihm keiner.

SCHILLER: Aber der Fortschritt!

GOETHE: Der muß sehn, wie er dran vorbeikommt. Einem Denkmal kann man nicht kündigen.

SCHILLER: Aber man könnte es doch einfach auf Rente setzen.

GOETHE: Dann müßte es ja wieder arbeiten.

SCHILLER: Wieso?

GOETHE: Meinst du, ein Denkmal kann von der Rente leben?

SCHILLER: Hast du nicht mal gesagt: Nur der verdient sich Freiheit wie das Leben, der täglich sie erobern muß?

GOETHE: Ja, ja, mein Freund – grau ist alle Theorie.

Herkuleskeule, 1969
(Dieser Text wurde zwanzig Jahre
in verschiedenen DDR-Kabaretts gespielt.)

Ach wie froh sind unsre Frauen

Ein Männerquartett

Ach wie froh sind unsre Frauen,
weil sie unsre Frauen sind.
Dürfen sich an uns erbauen,
haben Arbeit, Haushalt, Kind
und genießen das Vertrauen,
das der Staat in sie gesetzt,
der an wen'ger schönen Frauen
doch die Arbeitskräfte schätzt.

Wie heißt es doch im Lied? Ob schwarz, ob blond, ob braun – der Staat liebt alle Fraun. Stehen sie doch überall ihren Mann – das fleißige Schulbienchen und die rüstige Rentnerin, die DFD-Vorsitzende und unsere beiden ewig jungen Kandidatinnen des Politbüros. Auch wenn sie alle nicht direkt an der Spitze unseres männlichen Überbaus stehen, so sitzen sie doch fest in unserer materiell-technischen Basis. Denn welcher Mann verbietet seiner Frau heute noch, Auto, Farbfernsehgerät und Tiefkühltruhe mitzuverdienen? Und unser Staatsoberhaupt geht als Familienoberhaupt mit gutem Beispiel voran: Was bei uns kein anderer Mann seiner Frau erlaubt – er läßt sie sogar Ministerin sein, ganz allein in einem reinen Männerbetrieb.

Ach wie schön sind unsre
Frauen,
weil sie gleichberechtigt sind.
Stürmen froh im Morgengrauen
in die Krippe mit dem Kind.
Laßt die Kindlein ruhig brüllen –
einmal werden sie verstehn:
Mutter muß den Plan erfüllen.
Das erfüllt und macht sie schön.

Denn wo fänden unsere Frauen Erfüllung, wenn nicht in der Erfüllung der Hauptaufgabe? Im Kapitalismus dienen die Frauen nach wie vor als nackte Lustobjekte. Unseren Frauen hingegen strahlt nichts als Arbeitslust aus den Augen. Da vergeht dem Manne einfach die Lust, sich ihrer als Objekt zu bedienen. Subjektiv verkehren Mann und Frau auch bei uns miteinander. Aber nur, wenn beide Lust haben und in der gleichen Schicht arbeiten.

Ach, wie stolz sind unsre Frauen,
daß sie fast wie Männer sind.
Nehmen stolz den gleichen blauen
Arbeitskittel aus dem Spind,
drehn die gleichen schönen
Muttern
nach der gleichen schönen Norm,
gehn das gleiche Essen futtern
in der gleichen Uniform.

Selbst den gleichen Lohn bekommen sie, wenn auch nicht immer die gleiche Arbeit. Denn Frauenberufe sind immer noch solche, in denen die Männer einfach nicht genug verdienen. Unsere Frauen hingegen können es sich leisten,

Krankenschwester, Kindergärtnerin oder Verkäuferin zu werden. Denn sie können ja immer noch einen gut verdienenden Mann heiraten.

Ach wie schön für unsre Frauen,
daß wir Männer Männer sind.
Uns verdanken sie Vertrauen
und manch eheliches Kind,
Frauentag mit Feierstunde,
Haushaltstag, Ovosiston –
uns verdanken sie im Grunde
auch die Emanzipation!

Herkuleskeule, ca. 1974

Der Feuerwehrmann

Entschuldigen Sie bitte, hat von Ihnen vielleicht jemand die Absicht, den Laden hier anzuzünden? Ich muß Sie das fragen, weil ich hier für Ordnung und Sicherheit zuständig bin. Und für etwas zuständig sein, das heißt ja bei uns soviel wie – etwas verhindern. Fragen Sie mal bei Ihrem zuständigen Büro für Neuererwesen nach, was die schon alles verhindert haben ... Ach so, die sind ja eigentlich für was anderes da. Aber ob die das auch schon wissen?

Ich jedenfalls bin zuständig für die Verhütung von Bränden. Wie ich das mache? Nun, zunächst mal trage ich eine Uniform. Damit ist schon viel verhütet. Denn eine Uniform trägt man, um den, der sie nicht trägt, einzuschüchtern. Und Brandstifter sind fast nie Uniformträger, also insofern schon leicht zu erkennen. Und dann mache ich viel mit dem Blick, mit dem bösen Blick. Den kennen Sie doch? Den Dienstblick, der jeden, der keinen Dienst hat, in die Schranken weist. Das Berufsbeamtentum ist ja bei uns abgeschafft. Dafür haben wir jetzt das Blickbeamtentum. Das sind meist gar keine Beamten. Die gucken nur so wie Verkehrspolizisten, Facharbeiter für Ein- und Auslaß, also Pförtner und Empfangschefs in unseren Interhotels. Da fühlt sich der Besucher einfach schon vorbestraft, auch wenn er noch gar nichts ausgefressen hat, sondern nur was essen will. Blick und Uniform zusammen ergeben ein solches Maß an Sicherheit und Ordnung, daß man sich nur wundern kann, wie es trotzdem immer wieder zu Verstößen gegen dieselben kommen kann. Ja, in diesem Kreise kann man das ruhig mal sagen: Es kommt auch bei uns sogar noch zu richtigen Verbrechen, das heißt, wir haben also auch Verbrecher unter uns. Aber viel mehr Sicherheit, wenn Sie verstehen wollen, was ich lieber nicht meine ...

Das fängt an mit den Aktivs für Sicherheit und Ordnung in den Betrieben, und das endet im Politbüro, wo unser Minister für Staatssicherheit persönlich die Augen aufhält, damit da keiner was anstellt. Ich meine, da stellt natürlich sowieso keiner was an. Ich glaube, nicht mal das Wort anstellen ist dort noch bekannt. Aber wenn in jedem kleinen Würstchenbetrieb auf Sicherheit und Ordnung geachtet werden soll, dann kann man das schließlich auch im Politbüro verlangen. Wobei der Genosse Mielke sich natürlich den bösen Dienstblick und meistens auch die Uniform sparen kann. Denn wen sollte er da einschüchtern? Aber Sicherheit und Ordnung müssen sein, koste es, was es muß. Und es muß wohl 'ne ganze Menge kosten, wenn ich mir überlege, was allein schon so eine Randerscheinung wie die Feuerwehr kostet.

Und damit zurück zum einfachen Brandschutz! Ich bin hier das zuständige Organ ... Ein schönes Gefühl übrigens, nicht nur die verschiedensten Organe zu haben, sondern auch selbst eins zu sein ... Also ich bin das zuständige Organ für Feuer und Wasser. Genauer gesagt: Sie legen das Feuer, ich bringe das Wasser. Und meine Kollegen bringen Ihnen dann Wasser und Brot, um es mal poetisch auszudrücken. Nicht etwa, daß ich Ihnen persönlich eine Brandstiftung zutraue. Ihnen persönlich traue ich eigentlich gar nichts zu, falsch, wie Sie immer lachen. Aber nicht jeder, der lange Haare, Jeans und einen aufmüpfigen Blick hat, verdient

gleich eine Strafe. 'ne kleine Kontrolle ist er natürlich immer wert …
Nun werden Sie vielleicht fragen, woher weiß so ein kleiner Feuerwehrmann, wie es in unserer großen, weiten Ordnung und Sicherheit zugeht. Zunächst mal bin ich als Uniformträger natürlich automatisch auch Geheimnisträger. Da können Sie jeden Postboten bei uns fragen – irgendein Geheimnis schleppt er mit sich rum. Allerdings sind viele unserer Geheimnisse ja nicht gleich so geheim, daß sie nicht jeder wüßte. Wenn ich Ihnen mal ein paar von meinen Dienstgeheimnissen ausplauderte, Sie würden aus dem Staunen gar nicht herauskommen, was man so alles geheimhalten kann, besonders, wenn es allgemein bekannt ist. Aber das ist ja auch gleichzeitig das Raffinierte an unseren Geheimnissen – ihr Bekanntheitsgrad ist zugleich ihre Tarnung. Der Uneingeweihte weiß diese Geheimnisse zwar auch, aber nur der Eingeweihte weiß, daß sie geheim sind. Wußten Sie das schon? Ich meine, ich selber bin ja nur ein unteres Organ. Aber das wissen Sie ja aus eigener Erfahrung: Wenn man sich erst auf seine unteren Organe nicht mehr verlassen kann, dann wird es kritisch. Deshalb nehmen sich bei uns auch grade die unteren Organe immer so wichtig.

Herkuleskeule, Dezember 1980
(Dieser Text wurde von der Stasi verboten.)

Unsre Heimat

(Nach einem in der DDR berühmten Lied)

Unsre Heimat ist kaputt wie die Städte und
Dörfer.
Unsre Heimat, das sind tote Bäume im Wald.
Unsre Heimat ist die Mülldeponie und
die Stadt Bitterfeld
und der Schadstoff
in der Luft. Becquerel in der Erde,
tote Fische im Fluß sind die Heimat.
Und wir lieben die Heimat, die schöne,
und zerstören sie, weil sie dem Volke gehört,
weil sie unserem Volke gehört.

Herkuleskeule, 1982
(Diesen Text schrieb die Stasi am Telefon mit,
als ich ihn Wolfgang Schaller diktierte.)

Entreelied

Macht das Tor zu – es zieht.
Laßt die Zugluft nicht rein.
Was immer geschehn ist,
    was immer geschieht –
wir können nur im Mief gedeihn.
Wir brauchen den Käfig.
    Da sind wir zu Haus.
Wir halten die Freiheit einfach nicht aus.
Wir leben nicht nur in der Provinz –
wir sind's, wir sind's, wir sind's.

Macht die Fenster gut zu.
Laßt die Zugluft nicht rein.
Das wertvollste Gut ist
    dem Menschen die Ruh.
Wir wollen wieder Opfer sein.
Da konnte man meckern und
    doch in sich ruhn.
Und Widerstand war, auf Arbeit
    nichts tun.
Wir leben nicht nur in der Provinz –
wir sind's, wir sind's, wir sind's.

Macht die Augen fest zu.
Laßt die Zugluft nicht ran.

Wer SED wählte, wählt jetzt CDU,
weil man ja doch nichts machen kann.
Wir brauchen Regierung, nicht Opposition.
Die Einheitspartei ist jetzt die Union.
Wir leben nicht nur in der Provinz –
wir sind's, wir sind's, wir sind's.

Herkuleskeule, 1991

Rasenbank am Wählergrab

(Die Szene spielt auf einem sächsischen Friedhof.)

DOKTOR: Grüß Gott, Herr Pfarrer! Na, auch mal wieder zum Tatort zurückgekehrt?

PFARRER: Ach, der Herr Doktor. Das waren noch Zeiten, als wir hier noch Hand in Hand gearbeitet haben. Wie lange haben wir uns eigentlich nicht mehr gesehen?

DOKTOR: Seit Ihrer letzten revolutionären Grabrede hier, direkt nach der Wende.

PFARRER: Ach ja, meine letzte Grabrede ... Die ganze Gemeinde hat damals geweint. Apropos – haben Sie meine letzte Bundestagsrede gehört?

DOKTOR: Und ob, Herr Pfarrer, die ganze Gemeinde hat gelacht.

PFARRER: Da sehen Sie, was los ist – das Volk entfernt sich immer mehr von der Realität seiner Politiker. Seit ich in Bonn bin, weiß ich endlich, was hier wirklich los ist.

DOKTOR: Ja, wir sind einfach zu weit weg von Bonn.

PFARRER: Deshalb wissen die Leute hier nicht, wie es ihnen wirklich geht. Das Volk sollte sich endlich mal die Sorgen seiner Politiker machen.

DOKTOR: Ach, wissen Sie, Ihre Sorgen möcht' ich nicht haben.

PFARRER: Das Volk ahnt doch gar nicht, was wir uns für Sorgen machen, von ihm nicht mehr gewählt zu werden.

DOKTOR: Das ist Ihre Hauptsorge?

PFARRER: So ist es. Dem hat sich alles unterzuordnen. Sehen Sie, ich hab' doch auch mal als kleiner Revolutionär angefangen.

DOKTOR: Schwamm drüber, Herr Bürgerrechtler.

PFARRER: Nein, nein, ich stehe zu meiner Vergangenheit. Aber als Revolutionär kommen Sie in der Politik nicht weiter. Deshalb hab' ich mich ja rechtzeitig für die CDU entschieden.

DOKTOR: Weil das eine christliche Partei ist.

PFARRER: Nein, weil das eine Regierungspartei ist. Als Pfarrer war man doch in der DDR immer bloß Opposition. Da will man eben einfach auch mal regieren.

DOKTOR: Tja, Regieren geht eben auch ohne Studieren.

PFARRER: O nein, ich hab' die Mehrheitsverhältnisse genau studiert. Ich weiß jetzt, zu wem ich gehöre.

DOKTOR: Zu Ihren Wählern.

PFARRER: Gewiß gehöre ich persönlich auch zu meinen Wählern. Wer außer mir sollte mich denn hier noch wählen.

DOKTOR: Sie rechnen also schon fest damit, nicht wiedergewählt zu werden?

PFARRER: Im Gegenteil. Ich habe das Vertrauen des Kanzlers.

DOKTOR: Aber Sie hatten doch auch mal das Vertrauen des Volkes.

PFARRER: Na sicher. Aber da muß man sich eben entscheiden. Man kann nicht alles haben.

DOKTOR: Haben Sie eigentlich auch noch Gottvertrauen, Herr Pfarrer?

PFARRER: Gewiß, in meinen Mußestunden.

DOKTOR: Und wann war Ihre letzte Mußestunde?

PFARRER: Lassen Sie mich nachdenken … Das muß damals gewesen sein, direkt nach der Wende. Ich bin damals mit dem ganzen Volk durch unsre Stadt gezogen.

DOKTOR: Und dann sind Sie allein nach Bonn gezogen.

PFARRER: Tja, wenn das Volk eben nicht mitzieht!

Herkuleskeule, 1992

Nachrichten aus den feindlichen Bruderländern

Wieso ich im Westen arbeiten durfte

Daß ausgerechnet ich schon als Student 1961 nach Frankreich durfte, verdanke ich – davon war schon die Rede – der an sich traurigen Tatsache, daß Französisch keine bei uns übliche Fremdsprache war. Fremdsprachen waren hier überhaupt kaum üblich. Selbst Russisch wurde fast ausschließlich für schulische Zwecke gelernt. Fremdsprachen heißen wohl so, weil sie uns wirklich ziemlich fremd sind.
Noch im Sommer 1989 antwortete mir mein Sohn Lukas, als ich ihm dringend riet, doch wenigstens Englisch zu lernen: »Wozu denn? Ich darf ja sowieso nicht raus.« Mein Einwand, daß ich meine Arbeit im Ausland überhaupt nur meinen Sprachkenntnissen verdanke, half nichts.
Im letzten Jahr brachte derselbe Lukas meiner Lyoner Freundin ihren hier gekauften Trabant nach Frankreich und erinnerte sich dort wehmütig der spärlichen Reste seines Schulfranzösisch. Seitdem hat er sich fest vorgenommen, nun endlich richtig Französisch zu lernen. Er hat sich das schon mehrmals vorgenommen.
1973 fanden in Ost-Berlin Weltfestspiele der Jugend statt. Ich war noch Schauspieler im Kindertheater. Eine Gruppe belgischer Theaterleute gastierte bei uns. Es fehlte an Dolmetschern. Ich glaubte noch fest an mein Schulfranzösisch und bot mich als Hilfsdolmetscher an. Die Belgier waren sehr höflich und ließen mich in meinem Glauben.

Nachdem sie eine Inszenierung von mir gesehen hatten, fragten sie mich, ob ich nicht Lust hätte, mal bei ihnen in Brüssel zu arbeiten. Natürlich hatte ich Lust, aber eben kein Visum. Das müßte doch zu haben sein, meinten sie und versprachen, sich von Belgien aus um eine offizielle Einladung für mich zu bemühen. Während wir hier in Berlin zusammen waren, tranken wir viel Rotwein und waren sehr fröhlich. Daß die Einladung so ganz ernst gemeint war, konnte ich mir nicht vorstellen.

Jedenfalls blieben wir in Verbindung, schrieben uns und telefonierten miteinander. Manchmal kamen sie auch wieder nach Berlin. Damals durften Ausländer mit einem Tagesvisum noch 24 Stunden in Ost-Berlin bleiben. Da sie natürlich länger blieben, brachte ich sie täglich einmal zum Bahnhof Friedrichstraße, wo sie die Grenze passierten, um sofort wieder zurückzukommen. Das war zwar nicht praktisch, aber wir fanden es doch ganz lustig. Ich übergab ihnen eines meiner Stücke, sie ließen es in Brüssel übersetzen, und das sollte ich also wirklich inszenieren.

Eines Tages bekam ich einen Anruf von der Künstleragentur der DDR, die allein internationale Gastspiele vermitteln durfte. Da läge eine Einladung des belgischen Kulturministeriums für mich vor. Ich sollte doch mal vorbeikommen.

Eine sehr freundliche, ältere Dame empfing mich und tat so, als wäre es das Selbstverständlichste von der Welt, daß ich in Brüssel arbeiten würde. Natürlich wären da noch Formalitäten. Zum Glück half sie mir, ein Dutzend Formulare auszufüllen, die ich allein nie verstanden hätte. Nach drei Monaten sollte ich mal wieder vorbeischauen.

Als ich das tat, erfuhr ich, daß es nicht schlecht stünde um meine Reise. Denn eine Ablehnung läge nicht vor. Das sei immer ein gutes Zeichen.

Die Belgier hatten sowieso keine Zweifel. Sie besuchten

mich weiter. Wir besprachen das Bühnenbild, Kostüme und Regiekonzeption. Ich dachte, wenn auch sonst nichts dabei herauskommt, mein Französisch kann ja nur besser werden. Zwischendurch ging ich öfter mal zur Künstleragentur und erfuhr schließlich, daß die Reise im Prinzip genehmigt wäre. Aber gedulden müßte ich mich eben doch bis zum letzten Moment. Das Flugticket hatte ich schon Wochen vor der Reise aus Brüssel zugeschickt bekommen. Den Paß mit dem Visum bekam ich am Abend vor der Abfahrt. Die freundliche Dame von der Agentur verstand meine Nervosität überhaupt nicht. Sie hätte es von Anfang an gespürt, daß ich fahren dürfte. Auf ihr Gespür könne sie sich verlassen, seit sie bei der Agentur arbeite.

In Brüssel auf dem Flugplatz erwarteten mich nicht nur meine belgischen Freunde, sondern auch ein Herr vom belgischen Kulturministerium. Seine Ähnlichkeit mit Funktionären, die ich aus der DDR kannte, verblüffte mich anfangs. Dann gingen wir gemeinsam in ein japanisches Restaurant, das ich – Weltbürger, der ich war – sofort als chinesisch ausmachte.

Wir aßen und tranken sehr viel, denn das belgische Ministerium hatte eingeladen. Der Herr vom Ministerium selbst war zum Schluß völlig betrunken. Vorher aber hatte er noch eine Rede gehalten, die ich nur teilweise verstand. Aber sie klang mir wie eine von den bei uns üblichen deutschen Reden, die ich auch nie ganz verstand.

Jedenfalls bedankte er sich besonders dafür, daß ich das so geringe Honorar in Höhe von zwanzigtausend belgischen Franken akzeptiert hätte. Man würde versuchen, noch ein bißchen Geld zu besorgen. Ich hatte keine Ahnung, was ein belgischer Franc wert ist, fand aber zwanzigtausend auf jeden Fall sehr viel. Außerdem war ich – Traum aller DDR-Bürger – im Westen. Was brauchte ich da auch noch Geld?

Vorläufig brauchte ich wirklich keins. Ich wohnte bei einer sehr netten Kollegin in einem schönen großen Haus. Sie wohnte dort allein mit ihrer Mutter, und beide sagten, es machte ihnen großen Spaß, mich nicht nur zu beherbergen, sondern auch zu bekochen. Ich müßte nur manchmal, wenn sie beide nicht zu Hause wären, für die Hunde sorgen. Sie hatten fünf Hunde, zwei davon waren etwa so groß wie Kälber. Sie waren ganz und gar ungefährlich und fraßen als Zeichen ihrer Zuneigung am liebsten von meinem Teller.
Abends nach den Proben ging ich meist mit den Schauspielern in die Kneipe. Da bezahlte, wer gerade Geld hatte, und ich merkte sehr schnell, wer in Belgien Kindertheater macht, kann nicht reich sein. Aber Armut macht wohl überall großzügig, solange kein Reicher die Gemeinsamkeit stört.
Als mein Geld ausgegeben war, und das war es ziemlich schnell, luden sie mich ein, bis ich dann mal wieder ein kleines Bündel zerknautschter Geldscheine bekam und sie einladen konnte. Das ging hin und her. Über Geld sprachen wir nur, wenn wir keines mehr hatten.
Meine Probleme waren ganz anderer Natur, sprachlicher nämlich. Bei den Proben ging es noch. Da sprach ich meist, und mit etwas Geschick kann man im Theater auch mit dem kleinsten Wortschatz auskommen. Man kann ja vorspielen, was man nicht sagen kann. Aber in den anschließenden Diskussionen oder gar bei Pressekonferenzen litt ich Qualen. Da mich das Kulturministerium eingeladen hatte, wollte es der Presse auch vorführen, was es sich das Kindertheater kosten ließ. So habe ich denn viele Fragen beantwortet, die mir vermutlich keiner gestellt hatte. Aber Journalisten sind ja auch gewöhnt, Politiker zu befragen. Sie haben sich nie beschwert, und die Berichterstattung war so sachlich und nichtssagend, wie ich das von zu Hause gewöhnt war.

Nach etwa vierzehn Tagen wachte ich einmal mitten in der Nacht schweißgebadet auf, weil ich auf französisch geträumt hatte und nichts davon verstand. Wenn wir abends in der Kneipe saßen, bemühte ich mich verzweifelt, an den richtigen Stellen mitzulachen. Daß ich das, was da gesprochen wurde, je verstehen könnte, schien mir ganz und gar unmöglich.

Meine französischen Freunde sagen, man höre meinem Französisch heute noch an, wo ich es gelernt habe – in Brüsseler Bierkneipen. Daß das kein Kompliment ist, weiß ich inzwischen. Für die Franzosen sind die Belgier ungefähr das, was für den Berliner die Sachsen sind. Und das Brüsseler Bierkneipenfranzösisch mag etwa dem Chemnitzer Unterweltsächsisch entsprechen.

Ich jedenfalls spreche mein Französisch inzwischen zwar nicht fehlerfrei, aber doch ziemlich hemmungslos. Denn der ersten Inszenierung in Brüssel folgten noch neun weitere. Zehn Jahre arbeitete ich regelmäßig jeweils zwei Monate in Brüssel und weiß seitdem, daß ich hoffnungslos deutsch bin.

Von den Belgiern sagt man – und das ist auch mein Eindruck –, sie wären eigentlich Südländer, die versehentlich nach Norden verschlagen worden wären. Sie haben das gleiche scheußliche Wetter wie wir und sind doch so unvergleichlich viel freundlicher, großzügiger. Wohlgemerkt, ich spreche von den Frankophonen unter den Belgiern. Von den Flamen wurde ich – bewußt oder unbewußt – ferngehalten.

Was sich in dem doch so freundlichen, offenen Belgien zwischen Flamen und Wallonen abspielt, ist in etwa so intelligent wie das, was sich hier zwischen Ostdeutschen und Westdeutschen zuträgt. Aber daß man woanders nicht klüger ist als bei uns, das tröstet mich schon lange nicht mehr.

Jedenfalls fuhr ich, auch als das für mich keine Sensation mehr war, sehr gern nach Belgien. Ja, ich atmete geradezu auf, wenn ich im Zug saß und wir Aachen verließen. Daß die ostdeutschen Grenzbeamten soviel schlimmer waren als die westdeutschen, stimmt einfach nicht. Sie hatten strengere, viel viel dümmere Bestimmungen einzuhalten. Aber das taten sie, wie das ein deutscher Beamter eben tut – korrekt bis zur Bewußtlosigkeit und humorlos wie ihre westdeutschen Kollegen.

Ich bin von deutschen Grenzbeamten nur selten wirklich gefilzt worden, viel öfter von belgischen. Ich weiß nicht, ob die belgischen Vorschriften anders sind. Der Umgangston jedenfalls ist es. Daß ein Mensch den andern kontrolliert, ist kein schöner Vorgang. Aber in Deutschland kontrolliert grundsätzlich der Vorgesetzte einen Untergebenen. Und ein bißchen verdächtig ist der Kontrollierte sowieso immer. Sonst brauchte man ihn schließlich gar nicht zu kontrollieren.

Anfangs habe ich manchmal mit dem Gedanken gespielt, in Belgien zu bleiben. Daß ich doch immer wieder nach Hause fuhr, lag nicht nur an der Familie, die natürlich nie mitdurfte. Abgesehen von der miserablen sozialen Situation der Künstler in Belgien war da noch etwas, was mich immer wieder nach Hause zog.

Ich bin nämlich Deutscher, Ostdeutscher. Kein Grund, darauf stolz zu sein. Aber auch daß ich mich oft genug geschämt habe und schäme, Deutscher zu sein, ändert doch nichts daran, daß ich es bin. Ich finde vieles woanders schöner als in Deutschland, habe auch woanders viele, mir sehr wichtige Freunde. Trotzdem würde ich dieses, jetzt so gefährlich groß gewordene Land nur im Falle äußerster Bedrohung verlassen.

Könnte es sein, daß Leute wie ich dieses Land mindestens

so gern haben wie die Nationalisten, die es gepachtet haben wollen? Ich weiß es nicht. Ich weiß nur, daß ich in jedem anderen Land fremder bin als in Deutschland, auch wenn ich in diesem neuen Deutschland alle Voraussetzungen eines Fremden erfülle.
Meine Muttersprache ist ostdeutsch, und das ist eben nicht, wie wir bis zu unserer Wiedervereinigung glaubten, dieselbe Sprache wie westdeutsch. Gesamtdeutsch ist bisher nur die Ignoranz, mit der wir einander begegnen und dem andern das Anderssein übelnehmen.
Ich bin in der DDR aufgewachsen, in einer völlig anderen Gesellschaftsordnung. Meine Wertvorstellungen unterscheiden sich wesentlich von denen, die heute hier gelten. Zu diesem neuen Staatswesen finde ich nicht viel mehr Beziehung als ich zum alten hatte. Diese Bonner Regierung, von der ich nicht so recht weiß, welches Land sie regiert, finde ich – gelinde gesagt – entbehrlich. Daß sich das ändern wird, wenn die Regierung nach Berlin zieht, bezweifle ich.
Ich finde es unerträglich, in einem Land zu leben, dessen maßgebenden Politikern als Argument gegen Fremdenhaß nur das Ansehen Deutschlands im Ausland einfällt. Wenn erst Exportchancen sinken müssen, um menschlichen Umgang mit Fremden zu erzwingen, dann sehe ich vor lauter Kapitalismus die Demokratie nicht mehr.
War der ganze Wettlauf der Systeme wirklich nur ein Formel-1-Rennen? Dann sollten die Sieger sich aber nicht länger auf ihre bessere Moral, sondern wirklich nur auf ihre besseren Autos berufen.

Wieso ich nie Soldat war

Von meinem Vater konnte ich wenig lernen, weil er Soldat war und als solcher einen staatlichen Heldentod starb. Was ich von ihm noch habe, ist unter anderem ein Eisernes Kreuz, das meiner Mutter zusammen mit einem amtlichen Schreiben geschickt wurde, in dem stand, daß ihr Mann auf dem weiten Feld der Ehre vermißt würde.

Ich habe meinen Vater in der Tat sehr vermißt. Nach den Erzählungen meiner Mutter war er ein sehr friedfertiger, wohl auch ein wenig pedantischer Mann. Von seinem Ordnungssinn habe ich leider nichts geerbt. Ich habe noch einen kleinen Koffer mit Zeugnissen von ihm und Briefen aus dem Felde.

Mein friedfertiger Vater hatte sich freiwillig an die Front gemeldet, um – das geht aus den Briefen hervor – das Leben seiner Kinder zu schützen. Vom russischen Feld der Ehre schickte er uns Kindern gepreßte Feldblumen. Ich weiß nicht, ob er jemals getötet hat. Geschossen hat er bestimmt. Denn als Unteroffizier hatte er häufig Feindberührung. Die letzte muß für ihn tödlich ausgegangen sein.

Seit ich denken kann, denke ich, was noch heute, wenn man es ausspricht, juristische Folgen haben kann: Soldaten sind Mörder. Nach dem Krieg durfte man es bei uns aussprechen, wenn man mit Soldaten nur deutsche meinte. Als es dann auch wieder ostdeutsche Soldaten gab, war der Gedanke offiziell einfach gegenstandslos geworden, denn unsere

Soldaten sollten ja auch nur ihre Kinder schützen. Deshalb durften diese Kinder auch wieder mit Bleisoldaten und aufziehbaren Panzern spielen.
In der Schule lernten wir dann auch, daß es gute und schlechte Soldaten gäbe, wie es eben auch gute und schlechte Kriege geben sollte. Von meinem Vater wußte ich aus Erzählungen, daß er ein guter Mensch war. Er hatte nur das Pech, in einer schlechten Zeit wehrtüchtig zu sein, und wurde ein schlechter, weil faschistischer Soldat.
Kurz nachdem ich wehrtüchtig geworden war, wurde in der DDR die Wehrpflicht wieder eingeführt. Da wollte ich in den Westen, nicht um dort ein besserer Soldat zu werden, sondern keiner. West-Berlin, das wußten wir alle, war eine wehrdienstfreie Zone. Davon trennte uns aber schon die Mauer, und ich schaffte den Sprung nicht.
Mehrere Jahre lang schützte mich meine Arbeit als Schauspieler am Kindertheater vor der Einberufung. Später war auch das kein sicherer Schutz mehr. Ich bemühte alle möglichen Ärzte, meine Untauglichkeit nachzuweisen, war aber einfach zu gesund, um auch die Musterungsärzte zu überzeugen. Vor der Musterungskommission log ich, was das sozialistische Zeug hielt, um mich vor dem bewaffneten Schutz der sozialistischen Errungenschaften zu drücken.
So schaffte ich es, daß meine Einberufung zumindest immer wieder verschoben wurde. Mehrmals hatte ich den Befehl zum Einrücken schon in der Hand. Verweigerung hätte Gefängnis bedeutet. Als schließlich gar nichts mehr zu helfen schien, sagte ich den Herren von der Musterungskommission, daß ich verweigern würde. Sie lächelten und meinten, das würde ich mir schon noch überlegen. Und als ich ihnen auch noch sagte, daß ich, statt meiner nationalen Pflicht, internationale Pflichten zu erfüllen beabsichtigte – ich hatte ja diese Einladung aus Belgien, dort Kindertheater

zu machen –, lachten sie mich einfach aus. Solange ich meine nationale Pflicht nicht erfüllt hätte, könnte ich alle internationalen Verpflichtungen vergessen.
Man drückte mir den Wehrpaß mit der Hundemarke in die Hand und sagte nur, ich könnte ja wählen – Ehrendienst in der Nationalen Volksarmee oder Gefängnis. Ich wählte die Telefonnummer meines Intendanten und erklärte ihm, daß ich verweigern würde und daß mir überhaupt alles egal wäre. Das konnte ihm nicht egal sein. Feindliche Mitarbeiter fielen in der DDR immer auf den Leiter zurück. Da reichte es, daß einer im Westen blieb, schon wurde sein Chef zitiert und wenigstens wegen unzureichender ideologischer Arbeit gerügt. Wer in der DDR Leiter wurde, hatte sich sein Unglück zwar selbst zuzuschreiben, aber auch alles auszubaden.
Mein Chef sagte nur, ich solle ruhig bleiben, ja nichts selbst unternehmen. Er kenne einen Menschen vom vorgesetzten Wehrbezirkskommando (meine Musterung fand beim Wehrkreiskommando statt). Bei dem wollte er sich anmelden. Ich sagte nur noch ganz und gar hoffnungslos: »Aber ich verweigere.« Da hatte er schon aufgelegt, und ein bißchen Hoffnung hatte ich doch wieder. Beziehungen waren in der DDR nun mal – wie anderswo auch – das, woraus die Wunder gemacht wurden.
Das Wunder war ein Brief von meinem Wehrkreiskommando. Ich sollte zu einem persönlichen Gespräch erscheinen. Ich erschien und wurde vom Vorsitzenden jener Kommission empfangen, die über meine internationale Verpflichtung nur gelächelt hatte.
Der Mann lächelte jetzt auch, aber viel freundlicher als beim ersten Mal. Er beglückwünschte mich zu meiner wunderbaren Aufgabe, den Ruhm des DDR-Kindertheaters nach Belgien tragen zu dürfen. Ich hätte ihm doch nur ein Wort zu

sagen und nicht seine Vorgesetzten zu belästigen brauchen. Schließlich wisse man doch auch auf seiner Ebene, was wichtig wäre und was nicht.
Ich widersprach ihm mit keinem Wort, sondern bedankte mich ganz herzlich für so viel Verständnis. Und dann fragte ich, was denn wäre, wenn ich aus Belgien zurück wäre. Dann wäre ich zu alt, auch für den Reservedienst. Ich weiß nicht, wie oft ich fragte, ob er da auch ganz sicher wäre. Ich weiß nur noch, daß er mir die gesetzlichen Bestimmungen schriftlich zeigte. Wir schieden als gute Freunde.
Als ich in Belgien erzählte, daß ich dort sozusagen meinen Wehrersatzdienst machte an ihrem Kindertheater, fanden meine ahnungslosen Kollegen das gar nicht so abwegig. Einer der Schauspieler war auch »Verweigerer aus Gewissensgründen« und verbrachte seinen Ersatzdienst sozusagen mit mir zusammen am selben Theater. Er hatte auch ein bißchen getrickst, denn seinen Zivildienst an einem Kindertheater machen zu dürfen, das ist auch in Belgien nicht normal.
Als wir dann mit unserer Aufführung beim belgischen Kindertheaterfestival in Spa waren, sollten wir alle in der dortigen Kaserne verpflegt werden. Es gab große Aufregung, denn die Kindertheaterleute waren alle Wehrdienstverweigerer und wollten Kasernen auch als Zivilisten nicht betreten. Aber um jeden Tag ins Restaurant essen zu gehen, hatten wir alle nicht genug Geld. Also wollten wir's in der Kaserne mal versuchen.
An der Wache stand eine Schlange, als ich dort ankam. Natürlich muß man – daran hatte ich gar nicht gedacht – an einem Kasernentor auch in Belgien seinen Ausweis vorzeigen. Meine Kollegen hatten auch nicht daran gedacht, daß ich ja aus einem Staat des Warschauer Paktes kam. Ich wollte umkehren, aber jetzt fanden die Belgier die ganze Kaserne

überhaupt erst lustig. Ich ostdeutscher Spion sollte unbedingt versuchen hineinzukommen. Ich sagte dem Soldaten, daß ich Deutscher wäre, meinen Paß aber nicht bei mir hätte.
Und das fand dieser Soldat, ich glaube, es war sogar ein Offizier, überhaupt nicht sonderbar. Er wunderte sich nur ein bißchen, daß alle Leute lachten, als ich durch das Kasernentor schritt.
Es blieb mein erster und letzter Kasernenbesuch. Das Essen war eigentlich gar nicht so schlecht. Aber die Atmosphäre, dieser Männerbetrieb, war – wenn auch belgisch lockerer – doch genau das, was mich so anekelt.
Als Schauspieler am Kindertheater in Berlin war ich vorher einmal in einem Offizierskasino gewesen, ich glaube in Straußberg. Wir hatten da irgendein literarisch-musikalisches Programm gespielt und wurden anschließend von den Offizieren zu einem Gelage eingeladen. Als ich einen von ihnen leise fragte, warum er ausgerechnet diesen Beruf ergriffen hätte, sprach er den bekannten Satz: »Einer muß die Drecksarbeit ja machen.«
Als dann die Wende gekommen war und in der Nacht nach jener ersten freien Volkskammerwahl ein Oberst der DDR-Luftwaffe in einem Fernsehinterview gefragt wurde, wie er sich denn seine Zukunft vorstelle, da antwortete er ganz aufrichtig: »Ich fliege unter jeder Regierung gegen jedes Ziel.«

Wieso mein Englisch so schlecht ist

Als ich vor einem Jahr zum erstenmal nach London kam, traute ich mich kaum, den Mund aufzumachen. Das hatte ich schon vorher vermutet: Die Engländer sprechen ein so englisches Englisch, daß man vor Scham verstummt, wenn man diese Sprache spricht, wie ich das tue – sehr deutsch und gebrochen.
Ich hatte zwar den sprachlichen Zweig auf der Oberschule gewählt, aber Englisch wurde an diesem sprachlichen Zweig nicht gelehrt, nur Russisch, Französisch und Latein. Frau Hurm allerdings meinte, ein bißchen Englisch gehörte zum Weltmann. Sie bot sich an, mir das jeweils nach dem Kohlenraufholen beizubringen. Ich nahm das Angebot dankbar an, wie sich das gehörte. Damit glaubte ich, alles Nötige für mein späteres Englisch getan zu haben.
Da Frau Hurm nicht nur eine strenge, sondern auch einsichtige Lehrerin war, gab sie meinen Englischunterricht nach ein paar Wochen auf. Ich war von der Schule her so daran gewöhnt, außerhalb dieser Schule nichts für sie tun zu müssen, daß ich meinte, auch Englisch so ganz von selbst zu lernen. Frau Hurm vermutete hinter meiner selbstverständlichen Faulheit ganz und gar zu Unrecht Lustlosigkeit. Daß man, um eine Sprache zu lernen, erst mal ganz ordinär Vokabeln pauken muß, das habe ich ja erst in Belgien erfahren.
Frau Hurm selbst hatte schließlich immer gesagt, ich wäre

sprachbegabt. Das glaubte ich ihr bedingungslos. Das hinderte sie leider nicht, mir im Französischunterricht auch viele schlechte Zensuren zu geben. Von ähnlicher Bosheit war übrigens auch mein Russischlehrer, der genau wie Frau Hurm immer wieder meine Sprachbegabung gelobt hatte. Diese schlechten Noten kühlten meine Liebe zu Fremdsprachen ganz erheblich ab. Meine Liebe zur englischen Sprache blieb überhaupt platonisch.

Im Juni des Jahres 1984 wurde ich vom nationalen Zentrum der internationalen Kindertheaterorganisation ASSITEJ in Ost-Berlin angerufen und gefragt, ob ich nicht Lust hätte, auch mal in Äthiopien ein Kinderstück zu inszenieren. Einen DDR-Bürger so etwas zu fragen, klang wie der reine Hohn. Die Chance war einmalig.

Ich sagte sofort ja und fragte mich erst Tage später, welche Sprache dort überhaupt gesprochen würde. Im Lexikon war von vielen verschiedenen Landessprachen die Rede und von einer allgemeinen Amtssprache – Englisch. Ich rief einen Regiekollegen in Leipzig an, der schon einmal in Addis Abeba gearbeitet hatte. Er bestätigte, daß er dort Englisch gesprochen hätte, während die Schauspieler in ihrem einheimischen Amharisch spielten. Das wäre überhaupt kein Problem, weil da unten alle Englisch sprächen. Das einzige Problem war also, daß ich hier oben noch nicht konnte, was da unten alle können. Ich rief im ASSITEJ-Büro an und sagte, ich würde ja gern in Äthiopien arbeiten, aber da wäre das kleine Sprachproblem. Im Büro war man sehr erstaunt. Ich galt als sprachkundig, weil ich doch immer mal gedolmetscht hatte, wenn Russen da waren oder Franzosen. Dann mußt du eben schnell Englisch lernen, wurde mir gesagt. Es gäbe schließlich auch Intensivlehrgänge. Wie gesagt – das war im Juni 1984. Im Oktober desselben Jahres sollte ich mit der Gastinszenierung beginnen.

In Berlin-Karlshorst unterhielt das DDR-Außenministerium ein Fremdspracheninstitut. Dort gab es im Juli noch einen vierwöchigen Sommerlehrgang, an dem ich teilnehmen sollte. Ich zögerte ein wenig – eine ganze Sprache in vier Wochen? Afrika war stärker als meine Angst vor der Sprache.
Von allen Lehrern an diesem Sprachinstitut war nicht einer je in England oder einem anderen englischsprachigen Land gewesen. Sie beneideten uns natürlich um die Chance, die Sprache mal selbst in diesem verschlossenen Ausland anwenden zu dürfen. Wir Schüler waren neun Erwachsene, Menschen unterschiedlichster Herkunft und Bildung, und ich war der einzige, bei dem der Reisetermin feststand. Wir wurden in kürzester Zeit eine ganz normale Schulklasse mit Klassenclown, mittelmäßigen Schülern, besseren und einem Streber. Der war ich.

Ich entschuldigte mich natürlich vorher bei meinen Mitschülern, daß ich – gegen alle Schulmoral – erbarmungslos pauken würde, weil ich im Oktober wirklich Englisch sprechen müßte. Man nahm das mit Nachsicht auf. Um nicht alle Zuneigung meiner Mitschüler zu verlieren, sagte ich vor, wo es nur irgend ging. Hätte ich nicht gewußt, daß wir allesamt – Lehrer wie Schüler – Erwachsene waren, ich hätte gedacht, in einer Grundschulklasse zu sitzen. Wir waren wie die Kinder, und die Lehrer waren zu uns, wie Lehrer eben zu Kindern sind. Nur ich tat, was ich als Kind nie getan hätte – ich paukte wie ein Besessener Vokabeln und das bißchen Grammatik, das auch zu meiner Art, Englisch zu sprechen, gehört.

Wenn ich nicht in der Schule saß, paukte ich in meinem Arbeitszimmer. Nicht mal für Hausarbeiten stand ich zur Verfügung. Im Urlaub fuhr die ganze Familie zu Freunden an die Ostsee. Ich sah keine Sonne, ich paukte. Die Familie machte sich über mich lustig und korrigierte etwas mitleidig

meine Aussprache. Sie konnten zwar allesamt auch nicht Englisch, wußten aber doch ganz genau, daß Englisch anders klingen müßte, als es bei mir klang.
Ich ließ mich nicht beirren und hielt gekränkt an meiner Aussprache fest, die dann in Äthiopien wie auch später in Skandinavien durchaus verstanden wurde. Einzig die Engländer sprechen alles anders aus. Aber ich sollte ja nicht nach Oxford, sondern nach Addis Abeba.
Als ich dann wirklich im Flugzeug saß, dachte ich zum erstenmal nicht mehr an Englisch. Ich fragte mich erschrocken, was ich überhaupt sollte in diesem armen afrikanischen Land, in dem unvorstellbarer Hunger herrschte. Die Schreckensbilder waren ja gerade um die Welt gegangen. Und ich kam da nun mit meinem Märchen an und wollte Kindertheater machen.
Auf dem Flugplatz in Addis Abeba erfuhr ich zunächst nur, daß der DDR-Kulturattaché Gelbsucht hätte. Empfangen wurde ich von einem sehr jungen Diplomatenlehrling und äthiopischen Theaterleuten. Die erste Frage, die sie mir stellten und die mich noch mehr erschreckte als die Gelbsucht des Kulturattachés, war: Haben Sie denn gar keine Angst vor den vielen schwarzen Gesichtern hier?
Ich glaubte zunächst an ein schlichtes Mißverständnis. Aber ich hatte nichts mißverstanden. Die Frau, die mir die Frage stellte, hatte ein wunderschönes dunkles Gesicht. Sie war – das konnte ich nicht wissen – Amharin. Ich antwortete nicht, sondern tat, was ich in Belgien gelernt hatte, als ich dort immer nur Bahnhof verstand – ich lachte ein bißchen hilflos.
Daß es Unterschiede zwischen den Amharen und anderen Äthiopiern gibt, erfuhr ich durch eine andere Frage derselben schönen Frau. Ich hatte mich in den ersten Tagen mit einem äthiopischen Regisseur angefreundet, der in Kiew

studiert hatte und gern mit mir russisch sprach. Wir diskutierten über Stanislawski und Brecht, über afrikanisches und europäisches Theater. Von ihm konnte ich viel lernen, weil er die Unterschiede kannte. Nach einem solchen Gespräch fragte mich also meine amharische Begleiterin, wieso ich ausgerechnet immer mit diesem Nigger zusammensäße.
Ich zuckte zusammen, schaute sie völlig verständnislos an – war sie denn nicht auch das, was sie eben so abfällig über den Regisseur gesagt hatte? Da erst fiel mir auf, daß sie eine etwas hellere Hautfarbe hatte, eine feine, gerade Nase und ebenso feine, schmale Lippen. Aber so richtig hatte ich doch noch nicht verstanden, was mir später erklärt wurde. Die Amharen bilden sich auf ebendiese Äußerlichkeiten sehr viel ein. Sie fühlen sich nicht als Schwarzafrikaner, die sie eher verachten. Nigger nennen sie die anderen Dunkleren mit den dicken Lippen und den breiten Nasen.
Die Schwangeren schützen erst ihren Bauch, dann die Neugeborenen vor der Sonne. Je heller das Kind, desto schöner finden sie es. Ich hab' mich, wo es nur ging, der äthiopischen Sonne ausgesetzt, um ein bißchen braun zu werden. In der amharischen Bauernmalerei erscheinen die Amharen weiß, wir Weißhäutigen rot (das ist durchaus realistisch – auch ich bin unter äthiopischer Sonne eher rot als braun geworden) und die Schwarzafrikaner eben braun. Um Rassist zu sein, muß man weder deutsch noch weißhäutig sein – das ist alles andere als ein Trost.
Ein äthiopischer Theaterleiter hat allen Ernstes auf der Premierenfeier verkündet, Hitler sei für ihn der größte Deutsche, weil er Deutschland groß gemacht hätte, indem er es rassisch gesäubert hätte. Über meinen höflichen, aber entschiedenen Widerspruch konnte er nur lächeln. Wir Deutschen sollten endlich wieder mehr Mut zu uns selbst haben. Damals habe ich noch nicht geahnt, wozu dieser

deutsche Mut gerade dort fähig sein würde, wo damals noch DDR war.
An mir selbst habe ich sehr bald gemerkt, wie schnell man das wird, was man unter uns Gebildeten doch so verachtet – Rassist. Wenn man jeden Morgen wieder vergeblich auf seine Schauspieler wartet, nur ganz selten mal alle zu einer Probe zusammenbekommt, weil jeder irgend etwas anderes zu tun zu haben vorgibt, in Wahrheit aber nur in der Sonne herumsitzt, dann fragt man sich schon mal – natürlich nicht laut –, ob die Äthiopier an ihrem ganzen Elend nicht selbst schuld sind.
An allen Straßenecken sitzen Erwachsene untätig herum und schicken ihre Kinder zum Betteln, zum Schuheputzen, zum Autowaschen. Die einzigen, die man wirklich arbeiten sieht, sind Kinder und Frauen. Auf keinen kann man sich verlassen, niemand ist pünktlich. Selbst die Generalprobe unserer Aufführung mußte ausfallen, weil einer der Schauspieler in seinem schönen Kostüm auf der Straße spazieren geht, einen Verwandten trifft und mit ihm natürlich erst mal Kaffee trinken gehen muß, weil sie sich schon drei Wochen nicht mehr gesehen haben.
Manchmal – besonders in den ersten Wochen – glaubte ich schon, ziemlich genau zu wissen, woran alles lag. Als ich abfuhr, wußte ich kaum noch etwas, und als ich dann wiederkam, wußte ich zwar mehr, verstand aber doch noch weniger.
Nur eines schien sicher – ganz unwichtig war die Arbeit nicht. Daß der Mensch nicht vom Brot allein lebt, ist eine Binsenweisheit. Was aber die Abwesenheit von Kunst und Kultur ausmacht, begann ich erst richtig in Äthiopien zu begreifen. Sie beschädigt den Menschen und macht ihn noch einmal arm.
An vielem, was ich in meinem Leben so getan habe, zweifle

ich immer mal wieder. Daß meine Arbeit in Äthiopien wichtig war, daran zweifle ich auch heute nicht. Kindertheater, überhaupt Kunst für Kinder, war dort etwas nahezu Unbekanntes. Am Wochenende wurde hier und da in Addis Abeba schon mal Theater gespielt. Ich habe ein Stück von Gogol gesehen, eines von Molière, einen Shakespeare und zwei äthiopische Gegenwartsstücke. Das waren alles mehr oder weniger Kopien europäischen Theaters.
Als ich zum erstenmal äthiopische Volksmusik hörte und Volkstänze sah, fragte ich meine äthiopischen Kollegen, ob wir für die Lieder im Stück nicht eine amharische Musik komponieren lassen könnten, gespielt von amharischen Musikern auf traditionellen Instrumenten. Sie waren entsetzt. Das wäre doch keine Kunst, das wäre was für Bauern. Als diese Musiker aber auf der Bühne saßen und spielten und die Schauspieler zu amharischer Musik sangen, wurde es im Saal immer ganz still. Die sonst sehr temperamentvoll reagierenden Zuschauer lauschten dann fast andächtig ihrer Musik in diesem europäischen Märchen vom *Hasen und Igel.*
Daß es dieses Märchen auch in der amharischen Volksliteratur gibt, hatte ich in Berlin von einer Afrikanistin erfahren. In der Bibliothek des Nationaltheaters von Addis Abeba war nur die Äsopsche Fassung auffindbar. Überhaupt war das ein Problem mit äthiopischen Märchen und Liedern. Vieles, sagte man mir, wäre vergessen oder verboten.
Die Zensur hatte schon im kaiserlichen Äthiopien eine große Rolle gespielt. Nach der Revolution, die den Kaiser stürzte, war diese Zensur kurzzeitig abgeschafft worden. Als ich dort ankam – man hatte gerade mit großem Pomp den zehnten Jahrestag dieser Revolution gefeiert –, war derselbe Zensor, der früher für den Kaiser verboten hatte, wieder in

Amt und Würden. Und jetzt verbot er zum Beispiel alle Lieder und Geschichten, in denen die Rede von Kaisern oder Königen war.
Hase und Igel war verboten, weil man Kindern nicht zeigen durfte, daß einer auch durch Betrug gewinnen kann. Und das in einer Gesellschaft, in der Betrug und Korruption zum Alltag gehörten. Aber das kannte ich ja ganz ähnlich aus der DDR. Auch bei uns durfte gerade das, was alle wußten und taten, nicht gesagt werden. Daß das Verbot von *Hase und Igel* wieder aufgehoben wurde, grenzte an ein Wunder. Alle – Äthiopier wie Europäer, die sich dort etwas auskannten – hatten mir nach dem Verbot geraten abzureisen. Gegen die Zensur käme dort niemand an.
Es waren wohl die Erfahrungen mit der DDR-Zensur, von der ich ziemlich genau wußte, wie man sie betrügen konnte, die mich bleiben ließen. Ich argumentierte wie zu Hause: Ein gespielter Text sei etwas ganz anderes als ein gedruckter. Damit erreichte ich immerhin, daß wir eine öffentliche Probe für alle Mitarbeiter des Nationaltheaters machen durften, zu der auch der oberste Zensor geladen war.
Von den Theaterleuten, die immer mal einzeln zu Proben gekommen waren, wußte ich, wie sehr ihnen unsere Arbeit gefiel. Die Rechnung ging auf – die Zuschauer jubelten und wollten zum Schluß kaum aufhören zu klatschen.
Hinter der Bühne trat dann ein Herr auf mich zu und sagte, bei dem Verbot handelte es sich nur um ein Mißverständnis. Er selbst – der Oberzensor nämlich – wäre bis zum Vortage im Ausland gewesen und hätte erst bei seiner Rückkehr von der ganzen Geschichte erfahren. Irgendein dummer, kleiner Beamter hätte das Verbot ausgesprochen. Selbstverständlich sollten wir die wunderbare Vorstellung weiter spielen.

Ich bedankte mich artig für die Genehmigung, und aus der Aufführung wurde dann wirklich ein großer Erfolg. Die Zuschauer strömten, obwohl vorher ja keinerlei Reklame gemacht werden durfte. Verbote sprechen sich vermutlich überall am schnellsten herum. Ab sofort sollte in Äthiopien regelmäßig Kindertheater gemacht werden.
Als ich zwei Jahre später wieder nach Addis Abeba kam, zeigten mir die äthiopischen Kollegen stolz ihre erste eigene Produktion. Darauf war ich genauso stolz wie sie.

Wieso ich mich zu Hause nicht mehr zurechtfand

Daß ich in den ersten Tagen meines Äthiopienaufenthaltes so ziemlich alles falsch gemacht hatte, was man als Europäer dort falsch machen kann, ist vielleicht verständlich. Alles, was ich in Berlin über dieses ferne Land erfahren hatte, war sehr vage, das meiste war einfach falsch. Gar nicht zu reden von den politischen Verhältnissen, die mir in Berlin als irgendwie sozialistisch geschildert worden waren.

Äthiopien nannte sich damals wie die DDR zwar sozialistisch, war aber – leicht zu erkennen an Ausgangssperre und von Uniformierten geprägtem Straßenbild – eine Militärdiktatur. Das Sozialistische an ihr waren die Waffen aus dem Ostblock. Der Sicherheitsdienst war von der DDR-Staatssicherheit aufgebaut worden, die Jubelfeiern anläßlich des zehnten Jahrestages der Revolution waren von Nordkoreanern mit lächerlichem Pomp gestaltet worden. Die Aufmärsche hatte ich noch im DDR-Fernsehen gesehen, die Spuren sah ich dann noch überall auf den Straßen.

Bei meinem ersten Aufenthalt sagte mir der eine oder andere Äthiopier auch schon Kritisches über das System. Immer aber fügten sie damals einen stereotypen Dank an die Revolution hinzu. Ohne sie wäre alles noch viel schlimmer, als es war.

Zwei Jahre später war von Dank an die Revolution keine Rede mehr. Man beklagte die schlimmen Zustände, die

zunehmende Armut. Aber die Angst, frei zu reden, war allgemein. Doch was war die fehlende Meinungsfreiheit gegen den entsetzlichen Mangel an Lebensnotwendigem?
Daß auch die Schauspieler oft Hunger litten, hatte ich lange nicht gewußt. Darüber sprachen sie nicht. Erst als einer der jungen Schauspieler eine Woche lang nicht zur Probe kam, weil er wegen eines kleinen Diebstahls im Gefängnis saß, erzählten sie mir ein bißchen von ihrer eigenen, schwierigen Situation. Sie schämten sich ihrer Armut, schienen sie fast für eigenes Versagen zu halten. Wenn ich eingeladen wurde, dann nur von den Wohlhabenden unter ihnen. Denn auch die gab es.
Armut und Reichtum wohnten auch im Theater so dicht nebeneinander, wie ich es lange Zeit nicht für möglich halten wollte. Da wurde ich ins Hilton eingeladen zu Whisky, den ich mir von meinem Taschengeld nie hätte leisten können. Auf diesem Hilton-Hotel von Addis Abeba übrigens war eine Losung angebracht, die ich nur allzugut aus Berlin kannte: »Frieden–Freundschaft–Solidarität«. Und ganz in der Nähe des Hilton stand eines dieser Konfektionsstandbilder von Lenin.
Nur einmal war ich in eine dieser unzähligen Elendshütten eingeladen. Es war eine windschiefe Bretterbude, ein Raum für vier Personen. Überall liefen Ratten herum, die außer von mir offensichtlich von keinem beachtet wurden.
Die Frau des Hauses hatte das »national food« bereitet. Wir saßen alle auf der bloßen Erde, und den Kindern sah man natürlich die Freude über das seltene Festessen an. Aber sie mußten sich zurückhalten, weil alles natürlich für den Gast bestimmt war. Und der mußte sich zum Essen zwingen. Besonderes Zeichen der Gastfreundschaft war die Fütterung durch die Hausfrau. Sie stopfte mir – das kannte ich schon von anderen Gelegenheiten – mit bloßen Fingern die

besonderen Leckerbissen in den Mund. Besteck wird für die Nationalspeise nicht benutzt.
Sie besteht aus großen, grauen Plinsen, die aus einem Sauerteig aus Teff bereitet werden, einer Getreidesorte, die nur auf der äthiopischen Hochebene wächst. Auf diesen Plinsen werden verschiedene Soßen, Fleischsorten und gekochte Eier angerichtet. Von den Plinsen werden Stücke abgerissen, mit denen man dann das Fleisch oder die anderen Beilagen greift.
In den Restaurants der Reichen in Addis wurde auch während der schlimmsten Hungersnot unendlich viel gegessen. Überall in den Gasträumen liefen die Fernsehapparate, und die Sendungen – ob Mickymaus-Film oder ein Bericht über DDR-Landwirtschaft – wurden beim Essen fröhlich kommentiert. Nur wenn die Nachrichten mit den auch bei uns bekannten Hungerbildern kamen, wandten sich alle ab, und die Gespräche wurden sehr laut. Nein, Verdrängung ist keine nur deutsche Eigenart.
Der Unterschied war, daß man auch im besten Hotel von Addis nur wenige Meter vom größten Elend entfernt war. Und wenn man das Hotel verließ, war man mitten im Hunger. Mir war gesagt worden, ich sollte den Bettlern nichts geben, weil ich mich ihrer sonst nicht erwehren könnte. Ich weiß nicht, wie abgehärtet man sein muß, um das nur eine halbe Stunde durchzuhalten. Jeder Spaziergang endete schließlich mit der Flucht zurück ins Hotel.
Und doch war das Schlimmste für mich die Rückkehr in den heimischen Reichtum. Gleich am ersten Abend gingen wir in ein Konzert, anschließend in ein gutes Ostberliner Restaurant – doch, das gab es auch zu DDR-Zeiten. Mir wurde bewußt, daß ich an diesem einen Abend wählen konnte zwischen vielen verschiedenen Theateraufführungen, mehreren Konzerten … In Addis hatte man – wenn

man überhaupt das Geld dafür hatte – die Wahl zwischen drei verschieden schlechten Filmen, meist amerikanischer Herkunft. Mich ereilte der wirkliche Kulturschock erst in Berlin.

Daß die sozialen Unterschiede zwischen Ost und West verschwindend, geradezu lächerlich waren im Gegensatz zu denen zwischen Süd und Nord, das war mir theoretisch auch vorher klar gewesen. Aber was war alles theoretische Wissen gegen die furchtbare Erfahrung?

Noch ein paar Tage zuvor hatte ich einen Äthiopier fassungslos angestarrt, als er mir erzählte, er wäre gerade in Deutschland gewesen, vier Wochen in der DDR und vier Wochen in der Bundesrepublik. Er hätte dabei keinerlei Unterschied zwischen den beiden Ländern feststellen können. Als ich ihn nur auf die doch sehr unterschiedlichen Warenangebote in den Geschäften hinwies, fragte er, wo ich diesen Unterschied denn sähe. Ihm sei nichts aufgefallen, was im Osten etwa fehlen könnte.

Unsere von uns doch so gern beklagte Armut im Osten Deutschlands war von Äthiopien aus nicht nur lächerlich, sondern wirklich nicht mehr zu erkennen. Und die ideologischen Unterschiede – mein Gott, in Äthiopien haben zu Kaisers Zeiten die Amerikaner die Zentralregierung mit Waffen beliefert und die Russen die Aufständischen in Eritrea. Nach der Revolution war das umgekehrt – da bekam die Zentralregierung die Waffen aus der Sowjetunion und die Aufständischen bezogen sie aus den USA. Wie sich Klein-Fritzchen die Weltgeschichte nicht zu erklären wagt, weil er sie für subtiler hält, genauso simpel ist sie aber.

Und ich hatte doch als Kind immer darauf gehofft, einmal zu wissen, auf welcher Seite das Gute ist und auf welcher Seite das Böse. Und jetzt, da bei uns das Gute gesiegt hat

und mit dem Bösen so selbstgerecht abrechnet, weiß ich schon wieder nicht, auf welche Seite ich mich stellen soll, obwohl es doch nur noch eine zu geben scheint.
Aus Äthiopien zurückgekehrt, fand ich mich hier nicht mehr zurecht. Ich wurde körperlich krank, wohl um nicht verrückt zu werden. Als ich wieder gesund war, wollte ich wenigstens das tun, was mir möglich schien. Ich wollte in der DDR das sammeln, was man brauchte, um in Addis Abeba ein Kindertheater technisch auszustatten. Deutsche Architekten, die in Äthiopien arbeiteten, hatten erste Entwürfe für das Theater gemacht. Viele Theaterleute in der DDR waren gern bereit zu helfen. Auch im DDR-Kulturministerium – ich war ja im Rahmen eines offiziellen Kulturaustauschs DDR–Äthiopien in Addis gewesen – waren viele bereit, bei der Sache mitzuarbeiten.
Gescheitert sind wir alle dann an einer Bürokratie, von deren Schwerfälligkeit ich mir vorher keinen Begriff hatte machen können. Da waren Genehmigungen zu beschaffen, Transportprobleme zu lösen – ich weiß nicht mehr, vor wie vielen Schreibtischen ich gesessen, wieviel Schmus ich erzählt habe, nur um mir immer wieder bestätigen zu lassen, daß die Idee wunderbar, aber praktisch kaum durchführbar wäre.
Ein paar Kisten Material gelangten wirklich nach Addis Abeba und wären um ein Haar im Wust der äthiopischen Bürokratie verlorengegangen. Aber alles war doch so lächerlich wenig, gemessen an dem, was möglich gewesen wäre.
Meinen zweiten Aufenthalt hatte ich natürlich wesentlich besser vorbereiten können, aber er war nicht weniger deprimierend als der erste. Die Verhältnisse in Äthiopien hatten sich noch verschlechtert. Die Hungersnot war nur aus den Schlagzeilen in Europa verschwunden. Nichts war besser

geworden, aus dem sensationellen Hunger war der alltägliche geworden, kaum noch eine Nachricht wert.
Nur eines war jetzt für mich unvergleichlich besser – die Verständigung unter uns Theaterleuten. Ich kam nicht mehr als Fremder, sondern war fast ein alter Bekannter. Also hockte ich auch nicht mehr soviel in meiner Luxuskonserve Hotel, sondern wurde von den Schauspielern auch dahin mitgenommen, wo sonst kaum Europäer hinkamen. Die Gespräche wurden offener, und das fremde Land wurde mir durch Menschen viel vertrauter. Sie dachten und fühlten kaum anders als ich, obwohl wir doch aus so verschiedenen Kulturen kamen. Der ganze Unterschied reduzierte sich auf die eine große Ungerechtigkeit, daß sie in einem armen Land geboren waren, ich in einem reichen.
In Äthiopien begegnete einem die Staatsgewalt brutal direkt, ohne bürokratische Verkleidung und Schnörkel. Die Einberufung zum Wehrdienst – und das bedeutete dort sofort Kriegsdienst – erfolgte nicht durch schriftliche Aufforderung, sondern durch Soldaten, die die neuen Rekruten mit Waffengewalt zusammentrieben. Die Mütter versuchten vergeblich, ihre Söhne zu verstecken oder mit Steinen zu schützen. Es kam zu regelrechten Straßenschlachten, bei denen natürlich immer die Staatsgewalt siegte.
Auch wer nachts, nach der Sperrstunde um Mitternacht, auf der Straße angetroffen wurde, der wurde erst mal erschossen und dann kontrolliert. Das erzählte man mir jedenfalls. Ich fand mich einmal abends nach elf ganz allein in einem mir fremden Stadtteil von Addis. Meine Kollegen hatten mir das Nachtleben der Stadt zeigen wollen. Als uns eine Patrouille entgegenkam, vergaßen meine äthiopischen Kollegen in ihrer Angst, daß ich mich dort nicht auskannte. Sie ließen mich allein stehen.

Die Patrouille bestand aus Soldaten, die weder englisch noch amharisch sprachen. Sie bedeuteten mir aber ganz klar, daß ich schleunigst zu verschwinden hätte. Ich versuchte vergeblich, mich zu orientieren. Die Gegend war völlig dunkel. Hier und da sah ich Schatten von Autos, die noch herumfuhren – ohne Licht. Das waren die für Europäer verbotenen Taxen, mit denen ich am Tag schon manchmal gefahren war, wenn ich in äthiopischer Begleitung war. Vergeblich versuchte ich sie anzuhalten. Schließlich stellte ich mich so einem Auto einfach in den Weg.

Der Fahrer bremste, beschimpfte mich und wollte weiterfahren. Ich flehte ihn geradezu an, mich in mein Hotel zu bringen. Aber er lehnte ab. Das sei verboten, und er wolle meinetwegen nicht sein Leben riskieren. Schließlich bot ich ihm alles Geld an, was ich bei mir hatte. Der Fahrer sah sich vorsichtig um, nahm das Geld, sagte, ich sollte mich auf den Hintersitz legen, damit ich nicht zu sehen wäre, und raste los. Er fuhr mich an eine andere dunkle Stelle der Stadt, von der aus ich aber mein Hotel sehen konnte.

Ich mußte aus dem langsam fahrenden Auto springen und zum Hotel rennen. Dort hatte der Nachtportier bereits die Jalousien heruntergelassen. Mich starrte er wie ein Wunder an und meinte nur, er hätte schon gedacht, ich wäre vielleicht tot.

Ich war aber nur halb tot, und auch das nur vor Angst. Danach jedenfalls ging ich nie wieder mit irgendwem im Dunkeln irgendwohin, ohne genau zu wissen, wie ich von dort ins Hotel zurückkäme.

Kurz vor meiner Abreise war ich noch mal in der Botschaft der DDR, um mir mein Flugticket abzuholen. Der Konsul, mit dem ich mich etwas angefreundet hatte, fragte mich, ob ich eigentlich schon die Sicherheitsvorschriften unterschrieben hätte, die jeder DDR-Bürger in Äthiopien zu beachten hätte. Aus diesen Vorschriften erfuhr ich dann, daß ich auch bei Tage nie allein auf die Straße hätte gehen dürfen. Mein ganzer Aufenthalt in Addis war sozusagen illegal. Wir haben sehr darüber gelacht, denn mir war ja wirklich nichts passiert. Daß mich das Kulturministerium ganz allein nach Äthiopien geschickt hatte, verstieß gegen alle Vorschriften, und ich hatte diese Vorschriften nicht einmal gekannt.

Wieso ich ins Vietnamesische übersetzt wurde

Daß meine Märchenstücke in viele Sprachen der Welt übersetzt sind, freut mich und leuchtet mir ein. Märchen sind nun mal international. Die bei uns geläufigen Märchenmotive finden sich in allen Kulturen wieder. Aber Kabarettexte sind nach meinen Erfahrungen doch sehr an Zeit und Ort gebunden. Kabarettexte aus der DDR werden nicht mal unbedingt in Stuttgart, Köln oder München verstanden.
Als Kabarettautor – gesicherte Erkenntnis wie alles, was wir so vermuten – schreibt man doch nur über Dinge, die zum Alltagsbewußtsein des Publikums gehören. Und dieses Alltagsbewußtsein ist eben schon in Finsterwalde ein anderes als in – sagen wir – Oggersheim und wird es wohl auch noch eine ganze Weile bleiben, selbst wenn einmal die Gleichheit der Lebensverhältnisse hergestellt sein sollte. Bei einer Arbeitslosenrate von sechzig Prozent in Finsterwalde wird Oggersheim allerdings noch ein Weilchen auf gleiche Verhältnisse warten müssen.
Aber der Unterschied zwischen Finsterwalde und Oggersheim dürfte von Hanoi aus kaum noch zu erkennen sein. Trotzdem wurden Kabarettexte von mir gebürtigem Finsterwalder in Hanoi übersetzt und gedruckt. Ob ein Oggersheimer sie schon zur Kenntnis genommen hat, weiß ich nicht. Natürlich verdanke ich meine Übersetzung ins Vietnamesische, wie alles Wichtige in meinem Leben, dem berühmte-

sten Dramaturgen aller Zeiten und aller Länder, dem gelehrten Doktor Zufall.
Zufällig war ich nämlich auch schon in Vietnam. Wenn ich mich richtig erinnere, war das im Juni 1986. Ich war schon fast ein Jahr Mitglied im Präsidium des Theaterverbandes, und dieser Theaterverband hatte gute Beziehungen zum vietnamesischen Theaterverband. Diese guten Beziehungen bestanden unter anderem im regelmäßigen Austausch von Delegationen – schickst du mir deinen Vorsitzenden, schick ich dir meinen Vorsitzenden.
Da offensichtlich keiner unserer Vorsitzenden mehr nach Vietnam reisen wollte – man konnte ja inzwischen als Vorsitzender in genauso exotische, aber weniger arme und nicht nur sozialistische Länder reisen –, wurde ich gefragt, ob ich nicht Lust hätte, mir eine Woche lang Theater in Vietnam anzusehen. Natürlich hatte ich Lust. Solange eine Reise nicht direkt bevorsteht, habe ich immer Lust zu reisen.
Unsere offizielle Delegation bestand aus zwei Mitgliedern – einem Schauspieler aus Schwerin und mir. Er war, wenn ich nicht irre, Mitglied des Vorstandes des Theaterverbandes. Unser Verband war zwar klein, hatte aber einen großen Vorstand und ein großes Präsidium. Und so, wie man in kleinen Parteien eben auch viel schneller hochkommt, waren wir beide eben auch schnell in Vorstand beziehungsweise Präsidium gerutscht.
Wir lernten uns auf dem Flugplatz in Berlin-Schönefeld kennen und lachten uns sofort zusammen – wir zwei Leichtgewichte als offizielle Delegation. Das konnte nur komisch aussehen. Schon auf dem Flugplatz von Hanoi begriffen wir, wieso es keinen von den oberen Vorsitzenden mehr dorthin zog. Da war keine Insel des Komforts im allgemeinen Elend. Ähnlich wie oder schlimmer als in Addis Abeba war die Armut allgegenwärtig. Auch in dem heruntergekommenen,

ehemals französischen Hotel in Hanois Innenstadt funktionierte fast nichts mehr. Wenn man einen besonderen Wunsch hatte – das konnte der Wunsch nach einem Bier sein –, brauchte man schon Devisen. Und die hatten wir beide nicht.

Und trotzdem war das, was wir als so mangelhaft und elend empfanden, für jeden normalen Vietnamesen noch unerreichbarer Luxus. Wir hatten ein Tagegeld von 500 Dong, was einem vietnamesischen Professorengehalt entsprach, für das man aber so gut wie nichts kaufen konnte. In den offiziellen Läden gab es nichts, und auf dem Schwarzmarkt war alles unbezahlbar.

Wir hatten unsere Koffer voll Fotopapier und Fahrradersatzteile gepackt. Das war eine Währung, für die sich unsere Gastgeber wirklich etwas kaufen konnten. Eines aber gab es in Vietnam im Überfluß wie zu Hause in der DDR – politische Witze.

Unser Dolmetscher war ein hochgebildeter Germanist. Er hatte zwölf Jahre in der DDR gelebt und kannte die deutschsprachige Literatur von der Klassik bis zur Gegenwart mindestens so gut wie wir. Er hat unter anderem Heinrich Böll ins Vietnamesische übersetzt. Dieser Dolmetscher erzählte uns, wenn wir allein mit ihm waren, immer wieder politische Witze und wollte die neuen Witze aus der DDR hören. Die meisten allerdings kannte er schon, freute sich aber immer sehr höflich, sie wiederzuhören.

Einen Witz, den er uns erzählte, habe ich mir gemerkt, denn er schildert genau das, was wir in Hanoi überall sehen konnten. Am Anfang einer Straße sitzt ein pensionierter Major mit einer Luftpumpe und pumpt den Radfahrern für ein geringes Entgelt die Reifen auf. In der Mitte der Straße sitzt ein pensionierter Oberstleutnant und verkauft abgekochtes Wasser. Am Ende der Straße sitzt ein pensionierter

Oberst mit einem kleinen Teehandel. Das alles beobachtet vom Fenster seines Dienstzimmers aus ein noch aktiver General und seufzt: »Wenn ich es nur erst so weit gebracht hätte!«
Dank unseres Dolmetschers haben wir trotz unerträglicher Hitze und ebensolchen Elends ringsum viel gelacht in Hanoi und Haiphong. Immer wenn wir auf die DDR schimpften, schimpfte er viel lauter auf Vietnam, und wir mußten zugeben: Was waren unsere Sorgen gegen seine. Er wohnte mit Frau, zwei Kindern und den Schwiegereltern in einer Wohnung von sechzehn Quadratmetern. Das war in Hanoi, wie er sagte, guter Durchschnitt. Uns durfte er nicht zu sich einladen, auch nicht heimlich. Die Geheimpolizei wäre überall, sagte er.
Seine Eltern und mehrere Geschwister hatte er im Krieg gegen die Amerikaner verloren. Er selbst war in einem der unterirdischen Gänge im Hanoi des Krieges gegen Frankreich geboren worden. Das alles erzählte er uns lächelnd, streute immer mal einen Witz ein und freute sich, wenn wir lachten.
In Haiphong wohnte er mit uns im Hotel, und wir redeten die halbe Nacht über Vietnam, die DDR und fragten uns immer wieder, was an diesem ganzen Sozialismus denn noch sozialistisch wäre. Lange nach Mitternacht gab ich ihm dann ein kleines Bändchen mit Kabarettexten von Schaller und mir, dem einzigen, das zu DDR-Zeiten bei uns erschienen war.
Am nächsten Morgen kam Tschen, so hieß unser Dolmetscher, völlig übermüdet zu uns an den Frühstückstisch und bedankte sich ausgesucht höflich für die fröhliche Nacht, die ich ihm mit meinem kleinen Buch bereitet hätte. Er hatte es ausgelesen und schon mit der Übersetzung begonnen. Ich war sprachlos. Er aber sagte: »Du glaubst gar

nicht, wie genau du vietnamesische Verhältnisse beschreibst. Wenn du erlaubst, werde ich nur ein paar Kleinigkeiten ändern.«

Ich erlaubte natürlich. Alle meine gesicherten Theorien von der Nichtübertragbarkeit des Kabaretts gerieten ins Wanken. Eine Szene, in der eine DDR-Kaderleiterin zum lieben Gott gerufen wird, hatte es Tschen besonders angetan. Die wollte er sofort der vietnamesischen Theaterzeitschrift zum Abdruck anbieten. Mir war es recht, wenn ich auch nicht aufhörte zu zweifeln. Man wirft doch wegen irgendeiner dubiosen Praxis nicht seine sicheren Theorien über Bord. Tschen war eben ein halber DDR-Bürger. Kein anderer Vietnamese würde meinen Quatsch verstehen.

Zum Abschluß unseres Besuches wurden wir in Hanoi vom Vorsitzenden des vietnamesischen Theaterverbandes zum Tee eingeladen. Und dieser Vorsitzende erzählte mir ganz begeistert, daß er gerade die Übersetzung meiner Szene mit großem Vergnügen gelesen hätte. Er wundere sich nur über meine genaue Kenntnis vietnamesischer Probleme. Ich teilte seine Verwunderung. Denn eines wußte ich: Von Vietnam wußte ich nach einer Woche fast nichts. Aber manchmal ahnt man nichts von seinem Wissen.

Wenige Monate später bekam ich aus Vietnam eine Zeitschrift geschickt, in der über einem Beitrag mein Name stand, zwar in abenteuerlicher Schreibweise, aber doch noch zu erkennen. Es muß sich um die Szene »Zwischen Himmel und Hölle« gehandelt haben.

Als unser Dolmetscher ein Jahr später nach Berlin kam, weil er hier den Grimm-Preis für seine Übersetzertätigkeit erhielt, brachte er mir eine weitere Nummer dieser Zeitschrift mit, in der nun eine ganze Reihe Kabarettexte von Schaller und mir auf vietnamesisch gedruckt waren. Er war sehr stolz auf seinen Erfolg zu Hause in Hanoi und sagte, daß bereits

mehrere Theater ihr Interesse an einer Aufführung bekundet hätten. Ich weiß nicht, ob es jemals zu einer vietnamesischen Aufführung gekommen ist. Denn von meinem Freund Tschen habe ich nichts mehr gehört, und ich darf ihm nicht schreiben, wie er mir hier in Berlin sagte. Post aus dem Ausland – selbst aus einem Bruderland, wie das ja damals hieß, mache sofort verdächtig.
Als jetzt neulich nach der letzten *Distel*-Premiere unseres Programms »Reichtum verpflichtet« ein Amerikaner und ein Russe zu mir kamen und mich um die Übersetzerrechte für meine neuen Texte baten, wunderte ich mich zwar auch wieder. Aber dann mußte ich an Tschen in Hanoi denken. Und vielleicht stimmt es ja, daß überall auf der Welt Menschen leben, die ähnlichen Unsinn verzapfen wie wir Ost- oder Westdeutschen und darüber auch gern mal lachen möchten.

Wieso ich in Algerien verhaftet wurde

Nachdem ich in Äthiopien war, glaubte ich, mich könnte so schnell nichts mehr aus der Bahn werfen. Und als mich im Februar des Jahres 1988 ein in Algerien berühmter Theatermann, der hier in Berlin zu den Brecht-Tagen war, fragte, ob ich nicht mal bei ihm in Oran ein Kinderstück inszenieren wollte, sagte ich sofort ja. Er meinte allerdings, dafür müßte ich ein halbes, mindestens jedoch ein Vierteljahr in Algerien arbeiten. Das war aus verschiedenen Gründen nicht möglich. Als Freischaffender hatte ich ja keine regelmäßigen Einkünfte, und für solche Gastarbeiten bekam ich immer nur ein knappes Tagegeld in der Landeswährung.
Außerdem erschreckte mich, gerade nach meinen äthiopischen Erfahrungen, auch die Vorstellung, so lange allein in einem ja immerhin auch sehr fremden Land zubringen zu müssen. Ich hatte eine neue Familie und wollte mich unter keinen Umständen so lange von ihr trennen. Die Familie könnte ich doch mitnehmen, meinte der DDR-unkundige Algerier. Aber wenigstens Annette, die Frau, mit der ich jetzt lebte, sollte zwei Wochen mit hinkommen. Das algerische Visum wäre kein Problem.
Das Problem, das ich nur zu gut kannte, war das DDR-Ausreisevisum. Ich schrieb an den Kulturminister und bat ihn, dafür zu sorgen, daß wir zusammen fahren könnten. Meine erste Ehe – und das stimmte ja tatsächlich – wäre unter

anderem daran gescheitert, daß ich soviel im Ausland gearbeitet hätte, meine Frau aber nie mitreisen durfte. Die Antwort kam ungewöhnlich schnell und war positiv.

Im Oktober sollte es losgehen. Diesmal war alles rechtzeitig da – Paß mit Visum, Flugtickets. Die französische Fassung meines Allzweckstückes *Hase und Igel*, das inzwischen auf allen fünf Erdteilen gespielt wurde, hatte ich schon ein halbes Jahr vor der Reise nach Algerien geschickt, damit es dort ins algerische Arabisch übersetzt werden konnte.

Die Koffer waren gepackt, da erfuhren wir aus dem Fernsehen, daß in Algerien schwere Unruhen ausgebrochen wären, regelrechte Jugendrevolten. In Algier brannten Geschäfte, es wurde geschossen. Von Oran kamen am Vorabend der geplanten Reise ähnliche Nachrichten. Ich – Preuße zwischen Pflichtgefühl und Angst – wußte nicht, was ich tun sollte. Der Versuch, in Algerien anzurufen, scheiterte. Also versuchte ich's in der algerischen Botschaft in Ost-Berlin. Die aber war nicht besetzt. Die Dame, die hier das Amt des Kulturattachés ausübte, machte gerade einen Wochenendausflug, war also auch zu Hause nicht zu erreichen. Im DDR-Kulturministerium war ein Notdienst, der aber auch nichts wußte.

Schließlich – es war schon spätabends – kam ein Telegramm. Die Reise wäre verschoben, der Flugverkehr wahrscheinlich sowieso eingestellt. Ich war mehr als froh, weil ich sowieso vor jeder Reise, wenn sie nur näherrückt, Angst kriege und dann am liebsten überhaupt nie mehr reisen möchte. Für Annette aber wäre das die erste Gelegenheit gewesen, einmal in ein für DDR-Bürger normalerweise unerreichbares Land zu kommen. Ich glaube, sie nahm es mir sehr übel, daß ich mich auch noch freute, die Reise nicht antreten zu müssen.

Nach einer Woche etwa hatte sich die Lage so weit beruhigt,

daß man mir freistellte, jetzt zu fahren oder die Sache um ein Jahr zu verschieben. Nein, nun sollte es endlich sein. Algerien ist nicht Äthiopien, sondern beinahe Frankreich, und diesmal war es ja keine Reise ins ganz und gar Ungewisse. Ich kannte ja schon diesen sympathischen, klugen algerischen Theatermann und vor allem – ich mußte zum erstenmal nicht ganz allein reisen.
In Algier wurden wir auf dem Flugplatz von zwei Damen empfangen. Die eine war vom algerischen Kulturministerium, die andere war unser Kulturattaché in Algier, eine ganz und gar nicht DDR-typische Diplomatin mit Selbstbewußtsein und Kenntnis des Landes, in dem sie arbeitete. Ihre erste Frage war, ob ich in Berlin diese idiotische Verpflichtung hätte unterschreiben müssen, im Ausland keine Interviews zu geben.
Ich konnte mich erinnern, so was mal vor Jahren mit dem Hinweis unterschrieben zu haben, daß ich mich daran selbstverständlich nie halten würde. Damals wurde mir gesagt, es handle sich ohnehin nur um eine Formsache. Sie dürften mir nur ohne diese Unterschrift nicht den Paß aushändigen. Also ich hatte damals unterschrieben und habe – ohne daß das irgendwelche Folgen hatte – alle möglichen Interviews gegeben.
Diesmal hatte man mir den Paß einfach so gegeben. Der weibliche Kulturattaché fragte etwas ungläubig: »Die sind doch nicht etwa klüger geworden in Berlin?« Ich wußte nicht, ob neue Klugheit oder alte Schlamperei schuld war. In der DDR gab es so viele Vorschriften, daß man zu gar nichts gekommen wäre, hätte man auch nur versucht, sie einzuhalten. Im Bedarfsfalle aber, beispielsweise um jemand gefügig zu machen, wurden Vorschriften hervorgekramt, von deren Existenz der Normalbürger gar nichts ahnte und sie also verletzt hatte.

Ich bekam noch ein paar Zeitungsausschnitte über die Theatersituation in Algerien in die Hand gedrückt, dann ging es zum Inlandflughafen und sofort weiter nach Oran. Dort nahmen uns zwei Theaterleute in Empfang.

Das erste, was sie mir mitteilten, war, daß mein Stück vor zwei Tagen bei ihnen angekommen, aber natürlich nicht übersetzt wäre. Ob wir es vielleicht auf Französisch spielen wollten? Ich wußte nicht sehr viel von Algerien, aber daß man dort im Theater nicht die Sprache der ehemaligen Kolonialherren sprechen konnte, das schien mir klar zu sein. Eigentlich hatte ich Lust, einfach nach Berlin zurückzufahren. Aber das ging natürlich schon Annettes wegen nicht, und die Algerier meinten fröhlich, wir könnten ja einfach länger in Oran bleiben. Diese unbekümmerten Südländer ahnen ja gar nicht, wie knapp die Zeit im Norden ist. Sie genießen ihr Leben noch, wenn wir uns schon längst totgeeilt haben.

Im Hotel erwartete uns dann unser Berliner Bekannter, der mich nach Algerien gelockt hatte. Es war ein fröhliches Wiedersehen. Er jedenfalls lachte laut und herzlich, als er von der Panne mit der Übersetzung erfuhr. »So ist das bei uns. Du wirst wohl doch ein bißchen länger bleiben müssen.«

Dann sprachen wir von den Unruhen der letzten Wochen, von der unverändert explosiven Lage im Lande. Überall in Oran sah man noch die Spuren der Unruhen – ausgebrannte Geschäftshäuser, Banken. Überhaupt waren viele öffentliche Gebäude angezündet worden, keine privaten Wohnhäuser oder Läden.

An allen Straßenecken standen Jugendliche, arbeitslos und oft auch obdachlos. Der Stolz des Landes – seine Jugend nämlich – war zur Bedrohung für die Herrschenden geworden, die gar nicht oft genug ihren Stolz auf diese Jugend wiederholen konnten. Ähnliches kannte ich von der greisen Parteiführung der DDR, die immer wieder vom Stolz auf eine Jugend faselte, die ihr in immer größerer Zahl davonlief.

Unser fröhlicher Bekannter wurde sehr ernst, als er von den letzten Wochen in Algerien sprach. Er war nicht nur als Theatermann landesweit bekannt, sondern auch als Kommunist. Normalerweise schützte ihn seine große Popularität vor Verhaftung. Aber solche Unruhen – es waren ja nicht die ersten – nutzte die Polizei gern, um sich unbequemer Kommunisten zu entledigen.

Dann bekamen wir eine ganze Reihe praktischer Ratschläge. Wie und wo man Wein zu kaufen bekam – eine komplizierte Sache im Weinland Algerien. Wohin Annette als Frau lieber nicht allein gehen sollte, was beim Fotografieren zu beachten wäre – vor allem nie was Militärisches fotografieren! Im übrigen bat uns unser Berliner Bekannter um Verständnis, daß er sich wenig um uns kümmern könnte. Man sollte uns möglichst nicht zusammen sehen. Schließlich kämen wir aus einem kommunistischen Land, und mit ihm zusammen könnte das leicht nach einem kommunistischen Komplott aussehen.

Über meine Bemerkung, daß weder Annette noch ich Kommunisten wären, mußte er sehr lachen. Alle wüßten doch, wo wir herkämen, und wo wir herkommen, sind nun mal alle Kommunisten. Soviel wußte man in Algerien von der DDR. Ich glaubte, diesen Irrtum schon aufklären zu können, und fand unseren Freund etwas übervorsichtig. Im übrigen hatte ich jetzt andere Probleme – die Übersetzung und Inszenierung.

Die erste Begegnung mit den Schauspielern fand am nächsten Morgen im Theater statt. Sie hatten das Stück alle gelesen und lobten es, was wohl jeden Autor für Schauspieler einnimmt. Daß wir es unmöglich auf Französisch spielen konnten, darüber waren wir uns auch einig. Die Übersetzung wollten wir gemeinsam versuchen. Ich könnte ja dabei schon meine Regieabsichten einfließen lassen, und die Besetzung könnten wir ebenso gemeinsam finden.

Ich hatte also immer mein deutsches Original vor mir, die Schauspieler die französische Übersetzung, und daraus machten wir dann die algerische Fassung. Daß man so arbeiten kann, kann man nur schwer erklären. Aber man kann. Ich lernte im ganzen vielleicht sieben oder acht arabische Wörter, wie ich in Äthiopien auch nur einzelne amharische Wörter gelernt hatte. Trotzdem merkte ich, zur großen Verwunderung der Schauspieler in Addis Abeba, bei den Proben doch, wenn ein amharischer Halbsatz fehlte.

Manchmal holten wir uns auch einen algerischen Germanisten zu Hilfe. Er – übrigens auch Kommunist, obwohl er die DDR recht gut kannte – informierte mich immer mal über das, was gerade in Deutschland passierte. Er hörte nämlich regelmäßig die *Deutsche Welle.* Über die DDR drangen in den fünf Wochen, die ich in Oran verbrachte, nur zwei Meldungen an sein und damit auch an mein Ohr. Die erste war die vom Verbot der sowjetischen Zeitschrift *Sputnik* in Ost-Berlin, die zweite sprach vom Verbot eines Programms im Berliner Kabarett *Distel.* Ich kannte sowohl die Zeitschrift als auch das Kabarettprogramm und war entsetzt. Insgeheim hoffte ich, es handele sich um Falschmeldungen.

Der kommunistische Germanist fragte mich natürlich, wieso solche mittelalterlichen Verbote in der DDR noch möglich wären. Ich konnte ihm nicht erklären, was ich selbst nicht begriff. So wiederholte ich nur, was ich schon oft

gesagt hatte: Diese DDR hatte mit Kommunismus und Sozialismus viel weniger zu tun als mit Feudalismus.
Die Schauspieler fragten überhaupt erst nach den Verhältnissen in Ost-Berlin, als sie erfuhren, daß sie dorthin zu einem Gastspiel eingeladen wären. Und da interessierten sie aus verständlichen Gründen das Warenangebot und die Preise viel mehr als die politische Situation.
Manches hatten Algerien und die DDR nämlich durchaus gemeinsam – die Mangelwaren, die Binnenwährung und die inoffizielle zweite Währung, das Westgeld also. Was bei uns die D-Mark war, war in Algerien der französische Franc. Und was für uns der Westonkel war, war in Algerien der Verwandte in Marseille oder Lyon. Anfangs hatte ich in Oran Schwierigkeiten, mit dem doch sehr geringen Taschengeld, das ich vom Theater bekam, auszukommen. Zum Schluß meines Aufenthaltes schwamm ich in algerischen Francs, weil alle Schauspieler mir ihr Geld geben wollten, um dann in Ost-Berlin mein deutsches zu haben.
Diese Art von Geldgeschäft kannte ich schon gut. Mit bulgarischen Freunden trieben wir das schon seit vielen Jahren. Die offiziellen Geldumtauschsätze waren so niedrig, daß man im jeweils anderen Land kaum davon hätte leben können. Und für bulgarische Verhältnisse herrschte in unseren Geschäften geradezu westlicher Überfluß, für algerische Verhältnisse übrigens auch.
Da die Schauspieler nun auch für das Berlin-Gastspiel an einem anderen Stück probieren mußten, hatte ich oft Zeit, mit Annette spazierenzugehen. Bei einem dieser Spaziergänge fotografierten wir uns gegenseitig auf einer Bank in einer Parkanlage. Dann wechselte Annette den Film, und wir gingen weiter ins Stadtzentrum.
Plötzlich quietschten neben uns die Bremsen eines Jeeps, schwerbewaffnete Soldaten sprangen heraus und umstell-

ten uns. Ein Polizeiauto kam dazu, und mehrere Herren in Zivil wuchsen aus dem Erdboden. Nach dem ersten Schreck fand ich die Situation sehr komisch. So unschuldig mit so viel militärischem Aufwand festgenommen zu werden – ich kam mir vor wie im Kino. Annette sah alles etwas realistischer und wurde sehr blaß.

Von den Zivilisten wurden wir auf Waffen untersucht und dann den weniger martialisch anmutenden Polizisten übergeben. Annette zitterte auch noch, als wir im vergitterten Polizeiauto saßen und unser Bewacher eher freundlich auf uns einsprach. Für sie mußte auch alles viel schrecklicher erscheinen als für mich. Schließlich verstand sie kein Wort.

Ich übersetzte, was uns der freundliche Polizeibeamte sagte – alles wäre nur halb so schlimm wie es ausgesehen hätte. Man hätte uns ja nur festnehmen müssen, weil die Geheimpolizei das befohlen hätte. Bei der regulären Polizei würde sich der Irrtum, und an den glaube er auch, schnell herausstellen.

Annettes Angst und Mißtrauen blieben. Als ich ihr vorschlug, die Geschichte mal von der komischen Seite zu sehen, wurde sie eher wütender und noch blasser. Ich fand es vorläufig wirklich nur komisch, in der grünen Minna, die in Oran blau war, wie ein Schwerverbrecher aufs Polizeirevier gefahren zu werden. So viel Unschuld, dachte ich, kann doch einfach nicht bestraft werden. Schließlich war Algerien nicht Äthiopien.

Auf dem Polizeikommissariat wurden wir zwar streng empfangen, aber im Laufe des Verhörs wurde der Ton immer freundlicher. Wir hätten eine Militärschule fotografiert, lautete der Vorwurf. Die immer wiederholte Frage war, ob wir französische Journalisten oder gar Spione wären. Dabei blätterte der Kommissar immer wieder in unseren DDR-Päs-

sen. Besonders verdächtig erschien dem Mann offensichtlich, daß Annette vorgab, nichts zu verstehen, und ich seine Fragen immer erst übersetzte.
Und dann erklärte er mir die algerische Welt aus den Augen eines Polizisten – an den ganzen Unruhen der letzten Zeit wären nur französische Journalisten schuld. Sie hätten mit ihren Berichten die Leute aufgehetzt.
Als ich vorschlug, den Film einfach entwickeln zu lassen, um sich von der Harmlosigkeit der Bilder zu überzeugen, wurde das als unzulässige Einmischung in die polizeiliche Ermittlung zurückgewiesen. Im übrigen würde der Film ja ohnehin schon im Polizeirevier entwickelt. Ich fragte nicht, wie das möglich wäre, da der Film ja noch in Annettes Handtasche war. Schließlich wußte ich auch, wie wichtig ihr diese Fotos von ihrer ersten Afrikareise waren.
Das erste Verhör dauerte etwa zwei Stunden und drehte sich nur immer im Kreise. Zwischendurch unterhielten wir uns über die unterschiedlichen Theaterkonzeptionen von Brecht und Stanislawski. Der Kommissar war ein sehr gebildeter und theaterinteressierter Mann. Selbstverständlich kannte und verehrte er auch unseren Freund vom Theater in Oran. Daß er leider Kommunist sei, erwähnte der Kommissar nur am Rande, sah mich dabei aber doch prüfend an.
Dann wurden wir zum Mittagessen ins Hotel geschickt. Die Pässe blieben auf dem Revier, wo wir uns nach dem Essen wieder einzufinden hätten.
Ich versuchte vergeblich, Annette jetzt wenigstens die Komik der ganzen Sache nahezubringen. Wie lustig wäre es doch, in Berlin erzählen zu können, man wäre in Algerien mal richtig verhaftet worden. Meine Art Humor ging Annette leider völlig ab. Und sie glaubte auch nicht, daß unsere Unschuld uns vor Strafe schützen würde.

Als wir zum Kommissariat zurückkamen, wurden wir nur kurz von unserem Verhörer empfangen. Das Hauptkommissariat von Oran würde den Fall übernehmen. Er sei doch ernster, als man anfangs vermutet hätte. Der Fahrer, der uns in dieses Hauptkommissariat fuhr, war anderer Meinung. Er versicherte, daß wir noch heute freigelassen würden. Das glaubte ich nur zu gern. Annette zweifelte noch immer.

Der Empfang beim Hauptkommissar schien ihr recht zu geben. Kein freundliches Wort, nur die wiederholte Frage, was wir überhaupt in Algerien suchten. Als ich sagte, was ich schon beim ersten Verhör gesagt hatte, man solle doch einfach mal im Theater anrufen, wurde mir befohlen, den Mund zu halten und nur auf Fragen zu antworten. Außerdem sollte ich nicht dauernd mit Annette deutsch reden.

Dann nahm der strenge Herr, der ganz offensichtlich mit Theater überhaupt nichts im Sinn hatte, mehrere dicke Fragebögen und fragte mich zur Person aus. Als ich ihm das Geburtsdatum meines seit 1943 toten Vaters nicht sagen konnte, war er fassungslos. Was wir Franzosen nur für einen Familiensinn hätten, wollte er wissen. Ich wiederholte, was ich schon oft gesagt hatte – wir angeblichen Franzosen kämen aus der DDR.

Das schien er jetzt zum erstenmal zu verstehen. Er guckte wieder in die Pässe, die schon Stunden vor ihm lagen, zerriß sein Protokoll und warf alles auf die Erde. Dabei schimpfte er auf die Idioten da unten, die ihm immer wieder falsche Spione raufschickten. Wir sollten verschwinden. Er würde im Theater anrufen lassen, damit uns ein Auto abholte.

Auf der Straße kam es zu erleichterten Zärtlichkeiten zwischen uns Spionen. Und das im Angesicht eines grinsenden

Postens vor dem Hauptkommissariat von Oran. Ein wütender Zivilist, der bei dem ganzen Verhör stumm neben uns gesessen hatte, trat auf uns zu und befahl, sofort zu verschwinden. Andernfalls würde er dafür sorgen, daß wir doch noch ins Gefängnis kämen.

Wir warteten also nicht erst auf das Theaterauto, sondern liefen möglichst schnell in die Stadt zurück. Im Theater wurden wir mit großer Erleichterung empfangen. Dort wußte man zwar von unserer Verhaftung, noch nicht aber von der Freilassung. Sie hätten sich alle große Sorgen gemacht, sagte der Direktor sehr ernst. Die Situation in Oran wäre wirklich noch sehr angespannt, und mit der Geheimpolizei wäre sowieso nicht zu scherzen. Ich war noch immer nicht bereit, die Sache ernst zu nehmen, wunderte mich nur darüber, daß die Theaterleute so gar nicht lachten über uns komische Spione.

In den folgenden Tagen stellten wir fest, daß auf all unseren Wegen ein kleiner Mann bei uns war. Am dritten Tage grüßten wir einander, und der kleine Mann lud uns zum Kaffee ein. Ich fragte ihn direkt, weshalb er uns denn immer auf der Spur wäre. Er antwortete ebenso direkt, daß er für die Geheimpolizei arbeite und uns zu beschatten hätte. Übrigens nur zu unserer eigenen Sicherheit. Dann erzählte er von sich und seiner großen Familie, von den vielen Kindern und der schlechten Bezahlung der Geheimpolizisten. Aber, wem Allah Kinder schenkt, dem schenkt er auch Brot, um sie zu ernähren. Damit stand er auf, bezahlte auch für uns und meinte, es wäre Zeit für mich, ins Theater zu gehen. Das tat ich dann auch.

Jetzt fand auch Annette die algerische Geheimpolizei eher lustig. Wir versuchten, uns einen heimischen Stasimann vorzustellen, der in Berlin die Objekte seiner Beobachtung zum Kaffee einlädt und mit ihnen über Gott, Kinderreichtum und die schlechte Besoldung der Staatssicherheitsbeamten spricht. Freundlich grüßten wir am nächsten Tag unseren geheimen Freund, aber er grüßte gar nicht mehr zurück. Plötzlich fremdelte er, sah durch uns hindurch und lief von jetzt ab nur noch mit hochgeschlagenem Mantelkragen hinterher.

Ein paar Tage später war er ganz verschwunden, und wir brauchten einige Zeit, unseren neuen Schatten auszumachen. Der aber grüßte überhaupt nicht, folgte uns nur stumm auf immer den gleichen Wegen. Wir hatten uns entschlossen, auch das komisch zu finden. Das gelang nur, solange wir zu zweit waren. Als Annette wieder in Berlin und ich mit meinem Schatten, der übrigens noch einige Male wechselte, allein war, fand ich gar nichts mehr komisch.

Als ich mich im Theater einmal über die ständige Überwachung beschwerte, zuckte man nur mit den Schultern und sagte dann, daß es ja vielleicht auch nur Einbildung wäre. Aber als ich aus dem Theater kam, stand die Einbildung wieder vor mir. Diesmal überholte mich der stumme Mann auf dem Heimweg, um mich dann an der Hotelrezeption streng zu fragen, wo ich eigentlich herkäme. Das müßte er doch wohl wissen, sagte ich ein bißchen zu laut. Und überhaupt verbäte ich mir die ganze Hinterherschleicherei. Die umstehenden Gäste sahen erstaunt zu uns. Der Schatten verabschiedete sich eilig. Aber als ich vom Balkon meines Zimmers auf die Straße sah, stand er dort unten und sah zu mir herauf.

Am nächsten Tag wechselte der Schatten mal wieder und verließ mich erst, als ich in Oran nach strenger Leibesvisitation ins Flugzeug stieg, um nach Algier zu fliegen. Ob ich auch dort weiter beschattet wurde, weiß ich nicht. Ich wollte nur noch nach Hause. Die Inszenierung hatte ich nur an-

fangen können, die Schauspieler wollten sie allein zu Ende bringen und mich dann zur Premiere wieder einladen. Vorher würden wir uns ja noch in Berlin wiedertreffen.
Im Kulturministerium in Algier hatte ich noch ein Gespräch über eine mögliche Weiterarbeit fürs algerische Kindertheater. Dabei sagte man mir auch, wie beunruhigt man über meine Verhaftung gewesen wäre, und wie froh man jetzt sei, daß alles so gut abgelaufen wäre. Als ich so harmlos, wie ich nun einmal zu sein scheine, fragte, was mir denn hätte passieren können, sah man mich nur stumm, aber vielsagend an. Richtig lachen konnte ich darüber erst wieder in Berlin. Und dort gab es Ende des Jahres 1988 nun wirklich nichts mehr zum Lachen.
Das *Sputnik*- und das *Distel*-Verbot hatten Spuren hinterlassen. Die Hoffnungslosigkeit, daß sich in der DDR mal etwas ändern würde, hatte zugenommen. Mein Protest gegen das *Distel*-Verbot war vergeblich, und der Versuch, es rückgängig zu machen, scheiterte jämmerlich. Am Heiligabend besuchte mich ein einflußreicher Theatermann, von dem ich eigentlich erwartet hatte, daß er unsere Proteste unterstützen würde, um mich zum Stillhalten zu bewegen. Ich hielt zwar gar nicht still und konnte sogar mit Hilfe anderer Nichtstillhalter erreichen, daß das in Berlin verbotene Programm in Halle aufgeführt wurde, aber die Sinnlosigkeit unseres ganzen Tuns in dieser DDR war einfach nicht mehr wegzulügen. Gott, was war ich noch mal stolz, als ich durchsetzte, daß auf den letzten Kabarettwerkstattagen im Mai 1989 alle verbotenen Kabarettprogramme – und das waren inzwischen schon vier – öffentlich vorgeführt oder wenigstens vorgelesen und diskutiert wurden. Als dem Direktor des Magdeburger Kabaretts verboten wurde, sein eigenes Programm vorzulesen, hab' ich das für ihn übernommen. Mir konnte das ja keiner verbieten, weil ich nirgendwo angestellt war.

Ja, wir kamen uns mutig vor und glaubten doch immer noch – ich jedenfalls –, in dieser schwachsinnigen DDR etwas verändern zu können, ohne sie ganz aufzugeben. Dabei wußten wir doch, daß alles von Grund auf falsch war. Trotzdem hofften wir bis zuletzt, aus dem als falsch Erkannten irgendwann mal was Richtiges machen zu können.
Mit Gorbatschow war für uns die Hoffnung endlich mal aus dem Osten gekommen. Und am 4. November 1989 glaubten wir ganz kurz, daß aus der Hoffnung Wirklichkeit werden könnte. Aber da hatte uns eine ganz andere Wirklichkeit schon wieder überholt, und wir waren wieder, was wir schon früher waren, unverbesserliche Spinner.

Wieso ich einmal lieber Wasser trank als Wein

Im Juni 1989 fuhr ich zum zweitenmal nach Algerien, eigentlich um – wie verabredet – die Endproben für mein Stück *Hase und Igel* in Oran zu leiten. Dazu kam es nicht, denn das algerische Kulturministerium, das sich mit vollem Namen und vollem Recht Ministerium für Touristik und Kultur nannte, hatte es übernommen, die Reise zu organisieren.
Auf dem Flugplatz in Algier erwartete mich eine Dame des Ministeriums mit der Nachricht, ich würde bereits dringend erwartet, allerdings nicht in Oran, sondern in Sidi-bel-Abbès. Dort sollte ein nationaler Kindertheaterworkshop stattfinden, und ich müßte ihn leiten. Mein Flugzeug nach Oran ginge in einer Stunde. Dort würde ich schon erwartet und mit dem Auto nach besagtem Sidi-bel-Abbès gebracht werden. Der Name der Stadt war mir irgendwie bekannt. Ich erinnerte mich, ihn im Zusammenhang mit dem Algerienkrieg schon gehört zu haben.
Aber ich stellte keine Fragen, da mich etwas ganz anderes beschäftigte. Mein Koffer war nicht mit mir gereist, aber den könnte man mir gewiß nachschicken. Ich bekam das Flugticket und ungefähr dreihundert algerische Francs in die Hand gedrückt. »Guten Flug!«
Auf dem Flugplatz von Oran war keiner meiner Kollegen vom Oraner Theater, sondern ein Theatermensch aus Sidi-

bel-Abbès. Er erkannte mich vermutlich an meinem ratlosen Gesicht.
Im offenen Jeep fuhren wir durch die Nachmittagshitze. Der Fahrtwind kühlte wenig, und der Staub machte die trockene Kehle noch trockener. Ich versuchte von meinem Begleiter zu erfahren, was mich in bel-Abbès eigentlich erwartete. Er wiederum versuchte herauszubekommen, was ich denn in bel-Abbès vorhätte. Als ich ihm sagte, was mir die Dame vom Kulturministerium in Algier gesagt hatte, sagte er: »Aha.« Von einem Kindertheaterworkshop jedenfalls wußte er noch nichts. Aber der Theaterdirektor würde schon wissen, worum es sich dabei handelte. Damit setzte er mich vor einem Hotel ab, das ich nie betreten hätte, hätte mir der Fahrer nicht gesagt, daß ich dort wohnen sollte und daß es das beste Haus am Platze wäre. Mir blieb keine Wahl, denn mit meinem kleinen Taschengeld hätte ich sowieso kein Hotelzimmer bezahlen können. DDR-Geld war außerhalb unserer stolzen Republik als Zahlungsmittel ja nach wie vor unbekannt. Ich mußte hinnehmen, was der Gastgeber für angemessen hielt.
Mit meinen äthiopischen Erfahrungen – meinte ich – könnte mich kaum noch etwas überraschen. Hatte ich nicht auch einmal vierzehn Tage in einem wirklich afrikanischen Hotel am Stadtrand von Addis Abeba gewohnt, in dem es außer mir kein Europäer länger als eine Nacht ausgehalten hatte? Den Umgang mit allerlei fremden Käfern, Spinnen und anderen Insekten war ich doch von daher gewöhnt. Und daß es nicht alle Tage Wasser aus der Wand gibt – mein Gott, das kannte ich doch auch. Dann kauft man sich eben in der Stadt eine Flasche Wasser zum Zähneputzen.
Zunächst konnte ich das Hotel aber gar nicht betreten, weil gerade eine Gruppe tunesischer Touristen die Hotelrechnung nicht bezahlen wollte wegen fehlenden Komforts. An

der Rezeption, die aus einem kleinen wackligen Tischchen bestand, auf dem die Schlüssel herumlagen, erfuhr ich dann vom schimpfenden Empfangschef, daß ich mit Wasser demnächst nicht zu rechnen hätte. Diese verwöhnten Tunesier hätten alle Vorräte aufgebraucht, und solche Gäste sähe er sowieso lieber von hinten als von vorn.
Ich wollte die Laune des Mannes nicht noch weiter verderben und stellte keine bösen Fragen mehr. Als ich die Treppe zu meinem Zimmer hinaufstieg, empfing mich ein Geruch, der nur daher rühren konnte, daß das Wasser hier seit Tagen nicht mehr geflossen war. Jedenfalls nicht auf den Toiletten.
Außer dem Türschloß war in meinem Zimmer nichts intakt. Wann das Bett zum letztenmal bezogen worden war, war nicht mehr erkennbar. Handtücher gab es nicht. Wozu auch – es gab ja sowieso kein Wasser. Die herbeigerufene Zimmerfrau versprach, sich um Handtücher zu kümmern und das Bett zu beziehen. Ich wurde glücklicherweise gleich ins Theater geholt von meinem eiligen Fahrer. Unterwegs wollte ich aber endlich etwas Trinkbares haben. Das einzige Getränk, das wir fanden, war eine dicke, klebrig-süße Limonade, die den Durst nur schlimmer machte. Aber das hatte mir ja mein ungeduldiger Fahrer vorausgesagt.
Der überaus freundliche Theaterdirektor wußte schon von meinem verlorenen Koffer und bedauerte sehr. Von dem in Algier geplanten Kindertheaterworkshop erfuhr er erst durch mich. Aber das war für ihn kein großes Problem. Die Theaterferien hätten ja schon angefangen, meinte er beruhigend, und seine Schauspieler hätten, soweit sie nicht verreist wären, sowieso nichts zu tun. Ein bißchen Zerstreuung in diesem heißen Sommer wäre immer gut. Ich sollte also getrost meinen Lehrgang mit ihnen machen.
Gegen meine Bitte, mit Algier oder Oran telefonieren zu

dürfen, hatte er nichts. Nur leider war die Telefonanlage nicht ganz intakt. Im Moment waren nur Stadtgespräche möglich. Wen aber sollte ich in Sidi-bel-Abbès anrufen? Also erwiderte ich das freundliche Lächeln des Direktors und bedankte mich herzlich, als er mir einen kleinen, neuen Koffer für meine Sachen, die irgendwo in Europa oder Afrika herumschwirrten, überreichte. Ein Geschenk des Theaters. Dann lächelte er noch herzlicher und überreichte mir etwas, wovon ich noch nicht ahnte, wie wichtig es für mich sein würde – ein langes, hellblaues algerisches Hemd. Das war das persönliche Geschenk des Direktors. Es liegt noch heute in meinem Wäscheschrank, und manchmal, wenn ich allein bin, ziehe ich es über und fühle mich sehr wohl darin.

In bel-Abbès fühlte ich mich noch nicht so wohl – aber was sollte ich machen? Ohne fremde Hilfe kam ich da nicht weg. Also blieb ich freundlich und dankbar, kehrte ins Hotel zurück, nachdem mir der Direktor gesagt hatte, er erwarte mich am nächsten Morgen zwischen neun und zehn zum Workshop.

In meinem Hotelzimmer war noch alles wie bei meiner Ankunft. Ich legte Köfferchen und Hemd ab und ging ins Hotelrestaurant, wo sich zum allgemeinen Gestank noch ein vager Essensgeruch gesellte.

Essen mochte ich aber nicht, nur etwas trinken. Man servierte mir sofort die klebrige Limonade, ich nippte nur und fragte nach Wasser. Man bedauerte, da der winzige Vorrat für den Kaffee zum Frühstück gebraucht würde. So wußte ich wenigstens, daß ich am nächsten Morgen Kaffee bekommen würde. Natürlich fragte ich auch nach Wein. Der fromme Blick des Kellners machte mir sofort klar, daß hier nicht Algier oder Oran war, wo man das Alkoholverbot leichter zu nehmen schien.

Ich verließ das fromme, trockene Haus. Irgendwo mußte es doch flüssiger zugehen. Außer der Limonade, die manchmal grün und manchmal rot, aber immer süß und klebrig war, gab es in der ganzen Stadt nichts. Jedenfalls nicht für einen ortsunkundigen Fremden. Die Hitze war am Abend fast so drückend wie am Tage. Ich kehrte erschöpft und fast verdurstet ins Hotel zurück. Dort stank es noch, wie es eben stank, aber ich muß wohl inzwischen auch etwas gerochen haben, hatte mich eben meiner Umgebung schon ein bißchen angepaßt.

Das Bett war nicht bezogen, der Nachtpförtner nicht zuständig und ich zu erschöpft, um mich noch sinnlos zu beschweren. Ich zog die schweißnassen Sachen aus und hängte sie zum Trocknen an das offene Badezimmerfenster. Haken oder Bügel gab es nicht. Dann zog ich das geschenkte Hemd über, und siehe – ich fühlte mich fast gewaschen. Nachdem ich alles, was in meinem wackligen Bett zu leben schien, daraus entfernt hatte, legte ich mich selbst darauf und hoffte auf einen gnädigen Schlaf. Der Schweiß begann wieder zu laufen, obwohl ich mich gar nicht bewegte. Es war zwar Mitternacht geworden, aber kaum kühler. Um mich abzulenken, stand ich immer mal auf, ging ins Bad und drehte am Wasserhahn. Nichts.

Plötzlich meinte ich, auf dem Flur Kinder schreien zu hören. Ich ging hinaus und sah dort viele erbärmlich magere Katzen über den Flur laufen. Also Katzen waren es und nicht Kinder, die da schrien. Beruhigt kehrte ich auf mein Bett zurück und wartete auf die Morgenkühle. Ich weiß nicht, ob sie kam. Als ich aufwachte – kurz nach sechs war es –, schien eine erbarmungslose Morgensonne ins Zimmer. Ich schloß die Vorhänge, aber die Hitze war schon eingedrungen.

Mein schönes, frisches hellblaues Hemd klebte an mir. Ich zog wieder an, was über Nacht getrocknet war, und hängte

das Hemd ans Fenster. Dann putzte ich die Zähne mit nichts als etwas Zahnpasta, denn Zahnpasta, Zahnbürste und sogar Naßrasierzeug hatte ich mir am Abend noch gekauft. Aber wie rasiert man sich naß, wenn kein Wasser da ist? Na gut, man muß sich ja nicht jeden Tag rasieren und waschen.
Zum Frühstück gab es dann Butter, Brot und ein winziges Täßchen Kaffee. Als ich ein zweites verlangte, wurde mir wieder Limonade angeboten. Mein Protest kam aus unverändert trockener Kehle und verpuffte im nachsichtigen Lächeln des Kellners. Ich schlich ganz langsam, aber doch schon wieder schweißgebadet ins Theater.
Dort traf ich den Pförtner, der mich zwar nicht gerade erwartet hatte, aber doch neben sich in seiner kleinen Loge warten ließ auf Dinge, von denen keiner wußte, ob sie kommen würden.
Im Laufe des Vormittags kamen allerlei Leute vorbei und nickten mir durchaus nicht abweisend zu. Dann endlich sprach mich einer sogar freundlich an. Er fragte, ob ich der berühmte Kindertheaterspezialist aus Berlin wäre. Er hätte schon viel von mir gehört und gelesen und wäre nun sehr gespannt auf meinen sicher doch sehr fundierten Vortrag über die Kunst des Kindertheaters. Jetzt wußte ich doch wenigstens, daß ich einen Vortrag halten würde.
Vorträge kann man über alles halten, warum nicht über die Kunst des Kindertheaters? Wann die Veranstaltung beginnen würde, wußte der freundliche Mann nicht. Aber er lud mich ein, mit ihm ins Kaffeehaus zu gehen. Dort würde man sicher alle treffen, die zu meinem Vortrag wollten.
Also trafen wir uns im Kaffeehaus und diskutierten zunächst nicht über Kindertheater, sondern über die Tatsache, daß es heute selbst im Kaffeehaus keinen Kaffee, sondern nur Limonade gäbe. Wir kamen zu dem Schluß, daß es eben so wäre wie es wäre, wenn auch nicht schön. Auch mein ver-

lorener Koffer schien inzwischen Stadtgespräch zu sein. Selbst die Kellner fragten mich, ob ich mir schon neue Sachen gekauft hätte. Alle wollten mir dabei behilflich sein. Nur ich wollte nicht, weil ich wußte, daß mein Taschengeld auch für das einfachste Hemd nicht mehr reichen würde. Also fragte ich, ob wir nicht lieber mit dem Kindertheaterworkshop beginnen wollten. Alle waren begeistert und kamen mit ins Theater, darunter auch Leute, die nur ganz zufällig im Kaffeehaus in unserer Nähe gesessen hatten. Was ist ein Kaffeehaus ohne Kaffee? Dann schon lieber Kindertheater. Irgendwie schien ganz bel-Abbès zu wissen, was ich für ein berühmter Theatermensch bin. Selbst der Pförtner erklärte sich – mir zu Ehren – bereit, einen Raum im Theater aufzuschließen.
Natürlich saßen da nur Männer. Keine Frau aus bel-Abbès schien zu ahnen, was wir vorhatten – das algerische Kindertheater von Grund auf zu reformieren. Ich erkundigte mich erst mal vorsichtig nach dem Stand des algerischen Kindertheaters bisher. So erfuhr ich, daß dort oben in Oran gerade ein Stück von einem ostdeutschen Autor inszeniert würde. Das hatte in der Zeitung gestanden. Ich gab mich – ganz bescheiden – als dieser ostdeutsche Autor zu erkennen, und nun wußten auch alle, woher sie mich so gut kannten.
Wir erzählten uns, was wir so machten, und dabei stellte sich heraus, daß außer mir eigentlich keiner direkt etwas mit Theater zu tun hatte. Aber das sollte ja ab sofort anders werden. Das Interesse wäre sehr groß, wurde mir immer wieder gesagt, und nach so einem Lehrgang könnte man endlich beginnen mit dem Kindertheater in Sidi-bel-Abbès. Ich sollte erst mal meinen Vortrag halten.
Nun muß man gewiß nicht nach Algerien reisen, um zu erfahren, wie verwandt Theater mit Scharlatanerie sein kann. Ob nun Fachleute oder Laien fachsimpeln, der Un-

terschied muß nicht so groß sein, wie der Fachmann gern vermutet.
Ich erzählte ein bißchen von dem, was ich so im Theater gemacht habe, auch von meiner Schauspielausbildung, von Atemtechnik, Körpertraining, was man eben so erzählt, wenn man nicht genau weiß, was die Leute hören wollen. Mit meinem Körpertraining hatte ich einen Nerv getroffen. Einer der Zuhörer, der sich als Journalist zu erkennen gegeben hatte, meinte, es wäre eine algerische Krankheit, immer und über alles nur zu theoretisieren. Jetzt wäre doch endlich mal ein Praktiker da, und man sollte zur praktischen Schauspielerausbildung kommen. Atemtechnik und Körpertraining.
Mein Einwand, daß ich kein Spezialist für Schauspielerausbildung, sondern eher Autor und Regisseur wäre, wurde vom Tisch gewischt. Schließlich hatte ich einige der Übungen schon vorgemacht, weil mir hier und da die französischen Vokabeln für eine genaue Beschreibung gefehlt hatten. Ich kramte nun alles hervor, was ich noch von meiner fast dreißig Jahre zurückliegenden Schauspielerausbildung in Erinnerung hatte, und wir machten gemeinsame Atemübungen, Entspannungsübungen und was dem Laien diesen Beruf so geheimnisvoll macht. Nachdem wir alle ins Schwitzen gekommen waren, fragte ich, wo man sich in bel-Abbès vielleicht mal waschen könnte.
Ein junger Lehrgangsteilnehmer lud mich sofort zu sich nach Hause ein. Es war sowieso Zeit für eine Mittagspause. Wir gingen zum Stadtrand in eine Neubausiedlung. Der freundliche junge Mann kaufte unterwegs was zum Mittagessen ein. Er hatte in seiner Wohnung noch zwei Flaschen Wasser, eine zum Trinken, die andere zum Händewaschen. Wir leerten sie beide. Nach dem Essen fragte er mich, was mich schon viele junge Algerier vorher gefragt hatten: Ob

ich nicht eine deutsche Frau wüßte, die er heiraten könnte. Er hatte nur einen Wunsch: Algerien endlich verlassen zu können. Und deutsche Frauen seien am besten zum Heiraten geeignet. Ich gab zu, ihm nicht helfen zu können.
Als wir uns dann alle am späten Nachmittag wieder im Theater trafen, war ich ziemlich ratlos. Ich wußte einfach keine neuen praktischen Übungen. Aber der Journalist, der am Vormittag diese praktischen Übungen vorgeschlagen hatte, schlug nun vor, zur theoretischen Untermauerung des Gelernten zu kommen. Die Übungen selbst würden sie ja jetzt alle beherrschen. Also palaverten wir über Gott und die Welt des Theaters. Der Theaterdirektor kam vorbei, lobte die produktive Atmosphäre des Workshops und fragte mich, ob er noch etwas für mich tun könnte. Meine Bitte, mit Oran oder Algier telefonieren zu können, wäre die einzige, die er mir nicht erfüllen könnte. Ich sollte es doch einfach im Hotel versuchen. Ich sagte ihm nicht, wie oft ich es schon versucht hatte. Auch auf dem Postamt. Ich konnte nur hoffen, daß meine Kollegen in Oran mich irgendwann hier abholen würden, damit ich wenigstens die Premiere sehen könnte und dann irgendwie wieder nach Hause käme.
Wir setzten also unseren Workshop fort, bis es dunkel wurde und das Nachtleben von bel-Abbès alle Theaterprobleme in den Schatten stellte. Auf dem Weg zum Hotel begleitete mich der jüngste von allen Teilnehmern. Er erzählte ganz beiläufig, daß er Moslembruder wäre und ich der erste Ungläubige, den er, wenn schon nicht bekehren, so doch wenigstens mit seinem Glauben bekannt machen wollte. Allah könne auch in der Seele eines Ungläubigen wohnen, und in mir habe er so einen erkannt.
Ich lud ihn nichtsahnend ein, mit mir ins Hotelrestaurant zu kommen. Das lehnte er entschieden ab. Dort würde

Alkohol getrunken, und so ein Haus betrete er nicht. Sollte mich also der fromme Blick des Kellners getäuscht haben, als ich versuchte, Wein zu bestellen? Wir verabredeten uns für den späteren Abend, und ich versuchte es in meinem Hotel noch einmal, zu Wasser oder wenigstens zu Wein zu kommen. Erfolglos: Außer Limonade war nichts zu bekommen.

Auf unserem Nachtspaziergang zeigte mir mein Moslembruder dann stolz seine Stadt, die er Klein-Paris nannte, obwohl er doch alles, was aus diesem atheistischen Frankreich kam, als Teufelszeug ablehnte. Die einzige Rettung für das algerische Volk sah er in der Rückkehr zur reinen Lehre des Koran. Dann lud er mich ein, mit ihm in eine Eisdiele zu gehen. Ich wollte aber kein Eis essen, also verschwand er rasch in der Eisdiele, um mit einigen etwa gleichaltrigen Freunden wiederzukommen. Ihnen wollte er mich offensichtlich vorführen.

Die allerdings schienen nicht zu erkennen, daß auch in mir Ungläubigem Allah wohnte, und guckten mich nur mißtrauisch von der Seite an. Schließlich verabschiedete sich auch mein Begleiter, er müßte jetzt mit seinen Freunden in die Moschee.

Ich ging zurück ins Hotel, legte mich wieder aufs Bett und dachte nur an eines – an Wasser. Irgendwie bin ich eingeschlafen, wohl weil ich nicht an Schlaf, sondern nur an Wasser dachte, und wachte mitten in der Nacht auf vom Rauschen eben dieses Wassers in der Badewanne. Ich riß mir das Hemd vom Leib, kroch unter den Wasserhahn, eine Dusche gab es nicht, und wusch zuerst mich, dann alle meine Sachen und fühlte mich mitten im heißen Sidi-bel-Abbès wie Gott in Frankreich. Etwa zwanzig Minuten dauerte das Glück, dann versiegte die Quelle.

Am nächsten Morgen, meine Sachen waren noch naß, aber

endlich mal nicht vom Schweiß, gab es zum Frühstück zwei Tassen Kaffee, und zum Mittagessen stand eine ganze Literflasche mit Trinkwasser vor mir. Ich trank sie aus und bestellte sofort eine zweite. Der Kellner schien über mein Glück auch glücklich geworden zu sein. Strahlend stellte er eine Flasche Rotwein auf meinen Tisch. Aber die rührte ich nicht an. Diesen wunderbaren Geschmack reinen Trinkwassers wollte ich mir nicht verderben. Vorsichtshalber stellte ich mir den Wein aber ins Zimmer und trank ihn dann doch, als es Nacht wurde über bel-Abbès und ich noch immer keine Nachricht aus Oran hatte.
Der Theaterlehrgang am Tage, so lächerlich er war, lenkte doch etwas ab von der nagenden Ungewißheit. Nachts, allein in diesem unsäglichen Hotelzimmer, träumte ich von nicht funktionierenden Telefonen und von meinem künftigen Leben im heißen Sidi-bel-Abbès, umgeben von tausend mißtrauischen Moslembrüdern, die mir Unreinem den Rotwein mißgönnten.
Am dritten und letzten Workshop-Tag machten wir sogar eine Auswertung des Lehrganges, bei der der Theaterdirektor zugegen war und mir dankte für meinen produktiven Beitrag zur Entwicklung des algerischen Theaters. Wir verabschiedeten uns, und ich ging ganz allein in mein Hotel zurück, um der Dinge zu harren, die so ungewiß waren wie alles, was ich in Sidi-bel-Abbès erlebt hatte.
Der Direktor hatte zum Abschied nur gesagt, ich würde vom Hotel abgeholt werden, wie verabredet. Woher wußte ich, was mit wem verabredet worden war? Aber es gab ja wenigstens wieder Kaffee und Wasser, und damit vergeht auch ein noch so langer und heißer Nachmittag.
Als es dämmerte, bremste ein Jeep vor dem Hotel, und ein alter Bekannter aus Oran umarmte mich vorwurfsvoll. Was ich denn um Gottes willen in bel-Abbès getrieben hätte?

Man hätte ganz fest mit meiner Anwesenheit auf den Schlußproben gerechnet und heute erst aus Algier erfahren, daß man mich in Sidi-bel-Abbès abholen sollte. Ich versuchte das Unerklärliche zu erklären. Mein Freund telefonierte noch rasch von derselben Rezeption aus nach Oran, von der ich es tausendmal vergeblich versucht hatte. Er sagte nur, daß er mich gefunden hätte und daß alles in Ordnung wäre.

In Oran wurden wir von allen Kollegen erwartet. Wir feierten das Wiedersehen ausführlich. Ich war in einem luxuriösen Hotel untergebracht, in dem nicht nur kaltes, sondern auch warmes Wasser aus der Wand kam. Aber das Zimmer sah ich kaum, hatte ja nur noch zwei Tage Zeit und so viele Feste zu feiern, daß an Schlafen nicht zu denken war.

Ach ja, die Premiere fand statt und wurde in allen Zeitungen gelobt. Die Schauspieler hatten während der Probenzeit eine Kooperative gebildet, das heißt, sie hatten sich vom Theater unabhängig gemacht und wollten nun mit ihrer Inszenierung durchs Land reisen. Was daraus geworden ist, habe ich nie erfahren.

Denn als ich nach Hause kam, setzte hier die große Ausreisewelle über Prag und Budapest ein. Die DDR-Bürger verließen ihr Land, und ihr oberster Landesvater verkündete, er weine ihnen keine Träne nach.

Wieso mir ein Türke sagte, daß er froh sei, kein Neger zu sein

Der Zug, mit dem ich gewöhnlich nach Brüssel fuhr, kam aus Moskau. Er hatte sehr oft Verspätung, war alles andere als sauber und fuhr ziemlich langsam. Dreizehn Stunden war ich unterwegs von Berlin nach Brüssel, wenn wir pünktlich waren. Um Zeit zu sparen, nahm ich fast immer den Nachtzug, und wenn ich Glück hatte, fand ich einen Liegewagenplatz. Vorbestellungen waren schwierig, weil ich ja meist bis zur letzten Minute nicht wußte, ob ich fahren durfte oder nicht.

Einmal hatte ich besonderes Glück. Am Bahnhof Friedrichstraße war ich der einzige Reisende, der in den Liegewagen einstieg, und am Bahnhof Zoo kamen nur wenige Leute dazu. In mein Abteil kam ein sehr freundlicher, dunkelhaariger Mann, der etwas gebrochen Deutsch sprach. Wir unterhielten uns übers Woher und Wohin. Ich erfuhr, daß er in West-Berlin eine Elektroinstallationsfirma hatte. Er gab mir seine Karte – für den Fall, daß ich mal einen Elektriker brauchte. Daß ich aus Ost-Berlin kam, hatte er nicht gleich verstanden.

Dann unterhielten wir uns über die deutsche Spaltung, die beiden Teile Berlins, über das unterschiedliche Leben in Ost und West. Er lebte schon seit zwanzig Jahren im Westteil der Stadt und fühlte sich dort sehr wohl. Wenn er nach seiner Nationalität gefragt würde, sagte er lachend, würde er am liebsten nur antworten: West-Berlin. Und nicht Türke. Inzwischen hatten wir West-Berlin schon verlassen, die DDR-Grenzer waren in Griebnitzsee zugestiegen, der Zug rumpelte langsam über den sozialistischen Schienenstrang. Wir legten unsere Pässe zurecht, um den Grenzern zu zeigen, wie wenig uns ihre Kontrollen störten. Plötzlich wurde es laut im Liegewagen. Der Schaffner, der doch eigentlich für Ruhe zu sorgen hatte, besorgte das laut schreiend und zeternd. Ich machte die Abteiltür auf, und sofort drangen mehrere Schwarzafrikaner in unser Abteil und besetzten die noch freien Plätze. Auch unsere Nachbarabteile wurden besetzt.

Die Besetzer sagten dabei kein Wort. Nur der Schaffner schrie, je vergeblicher, desto lauter, daß sie hier nichts zu suchen hätten, und drohte, die Bahnpolizei zu rufen. Die Afrikaner blieben stumm, lächelten uns Mitreisende freundlich an und blieben auf ihren Plätzen.

Ich fragte den Schaffner, warum er sich nur so aufregte. Er meinte tief gekränkt, daß diese Neger keine Liegewagenplätze gebucht hätten. Außerdem sprächen diese Halbwilden nicht einmal Deutsch. Aber die Grenzer würden schon dafür sorgen, daß sie wieder verschwänden. Ich schlug vor, sie doch erst mal zu fragen, was überhaupt mit ihnen los wäre. Der aufgebrachte Schaffner wiederholte aber immer nur: »Diese Neger sprechen ja nicht mal Deutsch.«

Ich sprach also diese Neger auf englisch an. Sie verstanden mich nicht. Auch auf mein Französisch reagierten sie nur schulterzuckend. Da bemerkte der Liegewagen-Oberbefehlshaber ziemlich verächtlich: »Die kommen doch aus Moskau.« Mein Russisch war zwar nicht mehr sehr gut, reichte aber aus, um zu erfahren, was los war.

Es handelte sich um eine Studentengruppe aus einem afrikanischen Staat, dessen Namen ich vergessen habe. Jedenfalls sprachen sie alle nur ihre Heimatsprache und Russisch. Sie studierten in Moskau und waren auf der Reise nach London. In Moskau hatten sie zwar Schlafwagenplätze bestellt und bezahlt, aber im Zug stellte sich heraus, daß sie nur Sitzplätze in der ersten Klasse hatten. Nun waren sie so müde, daß sie den in Berlin angehängten Liegewagen besetzt hatten. Westgeld, womit der Liegewagen vom Bahnhof Friedrichstraße an zu bezahlen war, hatten sie nicht. Aber schließlich waren die Erster-Klasse-Billetts sowieso teurer als so ein Liegewagenplatz.
Ich versuchte, mit dem Schaffner zu verhandeln. Schließlich waren die Betten ja frei, und es war doch nicht das Geld des Schaffners, das sie kosteten. Das gab er ja zu, aber es wäre doch mehr Arbeit für ihn, alle Betten machen zu müssen. Und außerdem: »Da könnte ja jeder kommen!«
Er schrie nicht mehr, er sprach sachlich-ruhig wie ein deutscher Beamter, der ein paar Betten zu verwalten hat. Mein türkischer Mitreisender hatte viel Verständnis für ihn. Mir riet er, mich doch lieber herauszuhalten. Die deutsche Ordnung müßte man einfach akzeptieren. Sie hätte ja auch viel Gutes, und wenn die Grenzer kämen – er sagte übrigens: »Wenn Ihre Grenzer kommen« –, könnten wir auch noch Ärger bekommen. Er kenne diese Grenzer und habe keine Lust, sich mit ihnen anzulegen.
Inzwischen hatten sich die afrikanischen Studenten ihre Betten gemacht. Ohne noch länger über deutsche Ordnung nachzudenken, schienen sie alle eingeschlafen zu sein. Ich legte mich auf mein Bett, schlief aber nicht, sondern harrte gespannt der Grenzer, die da kommen mußten.
Sie kamen bald. Ich hörte den Schaffner auf sie einreden. Dann wurde die Tür des Abteils aufgerissen, das Licht ange-

macht und nach den »Reisedokumenten« gefragt, der schönen deutschen Zusammenfassung für alles, was man an Papieren brauchte, um in so einem komfortablen Liegewagen von Moskau über Warschau, Berlin und Brüssel nach London liegen zu dürfen. Ich gab meinen Paß zuerst. Noch nie bin ich so flüchtig kontrolliert worden wie in jener Nacht. Die afrikanischen Studenten schliefen oder stellten sich schlafend. Jedenfalls rührten sie sich nicht. Die Grenzer stießen sie an und befahlen laut, die Pässe zu zeigen. Nichts half. Mein türkischer Mitreisender sagte, ich als Sprachkundiger sollte doch mit diesen störrischen Afrikanern aus Moskau sprechen.
Bevor ich den Mund aufmachen konnte, bekam ich den schönen deutschen Satz zu hören, den ich von anderer Gelegenheit schon kannte: »Sie halten sich da raus!« Der Schaffner hatte den Genossen Grenzern schon gesteckt, woher diese schwarzen Liegewagenbesetzer kamen. Also versuchten sie es jetzt mit den wenigen Bruderworten, die ein DDR-Bürger normalerweise nach jahrelangem Russischunterricht zurückbehalten hatte: »Dawai Towarisch Paßport!« Keine russische Antwort. Die Grenzer waren nicht weniger hilflos als zuvor der Schaffner. Sie berieten sich kurz auf dem Gang. Dann sagten sie drohend: »Wir kommen wieder.« Erst mal aber gingen sie wirklich.
Die schwarzen Studenten kicherten ein bißchen, als die Abteiltür wieder geschlossen war. Einer von ihnen machte sogar das Licht wieder aus. Ich wünschte eine gute russische Nacht und versuchte zu schlafen. Nach einer Stunde etwa kam die gesamte uniformierte Zugbesatzung in unseren Liegewagen. Alle Abteiltüren wurden geöffnet, und im Gang begann ein militärisches Rufen und Befehlen. Die offensichtlich so Angesprochenen aber zeigten auch nicht die leiseste Absicht zu gehorchen. Das lag bestimmt nicht

nur daran, daß sie kein Deutsch verstanden. Der Ton war international verständlich.
Inzwischen war der Zug schon kurz vor Marienborn, wo alles, was Deutsche Demokratische Uniform trug und nicht Reichsbahner war, den Zug verlassen mußte. In Helmstedt wartete schon der Klassenfeind auf uns. Für das Erlebnis, unsere so allmächtigen, martialischen Grenzbeamten einmal so hilflos zu sehen, gab ich gern meinen Nachtschlaf hin. Als sie den Zug dann wirklich verlassen hatten, kicherte ich mit den schwarzen Besetzern mit, war allerdings auch gespannt, was der westliche Grenzschutz bringen würde.
Kaum hielt der Zug in Helmstedt, da informierte der deutschdemokratische Schlafwagenaufsichtsbeamte sofort den bundesdeutschen Grenzschutz. Der aber antwortete ruhig und zivil: »Was sollen wir denn machen? Wenn eure Grenzer das nicht geschafft haben, schaffen wir's auch nicht.«
Jetzt erst meinte ich, wirklich ruhig schlafen zu können. Aber vorher hatte ich natürlich noch meinen Paß vorzuzeigen. Wir zwei nichtafrikanischen Reisenden wurden kontrolliert wie immer. Um die Afrikaner schien sich niemand mehr zu kümmern.
Ich war kurz vor dem Einschlafen, als der Zug in Braunschweig hielt. Als ich aus dem Abteilfenster sah, erschrak ich. Da stand eine Hundertschaft Bereitschaftspolizei (ich weiß nicht, ob diese Bezeichnung militärisch korrekt ist) auf dem Bahnsteig und erwartete unseren Zug. Das Folgende ging sehr schnell und fast geräuschlos vor sich. Draußen im Gang sagte einer der Polizisten: »Rausholen und Paß abnehmen.« Dann hörte man so etwas wie ein Handgemenge, bei dem kein Wort fiel. Der nächste Satz, den ich verstand, war: »Die haben ja überhaupt kein Visum.«
Dann wurde unsere Abteiltür aufgerissen. Zwei Uniformier-

te leuchteten uns mit Taschenlampen ab, packten mit geübtem Griff alles, was schwarz war. Dann entschuldigten sie sich höflich bei uns zwei Nichtschwarzen, wünschten uns gute Nacht und gute Reise und schlossen leise die Abteiltür. Als der Zug aus dem Bahnhof fuhr, machte ich das Licht an und sah, selbst auch zitternd, meinen zitternden, bleichen Mitreisenden an, den türkisch-westberliner Installateurmeister aus dem Wedding. Er murmelte leise: »Bin ich froh, daß ich nicht schwarz bin.«
Dann kramte er in seinem Handgepäck, holte ein paar Büchsen Bier hervor und bot mir eine davon an. Wir tranken und redeten bis Aachen. Dort stiegen die belgischen Grenzer ein, von denen nun aber keiner mehr etwas zu befürchten hatte, weil keiner mehr da war, der etwas zu fürchten hatte in einem freien Land der freien Welt.

Nachrichten aus der Provinz Berlin

Wieso ich so oft umgezogen bin

In den ersten achtzehn Lebensjahren bin ich gar nicht umgezogen. Wir waren froh, überhaupt ein Dach über dem Kopf zu haben, auch wenn da kein Bad war und man zum Gemeinschaftsklo über den Hof gehen mußte. Unser Hauswirt mußte das auch, also fanden wir das ganz normal, so nebeneinander auf der Stange zu sitzen.
Dieser Hauswirt war relativ wohlhabend, ein Selbstversorger, wie man das damals nannte. Er bekam nur eine beschränkte Lebensmittelkarte, weil er ein bißchen Land hatte, auf dem er Kartoffeln und Getreide anbaute. Eigentlich war er Wagenbauer, aber selbstverständlich hielt er Schweine, Ziegen, Gänse, Enten und Hühner und hatte einen wunderbaren Obst- und Gemüsegarten, und ich erinnere mich, unseren netten Hauswirt manchmal bestohlen zu haben. Er tat immer so, als merkte er das nicht.
Seine Frau buk das Brot noch selbst in einem Reisigofen hinter dem Haus. Dann standen wir Kinder meist dabei – nicht aus romantischen Gründen. Wir hatten immer Hunger und hätten wohl sehr gern vom Brot allein gelebt. Aber manchmal reichte es eben nur für Kartoffelschalen.
Wenn die Felder des Hauswirts abgeerntet waren, durften wir zur Nachlese und sammelten Kartoffeln und Getreideähren. Das Korn wurde dann in der Kaffeemühle gemahlen. Manchmal gab die Frau des Hauswirts meiner Mutter auch heimlich durchs Fenster ein bißchen Sauerteig oder eine

Kanne Ziegenmilch. Das sollten die anderen nicht sehen. Schließlich konnte sie nicht jedem helfen.
Wenn geschlachtet wurde, dann war das auch für uns ein Fest. Dann hatten wir meist eine ganze Woche lang so viel zu essen, daß wir richtig satt wurden. Ein damals sehr seltenes Gefühl.
Mein Mutter nähte für die Russen und wurde deshalb von vielen Nachbarn schief angesehen. Aber eine andere Verdienstmöglichkeit hatte sie ja nicht. Zu uns Kindern sagte sie immer: »Die Russen sind auch Menschen.« Das war eine für Finsterwalder Nachkriegsverhältnisse sehr fortschrittliche Ansicht. Schließlich wußte man doch, daß die Russen noch nicht mal Wasserklos hatten. Wir hatten damals zwar auch keines. Aber wir wußten doch wenigstens, was ein Wasserklo ist.
1949, als der staatliche Handelsbetrieb namens »HO« gegründet wurde, fand meine Mutter eine Stelle als Verkäuferin. Das war immerhin ein gewisser sozialer Aufstieg. Mal verkaufte sie Kochtöpfe, mal Schuhe, mal Glas und Porzellan. Viel gab's ja von allem noch nicht. Zum Schluß war sie sogar Abteilungsleiterin im Finsterwalder Kaufhaus. Sie liebte ihre Arbeit über alles. Ich dachte immer, ohne diese Arbeit könnte sie gar nicht mehr leben. Aber kaum war sie Rentnerin geworden, konnte sie sehr gut ohne die geliebte Arbeit leben.
Seit mein Bruder nicht mehr zu Hause war, verstand ich mich wunderbar mit ihm. Vorher waren wir ziemlich normale Geschwister. Mein größter Wunsch war damals, nur für eine Stunde mal stärker zu sein als er und mich für alle eingesteckten Schläge zu rächen.
Meine Schwester bestimmte vor allem, welche Musik in unserem Haus gehört wurde. Ich kann mich eigentlich nur an Beethoven erinnern. Seine neunte Sinfonie hasse ich seit

dieser Kindheit. Gegen Klavierspielen habe ich nur wenig. Das übte meine Schwester im benachbarten evangelischen Gemeindehaus. Aber Geige, ausgerechnet Geige, übte sie zu Hause.

Geld war bei uns nicht der Rede wert. Auch als meine Mutter ihr regelmäßiges Verkäuferinnengehalt bekam, reichte das höchstens bis zur Monatsmitte. Dann lebten wir wieder auf Pump. Und von geborgtem Geld spricht man nicht gern. Ich wußte auch so, wie ich gucken mußte, wenn unsere »Kolonialwarenhändlerin« anschreiben sollte.

Als meine Geschwister aus dem Haus waren – ich war ja der jüngste von uns dreien –, übernahm ich die Haushaltskasse und – aber das wird meine Mutter wohl ein bißchen anders sehen – eigentlich auch den ganzen Haushalt. Ich stand als erster auf, heizte, machte Frühstück und lernte überhaupt alles, was man als Hausfrau so können muß. Nähen und stopfen allerdings habe ich nie gelernt. Aber sonst bin ich durchaus selbständig.

Als mir sehr viel später mein Schwiegervater mal beim Kartoffelkochen bewundernd über die Schulter guckte und fragte, wie ich das nur gelernt hätte, bot ich ihm an, es ihm zu zeigen. Aber er lehnte mit Schrecken ab. Er wäre froh, sich seinen Nescafé selbst zubereiten zu können.

Finsterwalde liegt an der Eisenbahnstrecke Leipzig/Cottbus. Vom Eisenbahnfahren träumte ich viel. Aber zunächst war das noch ein unerschwinglicher Luxus. Wenn ich meinen Großvater oder eine meiner ungeliebten Tanten in Berlin besuchen wollte – egal ob geliebt oder ungeliebt, da gab es Westschokolade –, dann fuhr ich die hundert Kilometer mit dem Fahrrad. Daß meine Mutter mir das erlaubte, wundert mich erst, seit ich selbst Kinder habe. Heute bin ich ihr dankbar für das, was ich damals ganz selbstverständlich fand.

Da ich gar nicht wußte, daß es auch in Berlin eine Schauspielschule gab, hatte ich mich in Leipzig beworben. Von der ganzen Schauspielerei hatte ich ja keine Ahnung. Immerhin war auch Leipzig eine Großstadt mit richtiger Straßenbahn und Kinos, die auch tagsüber spielten. Und mit mehreren Theatern.

Den ersten Tag in Leipzig verbrachte ich mit den anderen neuen Schauspielschülern in der Theaterschule. Die meisten wußten schon fast alles über das Theater, weil ihre Eltern schon Künstler waren. Ich verschwieg meine Herkunft, solange sich das machen ließ. Wir übernachteten in Doppelstockbetten, die irgendwo in der Schule aufgestellt wurden. Am nächsten Morgen fuhren wir erst mal zum Ernteeinsatz. Das gehörte in der DDR einfach zum Studium. Zweimal im Jahr war Arbeitseinsatz, mal in der Landwirtschaft, mal in der Braunkohle. Wir sollten den Kontakt zur Arbeiterklasse nicht verlieren.

Daß sich die Arbeiterklasse selbst ganz anders darstellte, als sie uns in der Schule dargestellt wurde, das wußten wir schon. Überhaupt wußten wir Studenten so ziemlich alles, nur in der praktischen Arbeit war uns diese Arbeiterklasse noch etwas voraus.

Uns betrachtete man, wie wir die anderen auch betrachteten, etwas von oben herab. Studenten, na ja – mußte es auch geben. Aber Schauspielstudenten? Abends in der Kneipe aber waren wir gerngesehene Unterhaltungskünstler. Wir sangen da irgendwelche Schlager oder komische Volkslieder und wurden dafür zum Trinken eingeladen. Ob wir bei unseren Arbeitseinsätzen sonst irgendwas Nützliches taten, kann ich nicht mehr beurteilen.

Sofort nach diesem ersten Ernteeinsatz bekam ich in Leipzig ein möbliertes Zimmer zugewiesen, in Connewitz über dem Fischladen. Mich störte der Gestank überhaupt nicht. Ich

hatte ein eigenes Zimmer und konnte tun und lassen, was ich wollte. Und das Klo nicht mehr über den Hof, sondern nur eine halbe Treppe tiefer.
Meine Wirtsleute hatten sich – es war die Zeit des allerersten, sehr bescheidenen Wohlstands in der DDR – die damals modernen Nierentische und entsprechende Schränke und Stühle gekauft. In die Studentenbude hatten sie die alten, nun als häßlich erkannten Schleiflackmöbel gestellt. Mir sind Nierentische aber heute noch zuwider, während ich alte Schleiflackmöbel ... Aber im Grunde war mir das damals egal.
Zwei Jahre genoß ich die neue Wohnfreiheit über dem Fischladen. Dann ließen mir meine Wirtsleute mitteilen – ich lag nach meiner wunderbaren Frankreichreise gerade im Krankenhaus –, daß ich mein Zimmer sofort räumen müßte. Aber im Krankenhaus lernt man ja Leute kennen. Schon am zweiten Tag trat meine Frau an mein Bett, ohne daß ich von ihr wissen konnte, daß sie mal meine Frau werden würde. Sie machte sich zunächst lauter Blutbilder von mir. Sie war noch Hilfslaborantin. Da ich nicht sprechen, nicht mal flüstern konnte, verlief unser erstes Gespräch sehr freundlich.
Eine Woche später, als ich die Sprache schon fast wiedergefunden hatte, bekam ich eine Urlaubskarte mit freundlichen Grüßen von meiner Blutbildbekanntschaft. Und – rein zufällig – kam sie dann noch mal an meinem Bett vorbei. Aber ich lag schon nicht mehr drin. Auf dem Flur erkundigte sie sich bei mir nach mir. Seitdem weiß ich, daß ich ein Bettriese bin. Sie hatte mich für etwa doppelt so groß gehalten, wie ich wirklich war, ließ sich aber ihre Enttäuschung nicht sehr anmerken.
Die Unterhaltung allerdings war nicht mehr so einfach. Ich konnte wieder alles sagen, wußte nur nicht was. Ihr schien

es ähnlich zu gehen. Um überhaupt was zu sagen, sagte ich, daß ich keine Wohnung mehr hätte. Und sie, um das Gespräch nicht abreißen zu lassen, meinte, ihr Zimmer würde gerade frei, weil sie nach Jena ginge, um sich dort zur medizinisch-technischen Assistentin ausbilden zu lassen.

Ihr Zimmer aber war im Hause ihrer Eltern, und ihre Eltern hatten sich das mit dem Zimmer wohl anders vorgestellt, als sie mich ihnen als Obdachlosen vorstellte. Sie konnten unmöglich wissen, was ich auch nicht ahnte: daß sie mal meine Schwiegereltern würden. Aber Schwiegereltern ahnen mehr, als man ihnen gemeinhin zutraut. Mein Schwiegervater jedenfalls ahnte schnell das Schlimmste. Für ihn war ich nur der Gaukler. Schon mit dieser Bezeichnung wollte er seiner Tochter klarmachen, daß ich nie und nimmer der Richtige sein könnte.

Und das war ich ja nun wirklich nicht. Meine Schwiegereltern waren Großbürger, hatten einmal zu den Reichen der Stadt gehört. Einer der Großväter hatte den eisernen Pflug in Deutschland eingeführt und damit den Reichtum der Familie begründet. Sie waren zwar nicht mehr reich, aber immer noch Großbürger.

Beim ersten Mittagessen im Hause fühlte ich mich ein bißchen wie bei Buddenbrooks. Daß meine Schwiegermutter ausgesprochen kunstsinnig war, merkte ich sofort. Daß sie das nicht hinderte, ausübenden Künstlern gegenüber mißtrauisch zu sein, wenn sie sich der eigenen Tochter näherten, erfuhr ich, als meine Annäherungsversuche konkret wurden.

Ihre Tochter jedenfalls konnte sie überreden, mich überhaupt aufzunehmen, vorübergehend natürlich nur. Unterm Dach waren mehrere Studentenzimmer. Das schönste und größte wurde meines. Wir Studenten hatten sogar ein

eigenes Bad. Mein eigentliches Luxusleben begann also im Herbst 1961 in der Leipziger Käthe-Kollwitz-Straße. Leider dauerte dieser Luxus nicht einmal ein Jahr.
Dann mußte ich nach Dresden ziehen, hatte ja ein Engagement am dortigen Kindertheater. Ich fand ein Zimmer in der Wohnung der Mutter eines meiner Mitstudenten. Wenn ich aus dem Fenster sah, schaute ich in einen wunderschönen Obstgarten. Das Zimmer hatte nur einen Nachteil, es war winzig, dafür allerdings nicht heizbar. Und Damenbesuch war auch nach zehn Uhr abends noch erlaubt. Meine freundliche Wirtin, selbst Frau eines berühmten Dresdner Schauspielers, der kurz zuvor gestorben war, hatte nichts gegen das, was sie selbst freie Liebe nannte. Damals in Dresden durchaus nicht selbstverständlich.
Ich weiß nicht mehr, weshalb ich aus dem Zimmer auszog, denn auch das neue, viel weniger schön gelegen, war nicht heizbar. Aber es war etwas größer und lag näher am Theater.
Da sich meine Frau von ihren Eltern keines Besseren belehren ließ, heirateten wir schließlich. Für eine, besonders von den Eltern gewünschte, kirchliche Trauung hätte ich mich taufen lassen müssen. Das mochte ich nicht mehr, und meiner Frau war es egal. Die Hochzeit wurde im Leipziger Bürgerhaus gefeiert, und ich erinnere mich noch, wie stolz ich auf meine kleine Mutter war, die sich von dem ganzen Großbürgertum überhaupt nicht beeindrucken ließ. Sie saß bei Tische, als hätte sie nie an ärmeren Tischen gesessen. Kurz, sie benahm sich einfach standesgemäß, natürlich nämlich. Das war mir soviel schwerer gefallen bei meinem ersten Besuch im Hause Buddenbrook.
Die Flitterwochen verbrachten wir in meinem Dresdner Zimmer, denn ich hatte nur den Hochzeitstag spielfrei. Daß meine Frau häufiger nach Dresden kam, als ich nach Jena

fuhr, lag daran, daß sie trampgeübter war als ich. Außerdem war ihr Zimmer in Jena noch viel kleiner und viel unheizbarer als meines in Dresden. Wenn es draußen fror, fror auch das Wasser in ihrer Waschschüssel. Wir empfanden das nicht als primitiv, sondern als komisch. Mein Gott, wenn man jung ist, muß man sich nicht jeden Tag warm waschen. Wie schön das aber sein kann, lernten wir dann in unserer ersten gemeinsamen Wohnung, die ich durch die Wohnungskommission des Theaters vermittelt bekam.

Wir teilten sie mit einer alten, sehr netten Dame. Sie wollte gern die Küche für sich allein haben, dafür bekamen wir das Bad. Zwei Zimmer hatten wir und meinten, nie wieder so schön wohnen zu können.

In Berlin war's dann auch wirklich nicht so schön. Vom Theater hätte ich bestenfalls ein Zimmer in der Theaterwohnung bekommen können. Glücklicherweise aber hatte ich Verwandte in Berlin. Die rückten ein bißchen zusammen. Meine alte Großtante zog zu ihren Kindern, die wiederum mit ihren Kindern eine ganze Dreizimmerwohnung besaßen.

So wurde für uns eine kleine Ladenwohnung im Tiefparterre frei. Ohne Wissen des Wohnungsamtes besetzten wir sie und ließen uns nicht schrecken von den zahlreichen Räumungsaufforderungen. Schließlich gab das Amt nach, und wir durften bleiben. Neben dem Zimmer, das einmal Laden gewesen war, hatten wir jetzt einen winzigen Korridor, eine kleine Küche und die Andeutung einer Speisekammer. Größter Luxus war jetzt eine Innentoilette. Das Ganze war heizbar, aber nicht warm zu bekommen. Prägendste Erinnerung an diese Zeit sind die ewig kalten Füße.

Ich hatte das Glück, mich immer mal im Theater aufwärmen

zu können. Meine Frau war schwanger und den ganzen Tag zu Hause. Als Lukas zur Welt kam, fing glücklicherweise gerade der Frühling an. Ich holte Frau und Sohn glücklich von der Klinik ab. Wir packten unser Wunderkind liebevoll in den Korbwagen und gingen einkaufen. Meine Frau hatte genau aufgeschrieben, was man so alles brauchte als Familie mit Kind.

Als wir das alles hatten, fiel uns ein, daß wir meinen Bruder lange nicht mehr gesehen hatten. Er wohnte ganz in der Nähe, also gingen wir mal vorbei. Wir hatten viel zu erzählen. Es wurde ein herrlicher Nachmittag, und es wäre wohl auch ein ebenso schöner Abend geworden, wenn uns nicht plötzlich eingefallen wäre, daß da zu Hause noch ein Kind liegt, das wir nun auch lange nicht mehr gesehen hatten.

Lukas war ein wunderbares Kleinkind. Als wir endlich nach Hause gestürmt kamen, lag er friedlich in seinem Korbwagen und machte uns Rabeneltern nicht den geringsten Vorwurf, obwohl wir ihn unentwegt um Entschuldigung baten. Wir hatten ihn einfach vergessen.

Von nun an versuchten wir uns in eine größere Wohnung zu tauschen. Wöchentlich erschien unsere kleine Anzeige in allen möglichen Tageszeitungen. Vom Wohnungsamt hatten wir nichts zu erwarten. In sechs bis acht Jahren vielleicht, hatten sie uns gesagt. Schließlich geschah das Wunder, und wir fanden für unsere kalte Ladenwohnung eine warme Hinterhauswohnung – zwei Zimmer, in die nie ein Sonnenstrahl gelangte, aber ein Bad war dabei. Außer keinem Licht drang auch keine Kälte ein. Wir hatten gelernt, unsere Wohnungen immer von der besten Seite zu sehen. Unsere Kinder, David war inzwischen dazugekommen, konnten die Sonne ja im Freien sehen.

Und man konnte ja versuchen, sich weiter hochzutauschen.

Die potentiellen Tauschpartner, die auf unsere Anzeigen reagierten, luden wir möglichst spätabends zur Besichtigung ein. Leider sahen auch alle im Dunkeln, daß da kein Tageslicht war. Aber das nächste Wunder geschah – wir fanden für unsere dunkle, warme Zweizimmerwohnung eine viel hellere Dreizimmerwohnung in Schöneweide. Da gab's nicht nur ein Bad, da war auch ein Telefon, auf das man zu DDR-Zeiten so lange wie vergeblich warten konnte.

Einziger Nachteil der Wohnung war ihr Zustand. Der war fast unbeschreiblich schlecht. Seit dem Kriege war nichts mehr gemacht worden, und der Krieg war seit vierundzwanzig Jahren vorbei. Daß es im großen Zimmer entsetzlich zog, lag daran, daß eines der Fenster noch einen Einschuß vom Kampf um Berlin aufwies. Aber das ließ sich ja alles reparieren. Ich verdiente schon etwas besser, und manche Handwerker konnte man auch zu DDR-Zeiten ins Haus locken, wenn man sie nur ordentlich bewirtete. Mit unserem Klempner zum Beispiel freundeten wir uns so an, daß wir ihn bei Rohrbruch nur anzurufen brauchten, und er kam. Leider sind Wasserrohre nicht das einzige, was so kaputtgehen kann. Was an einem ganzen Haus alles kaputtgehen kann, das lernte ich erst, als ich wurde, was ich nie werden wollte – Hausbesitzer.

Aber das ist eine andere und eigentlich gar nicht so traurige Geschichte, wenn man sie nur von ihrem marktwirtschaftlichen Ende her sieht.

Häufige Umzüge jedenfalls haben auch Vorteile. Der größte – man kann nicht allzusehr vermüllen. Meine Schwiegereltern in Leipzig waren seit ihrer Eheschließung nie umgezogen. In ihrem Haus war unendlich viel Platz für unendlich viele Kostbarkeiten und noch mehr Müll. Ihre Kinder, Enkel und Urenkel mußten sich schließlich zusammentun, um das

Haus zu räumen. Eine Generation allein hätte das nicht schaffen können.
Auch unser Haus ist geräumig, und in den letzten fünfzehn Jahren ist hier einiges zusammengekommen, was nicht zusammengehört. Aber ich denke einfach nicht an Umzug. Und warum sollen meine Nachkommen nicht auch mal hinter mir aufräumen?

Wieso ich Hausbesitzer bin

In einem alten Witz wird ein Jungverheirateter gefragt, wie denn seine Ehe so wäre. Er antwortet: »Wunderbar. Wir streiten uns gar nicht, denn wir haben uns darauf geeinigt, daß meine Frau die kleinen Fragen entscheidet, ich die großen.« Was denn so kleine Fragen wären, will der Frager wissen. »Was wir essen und trinken, ob wir Kinder haben wollen, ob und wohin wir in den Urlaub fahren, was wir uns wann anschaffen, welche Freunde wir haben, na eben die Kleinigkeiten.« Und die großen Fragen? »Na ja, zum Beispiel ob Korea in die UNO kommt ...«

Soweit der Witz. Meine Frau hatte schon vor unserer Heirat beschlossen, daß wir einmal ein spätes Kind haben würden. Sie selbst war eines gewesen und hatte es sehr genossen, größere Geschwister zu haben und doch ein bißchen wie ein Einzelkind verwöhnt zu werden. Als das Kind da war, waren wir sehr glücklich, denn es war auch noch ein Mädchen geworden. Das hatte ich zwar nicht zu entscheiden gehabt, aber gewünscht hatte ich mir schon als erstes Kind ein Mädchen.

Nun war aber unsere wunderschöne Altbauwohnung im Berliner Industriebezirk Oberschöneweide zu eng geworden. Die Wohnung zu tauschen war schwierig, wer wollte sich zu DDR-Zeiten schon verkleinern? Miete spielte wegen Geringfügigkeit keine Rolle. Und wer wollte schon nach Oberschöneweide ziehen?

Meine Frau beschloß, ein Haus für uns zu kaufen. Ich habe zwei sehr linke Hände und wies darauf hin, daß an so einem Haus doch immer etwas zu reparieren wäre. Meine Frau wischte den vorsichtigen Einwand vom Tisch, indem sie sagte, wir könnten ja ein intaktes Haus kaufen, und sie sei schließlich nicht ganz so ungeschickt wie ich. Der zweite Halbsatz trifft zu.
Aber ein intaktes Haus zu kaufen, war fast unmöglich. Erstens wurden sie so gut wie nicht angeboten, und zweitens waren sie, wenn überhaupt zu haben, so teuer, daß wir es uns nicht hätten leisten können.
Wir haben uns viele Häuser angesehen, darunter auch solche, die auf sogenannten Westgrundstücken standen. Das wäre kein Hinderungsgrund für uns gewesen. An eine Änderung der Besitzverhältnisse glaubte ich auch nicht, als ich noch nichts von dem besaß, was heute so viel wert ist. Wir suchten lange, ohne zu finden, und ich war nicht unglücklich darüber.
Dann fuhr ich mit beiden Söhnen allein in den Urlaub und rief nur gelegentlich zu Hause an. Eines Tages sagte mir aber meine Frau, jetzt hätte sie was gefunden. Das Haus sei zwar nicht intakt, auch kein Einfamilienhaus etwa, sondern ein Zweifamilienhaus mit einem Gewerbegrundstück auf dem Hof. Ich sollte mich nicht unnötig aufregen, wir wollten uns das Haus erst mal gemeinsam ansehen und dann zusammen entscheiden. Ich hatte das dumpfe Gefühl, daß bereits alles entschieden war.
Als ich dann das Haus von außen sah, war ich nur noch bereit, es zu betreten, um den Leuten zu sagen, daß ich das Haus nicht kaufen würde. Damit war meine Frau einverstanden unter der Bedingung, daß ich kein Wort sagte, bevor ich die Räume gesehen hätte. Die waren so abgewohnt wie das Haus von außen, und von außen sah das Haus aus, wie

sich jeder Westler die ganze DDR vorstellt – hoffnungslos heruntergekommen.
Aber es waren Räume, wie man sie heute nicht mehr baut, jedenfalls nicht für Leute unserer Einkommensgruppe. Und alles, was da alt war, war zwar in schlechtem Zustand, aber doch erhalten – der ganze späte Jugendstil. Die Leute, denen das Haus vor uns gehört hatte, hatten offensichtlich kein Geld für die üblichen Modernisierungen gehabt. Wider besseres Wissen war ich begeistert. Wir kauften für wenig Geld, was wir dann mit sehr viel Geld und noch mehr Zeit instand setzten.
Etwa zwei Jahre brauchten wir mit dem Gröbsten. Das Ganze war natürlich ein Schwarzbau, denn Handwerker regulär zu bekommen hätte Jahrzehnte gedauert. Privat geht vor Katastrophe, lernten wir von unseren Maurern, Klempnern, Zimmerleuten, Glasern, Elektrikern und wen wir uns sonst noch ins Haus holen mußten. Bis dahin hatte ich in dem Glauben gelebt, ein Haus würde von einem Maurer gebaut. Oh, ich lernte viel in diesen zwei Jahren, zum Beispiel, daß die Maler nicht die ersten auf so einer Baustelle sein sollten, sondern die letzten.
Wir haben alles anders gemacht, aber es war eben schon immer ein bißchen teurer, keine Ahnung zu haben. Daß auch ein intaktes Haus immer zu reparieren ist, wenn es nur groß genug ist, erfahre ich mit jedem Tag. Aber seit ich ahne, was unser Grundstück unter den neuen Besitzverhältnissen wert sein kann – 800 Quadratmeter Hauptstadt gehören mir –, sehe ich gelassener in meine Hausbesitzerzukunft. Und fast alle, die uns zu DDR-Zeiten für verrückt erklärt haben, als wir das Haus kauften, beneiden uns jetzt ein bißchen darum.
Unsere Mieter sind freundlich und hilfsbereit, unser Pächter zieht mit seiner Werkstatt plötzlich auf sein eigenes

Grundstück. Als ich ihn damals gefragt hatte, warum er denn das Grundstück nicht selbst gekauft hätte, sagte er noch, er würde sich doch sein eigenes Grundstück nicht mit so einer schmutzigen Werkstatt verschandeln. Jetzt verschandelt er, und ich kann selbst entscheiden, was auf meinem Grundstück geschieht.

Also, ich bin ein Einheitsgewinnler. Zufällig. Ich hätte ja auch ein Haus kaufen können, bei dem die neuen Eigentumsverhältnisse nicht so klar sind.

Ich habe einen Freund, der hat sich ein oder zwei Jahre früher als ich ein Haus gekauft, das viel schöner ist als meines. Es liegt am Waldrand in der Nähe eines großen, schönen Sees. Mein Freund bewohnt es allein mit seiner Familie, obwohl es eher größer ist als meines. Ringsum ist ein herrlicher Garten. Kurz, es ist ein Traumhaus.

Gekauft hat er es seinerzeit ganz regulär von einem Parteisekretär, der kurz darauf in den Westen ging. Auch solche Parteisekretäre gab es ja schon früher. Wie der seinerzeit an das Haus gekommen war, weiß ich nicht. Mein Freund interessierte sich schon zu DDR-Zeiten nicht nur für den Zustand seines Hauses, sondern auch für dessen Geschichte.

Erbaut worden war es in den zwanziger Jahren von einem jüdischen Geschäftsmann, der dann mit seiner Familie vor den Nazis fliehen mußte. Er starb in den USA. Wo seine Erben leben, ist nicht bekannt.

Bekannt ist nur, daß sein Haus nach seiner Flucht »arisiert« wurde und in den Besitz einer Nazigröße überging, die bei Kriegsende mit Familie vor den Russen in den Westen floh. Die Nazigröße ist inzwischen auch tot. Aber die Erben leben und waren schon da, um das Anwesen auszumessen, zu fotografieren und ihren Besitzanspruch anzumelden.

Wieso ich nicht mehr schauspielere

Ich hätte der zweitbeste Dieter Hildebrandt des deutschen Kabaretts werden können. Denn ich hatte ihn studiert wie vorher Brecht und Kästner, Moissi und Weigel. Neben Werner Finck und Wolfgang Neuss, die ich natürlich auch studiert hatte und kopieren konnte, war Dieter Hildebrandt für mich die Verkörperung dessen, was ich unter Kabarett verstand.

Was der sich alles traute, und was er alles durfte! Ich ahnte ja nicht, wieviel Zivilcourage man auch in der Freiheit braucht, um das zu sagen, was man denkt, wenn man eben anders denkt. In der DDR forderten wir die Freiheit des Andersdenkenden, nicht ahnend, wieviel schon mit der Freiheit des Denkenden erreicht wäre.

Aber ich spielte seinerzeit noch Kindertheater, gab also Prinzen und Pinguine, Milchkannen und Maulwürfe. Auch wenn ich kein besonders begabter Schauspieler war und überhaupt lieber schreiben und inszenieren wollte, anfangs machte mir die Schauspielerei Spaß. Ich bin zwar ganz zufällig zum Kindertheater gekommen, aber ganz und gar nicht zufällig dabeigeblieben.

1969 – ich war schon vier Jahre in Berlin – bekam ich einen Anruf von Inge Ristock, der neuen Dramaturgin des Berliner Kabaretts *Distel.* Sie lud mich ein, für diese *Distel* Texte zu schreiben. Bisher hatte ich ja nur für die Dresdner *Herkuleskeule* geschrieben, und Dresden war damals viel zu weit weg von Berlin, um von hier aus noch wahrgenommen zu werden. Alles, was man in der Hauptstadt von Dresden wußte, war, daß man dort kein Westfernsehen empfangen konnte – eine ferne, unwirkliche Welt, das Tal der Ahnungslosen eben, von dem man in Berlin keine Ahnung hatte.

Der Berliner wußte zwar immer, daß es in der DDR außer der Hauptstadt auch noch Sachsen und Mecklenburg gab. Daß man dort aber auch leben konnte, war ihm ziemlich unbegreiflich.

Berlin, glaubte ich damals, wäre weniger Provinz als Dresden. Im Kabarett war es das nicht. Aber das merkte ich erst später. Schließlich klingt doch auch der klügste Gedanke, auf sächsisch geäußert, meist dümmer als die gröbste Berliner Banalität.

Ich ging also zur *Distel* und traf dort unter den Autoren viele nette Menschen und einen großen Könner – Hans Rascher. Von ihm habe ich viel mehr gelernt, als er wissen dürfte. Er wurde für mich nicht nur als Autor zum Vorbild. Denn bei ihm trifft etwas zusammen, was so gar nicht zusammenzugehören scheint: Talent und Charakter.

Ein Teil des *Distel*-Autorenkollektivs – von dem wir heute wissen, das es ein Team war – traf sich regelmäßig zum »Kränzchen«. Da führten wir ziemlich kühne Reden und aßen dabei gut und ausführlich. Wir nannten das »putschen«. Unser Wahlspruch lautete: Wir putschen so lange, bis wir staatserhaltend sind.

Der *Distel* bekam das neue Autorenteam recht gut. Die Zuschauer, die vorher ausgeblieben waren, strömten wieder, und ein bißchen schuld daran, meinten wir allerdings ganz allein, wären auch die Autoren. Darsteller sehen in Kabarettautoren die Ursache jeglichen Mißerfolgs. Wie sich ja auch viele Kritiker immer wieder wundern, wie trotz der

schwachen Texte noch ein passabler Kabarettabend zustande kommt.
In der *Distel* wurde mir sehr schnell auch ein Vertrag als Darsteller angeboten. Ich zögerte, wollte eigentlich nicht weg vom Kindertheater. Aber die *Distel* lag im Zentrum an der Friedrichstraße, das Kindertheater jottwede in Lichtenberg. Und ein bißchen berühmt werden wollte ich immer noch.
Das erste, was mir als Darsteller in der *Distel* auffiel, war ein kleiner Zettel am Schwarzen Brett hinter der Bühne. Darauf stand: »Alkoholgenuß und Improvisation sind während der Vorstellung verboten.« Das machte mich sehr nachdenklich. Aber nachdem ich ein bißchen nachgedacht hatte, dachte ich einfach, das könnte nicht ernst gemeint sein.
Die Proben waren mühsam. Der Regisseur kam vom Rundfunk und wußte mit Kabarett herzlich wenig anzufangen. Alles, was an der Inszenierung nicht klappte, und es klappte fast nichts, lag an mir. Denn ich war der Neue.
Die Kollegen trösteten mich – wenn erst Zuschauer im Saal wären, würde kein Regisseur mehr stören. Und so war's dann auch. Ich hatte mir selbst so eine Art Hildebrandt-Solo geschrieben, das beim Publikum immer besser ankam, je mehr ich improvisierte. Das tat ich nicht nur aus Spaß, sondern auch aus Not. Als Schauspieler hatte ich nie Textschwierigkeiten. Aber sobald ich eigene Texte spreche, verläßt mich dieses Gedächtnis ziemlich regelmäßig, und dann muß ich eben improvisieren. Ich wurde mehrmals verwarnt und bei einem Gastspiel in Rostock schließlich abgemahnt. Denn ich hatte mich über irgendeine blödsinnige politische Losung, die ich in der Stadt gesehen hatte, lustig gemacht. Die Zuschauer jubelten, der Direktor empfing mich hinter der Bühne ziemlich blaß und wütend. Er lehnte jede Verantwortung für meine ungehörigen Impro-

visationen ab und drohte mit nicht näher bezeichneten Konsequenzen in Berlin.
In der Pause kam ein Rostocker Funktionär hinter die Bühne, um sich für die gelungene Vorstellung zu bedanken und besonders für meine Bemerkungen über jene Losung, die ihn selbst jeden Tag ärgere. Der gerade noch blasse Direktor bekam wieder Farbe ins Gesicht und meinte, er habe dem jungen Kollegen geraten, sich dieser Losung doch mal satirisch anzunehmen.
Ich ging reuevoll zurück zum Kindertheater und zur Schreibmaschine. Mein Darstellervertrag bei der *Distel* wurde in gegenseitigem Einvernehmen gelöst. Auch als Milchkanne und Pinguin fühlte ich mich nicht mehr so ganz wohl. Ich sagte mir immer häufiger, hätte ich keine Familie, dann würde ich schon lange ... Nachdem ich noch ein paar Jahre lang nur hätte und würde gesagt und gedacht hatte, verließ ich eines Tages doch den Konjunktiv und das ganze Theater. Ich wurde freischaffender Autor und Regisseur.
Die ganze so mühsam studierte Schauspielerei verlernt sich wie Fremdsprachen, die man nicht gebraucht. Auch wenn man persönlich befreundet bleibt mit allerlei Schauspielkollegen, als Regisseur wird man irgendwann zu dem, was wir den »natürlichen Klassenfeind« des Schauspielers nannten. Unten am Regiepult weiß man sehr genau, was auf der Bühne gemacht werden müßte, und begreift immer weniger, wieso diese Schauspieler das, was der Regisseur so genau weiß, nicht umsetzen können.
Als die Wende kam, wandelte sich auch das DDR-Fernsehen. Aus dem Parteifunk wurde kurzzeitig ein so unabhängiger Sender, wie er öffentlich-rechtlich nicht mehr denkbar ist. Dazu gehörte, meinten einige Redakteure, auch Satire.
Man erinnerte sich meiner, weil ich doch mal Kabarett gemacht hatte und als Autor inzwischen in der ganzen Welt

dieser kleinen Mauerrepublik bekannt war wegen meiner frechen Reden. Ich sollte zunächst eine Silvestersendung machen.

Ich fragte Kollegen von der *Distel* und der *Herkuleskeule,* ob sie mitmachen würden. Sie wollten. Ich ging auch selbst wieder auf die Bühne, nicht ahnend, was ich alles verlernt hatte. Das einzige, was ich von meinem Talent behalten hatte, war die Textunsicherheit.

Zwei Jahre hatte ich Zeit, um endgültig zu merken, daß, was Hänschen verlernt hat, auch Hans nicht mehr lernt. Insgesamt zwölfmal lief unsere Sendung *Der scharfe Kanal* über den Adlershofer Sender. Mit dem Sender starb die Sendung. Da halfen auch keine Zuschauerproteste. Zu denen allerdings, die gar nicht so traurig waren über dieses Ende, gehöre ich.

Mein Platz ist an der Schreibmaschine oder unter der Leselampe. Mag man als Autor auch ziemlich unbemerkt bleiben im Kabarett, die Berühmten haben den weniger Berühmten nur eines voraus – nämlich »von lauter Leuten gekannt zu werden, die man selber gar nicht kennt«. Meinen Kästner jedenfalls kenne ich noch, und ein Original-Hildebrandt ist besser als alle Kopien.

Wieso ich mich an die Mauer gewöhnte

Bevor die Mauer in Berlin gebaut wurde, hatte ich mir nicht vorstellen können, wie man so eine Stadt einfach teilen könnte. Als die Mauer fiel, konnte ich mich kaum noch erinnern, wie das war, als Berlin noch eine Stadt war. Und noch heute, fast vier Jahre nach dem Mauerfall, sagen wir hier in Ost-Berlin nicht, wir fahren nach Charlottenburg oder Kreuzberg. Wir fahren »rüber«, heißt das. Und bei der Frage nach dem zu wählenden Weg nennen wir die Grenzübergangsstelle.

Der Mensch gewöhnt sich an alles, aber manches gewöhnt er sich nur schwer oder nie wieder ab. An die DDR hatten wir uns in vierzig Jahren gewöhnen müssen. Dann sollten wir sie uns sozusagen von einem Tag zum anderen wieder abgewöhnen. An das Schöne – den freien Reiseverkehr – gewöhnten wir uns schnell. So ein nahezu unkontrollierter Grenzübergang erscheint mir zwar jedesmal noch wie ein Wunder, aber es ist doch schon ein ganz gewöhnliches Wunder, eben eines, an das man sich gern gewöhnt hat.

Manche unserer schlechten DDR-Gewohnheiten – zum Beispiel die Verantwortung für eigenes Versagen grundsätzlich bei anderen zu suchen – legen wir nur sehr, sehr langsam ab. Zu meinen schlechten alten DDR-Gewohnheiten gehörte das Wegsehen, auch wenn ich das damals kaum wahrhaben wollte.

Mein täglicher Arbeitsweg von Schöneweide zur Frankfurter Allee – ich fuhr mit der S-Bahn – führte ziemlich dicht an der Mauer vorbei. In den ersten Jahren starrte ich wie gebannt nach »drüben«, wenn ich an der Grenze entlangfuhr. Ich registrierte jede Veränderung, die man »drüben« erkennen konnte, jeden neuen Wachturm auf unserer Seite, solange ich nicht glauben wollte, daß diese Mauer eine achtundzwanzig Jahre dauernde Endgültigkeit haben würde.
Als dann die Mauer so sicher schien, daß ich überzeugt war, ihren Fall nicht mehr selbst zu erleben, schaute ich weg. Ich fuhr noch immer dieselbe Strecke mit der S-Bahn. Aber hatte ich früher aus dem linken Fenster in Richtung Westen geschaut, so sah ich jetzt aus dem rechten Fenster, Richtung Osten. West-Berlin hatte für mich nur noch eine theoretische Existenz. Wenn uns Freunde und Verwandte von dort besuchten und von ihrem Zuhause erzählten, dann sprachen sie für uns von einer sehr fernen, jedenfalls unerreichbaren Welt, die nur zehn Kilometer und zugleich Lichtjahre entfernt war.
Wenn Ausländer mich ziemlich verständnislos fragten, wieso wir uns mit so einer Grenze mitten durch die Stadt abfinden könnten, wußte ich keine Antwort. Das war eben so, und irgendwann fand ich diese Grenze auch gar nicht mehr so schlimm. Man mußte ja nicht hinsehen. Wenn unser Westbesuch von dem erzählte, was er diesmal wieder an der Grenze erlebt hatte – in der ersten Stunde wurde gewöhnlich von nichts anderem gesprochen –, dann wurde ich manchmal schon ungeduldig. Mit der Zeit kannte ich ja alle der möglichen Schikanen, denen ich mich nur allzugern ausgesetzt hätte, wenn ich diese Grenze nur einmal hätte passieren dürfen.
Als ich dann aber zum erstenmal mit dem Kindertheater

zum Gastspiel nach Düsseldorf fuhr und diese Grenze erlebte, wurde mir dieser bürokratisierte Wahnsinn erst wirklich bewußt. Diese lächerlich peniblen Kontrollen, auch wenn man scheinbar gar nicht schikaniert wurde, waren entwürdigend. Dieser ewig lange Blick des Grenzbeamten, der Gesicht und Paßbild verglich, diese unendlichen Fragen nach dem Woher, Wohin, Weshalb und Wieso, »Führen Sie Waffen oder Geschenke mit?« All das empfand ich jedesmal als entwürdigend.

Und wenn man dann alle Kontrollen wütend, aber hilflos passiert hatte und im Bahnhof Friedrichstraße auf dem Fernbahnsteig stand, durfte man eine dort gezogene weiße Linie nicht übertreten. Der Zug fuhr ein, aber man durfte nicht einsteigen, bevor die bewaffneten Grenzer den leeren Zug nicht mit ihren Wachhunden durchsucht hatten. Auf dem Bahnsteig standen fast nur alte Leute, die Angst hatten, den Zug, der vor ihnen stand, zu verpassen. Dann endlich kam diese Stimme aus dem Lautsprecher, die im Befehlston mitteilte, daß man nun einsteigen dürfte.

Nirgendwo habe ich mich in dieser DDR mehr gegängelt und gemaßregelt gefühlt als an ihren Grenzübergangsstellen. Da empfand ich regelmäßig, was mir sonst sehr fremd ist – Haß. Und immer wieder diese Ohnmacht.

In der Gruppe, also wenn ich mit meinen Schauspielkollegen zu einem Gastspiel fuhr, wehrten wir uns manchmal gegen allzu offensichtliche Schikanen. Als Einzelreisender war man wesentlich leichter einzuschüchtern. Die Kontrollen vermittelten einem das Gefühl, mit jedem Grenzübertritt etwas eigentlich Verbotenes zu tun.

Anfangs hielt ich mich auch an die unsinnigsten Vorschriften. Wenn ich mein Belgien-Visum hatte, fuhr ich nicht etwa erst mal zu Freunden nach West-Berlin, was ich gern getan hätte, nein, ich stieg am Bahnhof Friedrichstraße in den aus

Moskau kommenden Zug, der mich direkt nach Brüssel brachte. Meine Westberliner Freunde kamen dann manchmal zum Bahnhof Zoo. So sahen wir uns wenigstens für ein paar Minuten auf »ihrem Territorium«.

Als ich mich später an solche Vorschriften nicht mehr hielt, geschah mir auch nichts. Ich wurde allenfalls in der Künstleragentur darauf hingewiesen, daß ich mich unbedingt an die Vorschriften halten müßte. Wenn ich dann nur grinste, dann wurde mir von dem Vorschriften-Übermittler auch nur gesagt, er habe nun mal die Pflicht, mir das zu sagen. Damit hatte es sich meist.

Es gibt nur einen Grund, der mir auch heute noch einleuchtet, weshalb ich mich an manche Vorschrift hielt – ich wollte mich für keinen und auf keinen Fall erpreßbar machen. Dabei dachte ich nicht nur an die Stasi. DDR-Künstler, die im Ausland arbeiteten, mußten ihre Verträge grundsätzlich über die Künstleragentur machen, die das Vermittlungsmonopol hatte. Dafür verlangte sie eine ziemlich hohe Provision. Zusätzlich mußte man ein Drittel der Gage eins zu eins in Mark der DDR umtauschen. Also machten fast alle Künstler zwei Verträge – den offiziellen mit der Künstleragentur und einen zweiten, direkt mit dem westlichen Partner.

Das habe ich nie getan, obwohl alle, die es taten – und das waren fast alle –, über mich lachten. Nun arbeitete ich ja meist an belgischen Kindertheatern, also den ärmsten der armen Theater, also war die Gage ohnehin so niedrig, daß ich damit kaum meinen Lebensunterhalt bestreiten konnte, nachdem ich Provision und Zwangsumtauschsatz abgezogen hatte.

Darum, daß ich in Belgien und später auch in anderen Ländern arbeiten durfte, wurde ich natürlich beneidet. Obwohl das lange Zeit ein wichtiger Teil meiner Arbeit war, sprach ich gewöhnlich darüber nur mit Leuten, die es sowieso wußten. Ich gehörte dadurch ja zum Kreis der Privilegierten. Und die wurden nicht so sehr geliebt. »Reisekader« waren wir im offiziellen Sprachgebrauch. Unter welchen, zum Teil erbärmlichen finanziellen Verhältnissen manche »Reisekader« reisten, darüber sprachen diese »Reisekader« meist nur untereinander.

Auch sehr namhafte DDR-Künstler saßen in teuren westlichen Hotelzimmern, die vom Gastgeber bezahlt waren, und ernährten sich mit der unvermeidlichen Dauerwurst aus dem Koffer. Bedeutende Wissenschaftler, die zu internationalen Konferenzen eingeladen waren, lebten nicht besser. Ein solcher Wissenschaftler hat mir von seiner ersten Westreise erzählt. Er war mit dem Nachtzug nach München gereist, kam dort morgens um sechs Uhr an und stand dann frierend vor der Tagungsstätte, bis um zehn die Tagegelder ausgegeben wurden. Dann erst konnte er sich wenigstens einen Kaffee kaufen.

Das Gefühl der Unterlegenheit wurde man im Westen nur sehr schwer los. Und jetzt, da wir auf der anderen Seite der Armutsgrenze wohnen und unser Essen auch auf Reisen selbst bezahlen können, fällt unsereinem auf, wie schwer es der »Reiche« mit dem Geben haben kann. Ich weiß ja noch, wie ich selbst bei Kindertheaterfestivals, zu denen ich fahren durfte, auf jeden noch so blödsinnigen Empfang ging, weil es da was zu essen und zu trinken gab. Das bißchen Tagegeld brauchte man schließlich, um den Daheimgebliebenen irgendwelchen Westkram mitzubringen, von dem wir erst heute wissen, daß man auch ohne ihn gut leben kann.

Neulich war ich in Potsdam zu einem Treffen mit osteuropäischen Dramatikern, deren Stücke hier zu DDR-Zeiten überall gespielt wurden. Es war eine wirklich illustre Gesellschaft, in der ich mich Ostler aus DDR-Zeiten wiedererkannte. Wir führten im offiziellen Teil tiefschürfende Gespräche

über unser aller dramatisches Schaffen. In den Pausen wurde ich von mehreren berühmten Autoren auf die Seite genommen und gefragt, wo man billig den oder jenen überflüssigen Schnulli kaufen könnte.
Ich hab' es nicht fertiggebracht, mein dickes Portemonnaie einfach hinzugeben, nicht aus Geiz, sondern aus Angst, die Ärmeren zu beleidigen. Geben ist seliger denn Nehmen, aber leicht ist es auch nicht. Meine Finsterwalder Lehrerin, von der ich so viel gelernt habe, hat mich immer unter irgendwelchen Vorwänden beschenkt. Einmal schenkte sie mir eine Herrenarmbanduhr, die sie sich angeblich aus Versehen gekauft hätte. So was könnte sie doch gar nicht umbinden, und ich täte ihr einen Gefallen, wenn ich das schreckliche Ding nähme. Ich tat ihr den Gefallen und freute mich über die wunderschöne Uhr und war meiner Lehrerin dankbar, daß sie mich belogen hatte. So fiel das Nehmen leichter.
Nun bin ich auf der anderen Seite einer kaum weniger sichtbaren Mauer als der, die vor ein paar Jahren gefallen ist, und ich habe Angst, mich auch an sie zu gewöhnen. Ich werde ja an dieser Grenze nicht einmal kontrolliert. Und an etwas Böses, was einen selbst gar nicht betrifft, gewöhnt man sich vermutlich sehr schnell.

Wieso meine Kinder nicht zweisprachig erzogen wurden

Angefangen hat das ganze schöne Familienleben mit einem großen Gelächter auf dem Standesamt in Leipzig. Meine Frau hat gelacht, die Trauzeugen haben gelacht, nur ich blieb ernst, als der Standesbeamte durchaus feierlich, aber sächsisch die prophetischen Worte sprach: »Die Ehe kann ins Paradies führen, aber auch ganz woanders hin.« Das wurde in unserer Familie zum geflügelten Wort.

Unsere Ehe führte unter anderem zu zwei frühen Jungen und einem späten Mädchen. Über die Erziehung unserer Kinder waren wir uns immer einig. Wir wollten alles richtig machen. Mehr nicht. Darunter gelitten hat wohl hauptsächlich Lukas, der älteste. Als ich ihn neulich fragte, was wir seiner Ansicht nach falsch gemacht hätten in der ganzen Erziehung, sagte er sofort: »Daß ihr mich damals gezwungen habt, zur Christenlehre zu gehen.«

Er war der einzige in seiner ganzen Klasse und wollte doch nur, was ich – einziger Heide in meiner Finsterwalder Schulklasse – auch wollte: so sein wie alle. Was man wohl am schwersten aushält – nicht nur als Kind –, das ist, belächelt zu werden. Wenn die Freunde meiner Tochter nach ihr fragen, soll ich um Himmels willen nicht sagen, daß sie im Kirchenchor oder beim Konfirmandenunterricht ist. Dabei geht sie, anders als Lukas, gern hin. Aber »die andern sollen nicht lachen«.

Als ich noch ein junger, also allwissender Vater war, wußte ich genau, wovor ich meine Söhne zu behüten hatte – vor der allgemeinen Doppelzüngigkeit. Da lernten die Kinder frühzeitig, was die Erwachsenen sowieso alle beherrschten – draußen anders zu reden als zu Hause. Das sollten meine Kinder nicht.

Das erste Gespräch zum Thema hatte ich mit Lukas, als er in die zweite Klasse gekommen war. Da erzählte er mir stolz, daß er beim Schulappell zur Begrüßung der neuen Schüler einen Spruch aufsagen sollte. Den hatte ihm seine Lehrerin aufgeschrieben. Ich sollte ihn mit ihm üben. Darin hieß es, daß alle Schüler stolz darauf wären, in die »Karl-Liebknecht-Schule« zu gehen. Ich fragte Lukas, ob er denn wirklich stolz darauf wäre, daß seine Schule diesen Namen trüge. Er sah mich verständnislos an. »Nein, wieso?« fragte er. Und ich versuchte ihm nun zu erklären, daß er so etwas dann auch nicht sagen dürfte. Aber er bestand darauf. Schließlich wäre es doch ganz egal, wie seine Schule heiße. Nicht egal aber war ihm, daß er vor der ganzen Schule etwas aufsagen durfte. Und so lernte er den Spruch mit meiner Hilfe.

Als David, der jüngere Sohn, etwa im gleichen Alter war, kam er einmal ganz stolz nach Hause und rief: »Mama, die haben mich gewählt. Ich bin Agitator. Mama, was ist Agitator?« Zum Glück hat meine Frau nur darüber gelacht und ihn Agitator sein lassen, bis er wußte, was das war, und es also nicht mehr sein wollte.

Ich habe an der Schule meiner Söhne einmal eine Laienspielgruppe geleitet. Natürlich wollten Lukas und David damit nichts zu tun haben. Aus einem Laienspiel wurde übrigens nichts. Wir trafen uns einmal in der Woche und haben nur miteinander geredet, über Gott und die Welt, Ehrlichkeit, Junge Pioniere, Lehrer und Eltern. Die Gesprä-

che waren für mich – schließlich machte ich Kindertheater – sehr spannend.
Auf dem Heimweg von einer solchen Gesprächsstunde fragte mich ein Zwölfjähriger, ob ich Westfernsehen sähe. Als ich das natürlich bejahte, sagte der Junge: »Endlich mal einer, der ehrlich ist. Unsre Lehrer tun alle so, als ob sie's nicht sähen. Aber ich weiß, sie sehen's alle.« Und so war es: Alle wußten, was alle wußten, aber man sprach lieber nicht drüber. Man hatte Angst, sich irgendwie zu schaden, und schadete damit in der Tat.
Das Thema gehörte zu denen, über die im DDR-Kabarett wohl am häufigsten gesprochen und gesungen wurde. Es war überhaupt nicht tabu wie viele andere Themen. Auch wenn ich heute weiß, daß das gar kein nur DDR-spezifisches Problem ist – die öffentliche Lüge war so selbstverständlich wie die zum 1. Mai oder 7. Oktober herausgehängte Fahne. Als wir unser schönes altes Haus bezogen, war so ziemlich das erste, was wir taten, die Fahnenhalter an den Fenstern zu entfernen. Unser Nachbar kam dazu und fragte erstaunt, wo wir denn unsere Fahnen hinhängen wollten. Als ich ihm sagte, daß wir gar keine hätten, bot er uns an, uns welche zu borgen. Als ich ihm darauf sagte, wir würden nie Fahnen aus unsern Fenstern hängen, war er ratlos. Und mehr als die Verständnislosigkeit seiner Nachbarn riskierte man meist nicht.
David hatte einen Freund, von dessen Eltern wir wußten, daß sie für die Staatssicherheit arbeiteten. In dieser Familie war ernsthaft verboten, Westsender zu hören und zu sehen. David erzählte mir ziemlich erschüttert, was sein Freund ihm erzählt hatte: Er selbst sähe und hörte natürlich Westsender, wenn die Eltern nicht zu Hause wären. Und er wüßte genau, daß seine Eltern das auch täten, wenn er im Bett war.

Ist es ein Wunder, daß dieser arme Junge nur einen Berufswunsch hatte? Er wollte Zöllner werden.
Ach so, daß unsere Kinder nicht zweisprachig erzogen wurden, liegt nur daran, daß ich nicht gut genug französisch konnte und kann. So lernten sie nur das, was zu Hause gesprochen wurde.

Wieso ich manchmal auch ausgezeichnet wurde

Die DDR war für ihren Medaillenreichtum bekannt. Manche Auszeichnungen, vermuteten wir, würden einfach straßenweise verliehen. Auch in bestimmten Berufsgruppen schienen solche Ehrungen geradezu unvermeidlich zu sein. Zu den besonderen Risikogruppen gehörten die Künstler. Der Sänger und Schauspieler Ernst Busch soll einmal in einen Fragebogen, in dem nach der Mitgliedschaft in Massenorganisationen gefragt wurde, Nationalpreisträger geschrieben haben.
Soweit ich mich erinnern kann, bekam ich als Kind einmal ein Abzeichen für gutes Lernen verliehen. Darauf war ich damals stolz, obwohl mindestens jeder zweite Mitschüler das gleiche Abzeichen trug. Ich gehöre zu der Minderheit unter den DDR-Bürgern, die nie Aktivist wurden, und das wurde man fast immer und ganz ohne eigenes Zutun. Es kann einem also auch nachträglich nicht unbedingt als moralisches Versagen angerechnet werden.
Ende der sechziger Jahre, ich war Schauspieler am Berliner Theater der Freundschaft und durch keine besondere Leistung aufgefallen, ereilte mich der Ernst-Zinna-Preis, eine Auszeichnung, die wohl nur noch den so Geehrten bekannt ist. Doch es waren immerhin zweitausend Mark Preisgeld damit verbunden, die meine Frau und ich sofort in damals moderner Wildlederkleidung anlegten.

Als ich in einem Rundfunkinterview gefragt wurde, wofür ich die Auszeichnung erhalten hätte, antwortete ich wahrheitsgemäß, das wisse ich nicht. Das Interview ist vermutlich nie gesendet worden, und ich mußte lange auf die nächste Auszeichnung warten.

Aber sie kam, und zwar als Kunstpreis des DDR-Gewerkschaftsbundes. Mein Autorenkollege Wolfgang Schaller und ich hatten mit unserem ersten Kabarettstück für das Dresdner Kabarett *Herkuleskeule* »Bürger schützt eure Anlagen« einen heute unvorstellbaren Erfolg. Das Stück wurde in fast allen Kabaretts und Theatern des kleinen Landes nachgespielt. Natürlich gab es damit auch hier und da Ärger. Ein Berliner Amateurtheater mußte das Stück – übrigens fünf Jahre nach seiner Uraufführung – wegen seiner eindeutig feindlichen Tendenzen absetzen. Aber Schaller und ich bekamen den erwähnten Preis, der immerhin mit dreitausend Mark Schmerzensgeld verbunden war.

Eine Besonderheit von Auszeichnungen in der DDR lag darin, das man vorher nie wissen konnte, ob eine Strafe oder ein Orden herauskommen würde. Als die *Herkuleskeule* mit unserem zweiten Kabarettstück »Wir sind noch nicht davongekommen« in Berlin gastieren sollte, versuchte der Magistrat von Berlin in letzter Minute, das Gastspiel zu verhindern. Irgendwer (ich wußte sogar wer) hatte den Genossen vertraulich mitgeteilt, daß hier die Konterrevolution von Dresden nach Berlin getragen werden sollte.

Doch ehe die Wachsamkeit eingesetzt hatte, waren die Karten längst verkauft. Die Dresdner waren auch nicht bereit, von sich aus das Gastspiel aus technischen Gründen abzusagen. Also fand es unter verstärkten Sicherheitsvorkehrungen statt. Ganze Wachmannschaften leisteten dem Publi-

kum Gesellschaft, um jeden Ausbruch von Konterrevolution im Keime zu ersticken.
Es gab zwar viel Lachen und Beifall während, aber keinerlei Anzeichen von Konterrevolution nach den Vorstellungen. Dafür bekamen aber mehrere Berliner Kulturfunktionäre Parteiverfahren, und ein Stadtrat für Kultur wurde in die arabische Wüste geschickt, um dort als Kulturattaché über mangelnde Wachsamkeit nachzudenken. An die Stelle der Bewährung in der Produktion war in den achtziger Jahren also immerhin schon die Bewährung im diplomatischen Dienst getreten.
Mein Mitleid mit dem bestraften Kulturattaché hielt sich in Grenzen. Er war es gewesen, der den konterrevolutionären Notstand ausgerufen hatte, um solche wie mich endlich in die Schranken zu weisen. Aber andere Genossen, die ihn aus anderen Gründen wohl nicht mochten, warfen ihm nun mangelnde, weil verspätete Wachsamkeit vor. So konnten eben auch parteilich gemeinte Schüsse im bürokratischen Dschungel nach hinten losgehen. Ich gestehe, noch heute eine gewisse Schadenfreude nicht unterdrücken zu können.
Um das sozialistische Durcheinander komplett zu machen, bekam das Dresdner Kabarett kurz nach dem Berlin-Gastspiel für die feindliche Aufführung den »Vaterländischen Verdienstorden« verliehen. Schaller und ich aber bekamen nur Absagen für alle in Berlin geplanten Lesungen und einige Anrufe von Freunden, die uns unter dem Siegel der Verschwiegenheit mitteilten, daß wir nun Berufsverbot hätten in Berlin.
Ich machte zu jener Zeit gerade wieder Kindertheater, und das weit außerhalb von Berlin, in Addis Abeba nämlich. An mein Berliner Berufsverbot wurde ich erst ein Jahr später wieder erinnert. Ich wollte an der Ostberliner Volksbühne

einen von mir geschriebenen satirischen Theaterabend inszenieren und brauchte dafür natürlich das Einverständnis der Intendanz. In unserem ersten Gespräch fragte mich der Intendant Fritz Rödel, ob ich nun eigentlich in Berlin verboten wäre oder nicht. Ich konnte ihm wahrheitsgemäß sagen, daß ich von einem offiziellen Verbot nichts wüßte. Darauf sagte er grinsend: »Also gehen wir einfach mal davon aus, daß Sie nicht verboten sind.«

»Was soll das ganze Theater« hieß die Geschichte, an der wir in aller Ruhe bis zum Tage der Generalprobe arbeiteten. Das Textbuch war bei Partei und Regierung eingereicht, aber wohl nicht zur Kenntnis genommen worden. Jedenfalls rückten die Genossen zur Generalprobe, die am Tag der Premiere stattfand, in großer Besetzung an. Während der Probe herrschte im Zuschauerraum das übliche, verantwortungsbewußte Schweigen der Parteilichkeit.

Danach wurde ich gebeten, allein zum Abnahmegespräch zu erscheinen. Marianne Wünscher und Hans Teuscher, die beiden Darsteller, wurden sehr unhöflich ausgeladen. Wir einigten uns rasch in der Garderobe, daß ich allein nicht berechtigt wäre, irgendwelche Änderungen zu akzeptieren, und die Darsteller nicht in der Lage wären, bis zum Abend noch irgendwas umzulernen.

Wäre es nach den zutiefst beunruhigten Abnehmern gegangen, hätten wir die Hälfte der Texte ändern müssen. Ihr Haupteinwand war diesmal: »Defätismus und zusätzlich allgemeines Miesmachen.« Ich leugnete, daß dies in meiner Absicht gelegen hätte, und wiederholte nur bei jedem Einwand, daß wir das Programm so spielen würden, wie es nun mal war, oder gar nicht. Mir wurde Erpressung vorgeworfen. Aber was konnte ich dafür, daß die Genossen mit ihrer Wachsamkeit erst so spät gekommen waren?

Der Zuschauerraum war zur Premiere überfüllt, überall saß die Wachsamkeit zwischen den ahnungslosen Zuschauern, die wieder einmal nur lachten und klatschten und von der ganzen Konterrevolution nichts zu ahnen schienen. Nach der Premiere saßen wir fröhlich zusammen und feierten unsern kleinen Sieg über die große Zensur.
Einer der verantwortungsbewußten Genossen kam schließlich sogar zu mir, um mir erleichtert zu gratulieren. Ich beschimpfte ihn vor allen Leuten und versicherte ihm, daß ich mir von Idioten wie ihm nie wieder in die Arbeit reinreden ließe. »Nie wieder«, sagte ich mit dem Brustton der alkoholisierten Überzeugung und glaubte einen ganzen Abend daran.
Irgendwann zwischen Berufsverbot und Premiere hatte ich übrigens den Lessingpreis bekommen, allerdings ausdrücklich nicht für meine satirischen Arbeiten, sondern für meine Kinderstücke. Dieser Preis wurde auch nicht von der Partei oder vom Berliner Magistrat verliehen, sondern vom Kulturministerium. Dort saßen inzwischen Leute, die wenigstens halblaut über die völlige Abschaffung der Zensur nachdachten. Sie hatten keine Macht und wenig Einfluß, wurden aber von allen Seiten beargwöhnt. Von uns Künstlern, weil sie oben saßen, und von denen, die wirklich oben saßen, als unsichere Kantonisten, die es an parteilicher Wachsamkeit fehlen ließen. Daß es in den letzten Jahren der DDR in diesem Bereich kaum zu personellen Änderungen kam, lag wohl hauptsächlich daran, daß die Parteiführung jeden Gedanken an irgendeine Änderung gar nicht erst aufkommen lassen wollte. Jedenfalls war das Leben in manchen Amtsstuben wesentlich gefährlicher als mein Leben in der häuslichen Schreibstube.
Schaller und ich waren schon mehrmals zum Nationalpreis

vorgeschlagen und immer wieder abgelehnt worden. Darauf bildeten wir uns was ein. Ausgerechnet 1988 sollten wir den Preis bekommen. Als wir sagten, wir könnten den Preis nicht annehmen, rieten uns Freunde ab. Mit so einem Preis am Hals könnten wir uns doch viel wirkungsvoller gegen Zensur wehren.

Diese alljährlichen Zeremonien kannte ich nur aus dem Fernsehen, und wir hatten sie ja oft genug parodiert im Kabarett. Daß der erste Tagesordnungspunkt einer Politbürositzung das Hereintragen eben dieses Politbüros wäre, das war ein alter Witz. Daß die Achtzigjährigen noch auf eigenen Beinen in den Saal kamen, machte das Spektakel nicht weniger makaber. Ich habe nie zuvor und nie danach so viele tote Gesichter in einer Reihe gesehen. Was im Fernsehen wenigstens noch lächerlich aussah, war in Wirklichkeit gespenstisch.

Die Annahme, mit einem Nationalpreis an der Brust mehr ausrichten zu können als ohne, war ganz und gar falsch. Wir haben den Preis allerdings nach der Wende, als das üblich wurde, auch nicht zurückgegeben. Wir hätten ihn nicht annehmen dürfen.

Für eine andere Auszeichnung, die ich etwa ein Jahr zuvor erhielt, schäme ich mich überhaupt nicht – es war die Medaille der Stadt Dieppe in der Normandie. Ich erhielt sie ausschließlich für meine Anwesenheit auf einem Kindertheaterfestival, das, um vom französischen Staat subventioniert zu werden, international sein mußte. Daß man ausgerechnet als DDR-Bürger ein Regionalfestival, denn das war es in Wirklichkeit, zu einem internationalen Ereignis machen konnte, das fand ich schon sehr komisch. Daß mir der Bürgermeister von Dieppe auf einem feierlichen Empfang für meine internationale Solidarität mit dem frankophonen Kindertheater dankte und mir dann die Medaille seiner

Stadt überreichte, war noch komischer. Aber daß sie vor dem Rathaus auch noch die DDR-Fahne aufgezogen hatten, darüber konnte ich kaum lachen, um so mehr meine französischen Freunde. Denn sie bekamen dank dieser Fahne die Kosten für ihr Festival vom französischen Staat bezahlt. Es lebe die internationale Provinz, denn sie ist wirklich überall.

Wieso ich ins Präsidium kam

Mein Schwiegervater hat einst seine Tochter zum Russischlernen ermuntert, indem er sagte, man müsse die Sprache seines Feindes kennen. Dieser Mann war bis zum Anfang der sechziger Jahre Mitglied einer DDR-Blockpartei. Als ich meine Schwiegermutter fragte, wie sich das zusammenreime, sagte sie: »Es gibt eben Männer, die müssen immer irgendwo drin sein.«
Die gibt's. Ich gehöre nicht dazu. Nachdem ich aus Altersgründen der Pionierorganisation und der FDJ nicht mehr angehörte, stand ich im Freien. Bis 1986 war ich noch zahlendes Mitglied der Gewerkschaft Kunst, ohne recht zu wissen, warum. In der Gewerkschaft ist man eben, hab' ich meinem Sohn erklärt, als er austrat und ich schon längst nicht mehr drin war.
Mein Familienleben war in Ordnung, ich brauchte keinen Verein. Als das Familienleben dann nicht mehr in Ordnung war, kurz nach der Scheidung, kam der Verein. Ich wurde Mitglied des Präsidiums des Verbandes der Theaterschaffenden und Vorsitzender der Sektion Kabarett. Natürlich hab' ich mir schönere Gründe eingeredet als das ungewohnte Alleinsein. Aber der Zusammenhang zwischen Einsamkeit (man kann ja auch in einer großen Familie sehr allein sein) und deutscher Vereinsmeierei scheint mir zu bestehen.
Der bisherige Vorsitzende der Sektion Kabarett war von

einer Westreise nicht zurückgekommen. Man fragte mich, ob ich an seine Stelle treten und gleichzeitig Vizepräsident des Verbandes werden würde. Aus dem Vizepräsidenten wurde dann wegen mangelnder Parteizugehörigkeit nichts. Aber zum Präsidiumsmitglied wurde ich im November 1986 gewählt, noch bevor ich überhaupt Mitglied des Verbandes war.

Ich hatte auf dem Verbandskongreß eine Rede gegen die Zensur gehalten, für die ich viel Zustimmung auf dem Männerklo erfuhr, und bekam bei der Wahl – sie war geheim wie das Männerklo – fast alle möglichen Stimmen. Als ich abends in meine gefürchtete Neubauzelle kam, fühlte ich mich schon etwas weniger einsam und wohl auch ein bißchen wichtig.

Die Berufskabarettisten der DDR waren in fast jeder Hinsicht so was wie eine Familie. Es gab den üblichen Knatsch und Tratsch, man lächelte sich mehr ins Gesicht als in den Rücken, aber wenn einer von draußen kam, dann hielt die Familie zusammen. Was da von draußen kam, das war fast immer die Zensur.

Auf dem erwähnten Kongreß war viel die Rede von der Selbstverantwortung der Künstler. Und es stimmt ja – die Selbstzensur saß in jedem Kopf, auch wenn wir noch so schimpften auf jede Form von Zensur. Aber Partei und Regierung bestanden auf ihrem Vetorecht und taten damit viel, das Leben der Kabarettistenfamilie harmonisch zu gestalten. Da konnte ein Programm noch so dumm und dilettantisch sein, am Ende verteidigten wir alles.

Wir hatten so eine Art Reisegruppe gebildet, die in den verschiedenen Städten zwischen Kabarett und örtlicher Kulturbehörde zu vermitteln versuchte. Da erklärten wir dann gewöhnlich den mißtrauischen Funktionären, wie gut doch alles gemeint wäre, was sie da irrtümlicherweise für Zerset-

zung und Konterrevolution hielten. Manchmal schrieben sie mit, um unsere Argumente zu den ihren zu machen, wenn da jemand anders kam und das kritische Haar in der rot gemeinten Suppe fand.
Wenn es nämlich schiefging, und es ging nicht immer schief, aber gegen Ende der DDR immer öfter, dann wurden im Kabarett gewöhnlich nur die Programme, auf den Ämtern aber auch die verantwortlichen Funktionäre abgesetzt. Und wer in der DDR nur regieren gelernt hatte – und viele hatten wirklich nichts anderes gelernt –, der war verloren, wenn er seinen Posten verlor. Das erklärt zumindest teilweise, wieso die Köpfe oft leer, die Hosen aber meist voll waren.
Die Gehaltszahlung in den Kabaretts lief weiter, auch wenn ein Programm verboten war. Die soziale Sicherheit war neben der Staatssicherheit prägende Produktivkraft in der DDR. Die Kabaretts funktionierten wie Stadttheater, die Kabarettisten waren nahezu unkündbar wie andere Schauspieler auch. Unter uns Autoren gab es ein paar freie Ausnahmen in der ansonsten angestellten Kabarettwelt. Wir wurden nur für das bezahlt, was auf die Bühne kam.
Zum Schreiben kam ich in den letzten DDR-Jahren immer weniger, weil ich immer öfter unterwegs war, um anderer Leute Programme zu begutachten und zu verteidigen. Meine Autorität bestand in meinem Namen, in meinem vorgesetzten Titel »Präsidiumsmitglied« und darin, daß ich aus der Hauptstadt kam. Mein altes Auto, in dem ich mit Freunden und Kollegen zu solchen Feuerwehreinsätzen fuhr, ließ ich von einem Kabarettkollegen mit Verbindungen zu Autowerkstätten in Pflege nehmen. Dafür durfte er mit seiner Gruppe dann Texte von mir spielen. Solche Seilschaften waren zu DDR-Zeiten durchaus üblich und nicht verboten.

Zu meinen Privilegien als Präsidiumsmitglied gehörte es, daß ich beim Kulturministerium einen Antrag auf »beschleunigte Bereitstellung eines PKW« stellen durfte. Das Kulturministerium hatte das Recht, diesen Antrag weiterzuleiten. Wo er gelandet ist, weiß ich nicht. Ich weiß nur, daß ich im Oktober 1989 zum letztenmal auf so einer Rettungsfahrt liegenblieb mit meinem Wartburg de luxe und beschloß, künftig daheim an der Schreibmaschine zu bleiben, die ich gerade durch Vermittlung eines anderen Kabarettkollegen, der Beziehungen zu einem Warenhaus in Berlin hatte, kaufen konnte. Ich weiß nicht mehr, welchen Text ich ihm dafür schrieb. Auf jeden Fall konnte er ihn nicht mehr lange spielen, denn in den folgenden Wochen änderte sich alles in der DDR. Wir konnten unsere alten Autos wegwerfen wie unsere alten Texte und alle unsere alten Funktionen.
Zensur fand nicht mehr statt, nicht einmal da, wo sie jetzt wieder öffentlich-rechtlich und uns hier im Osten so wohlbekannt ist. Es war eben doch nicht alles so schlecht bei uns, daß man ganz darauf verzichten könnte.
Ich fahre inzwischen ein neues Auto, schreibe aber noch immer auf meiner alten Schreibmaschine, nachdem ich an einem modernen Schreibcomputer hoffnungslos gescheitert bin. Manchmal bekomme ich auch noch Anfragen von Kollegen aus alter Zeit, wieso ich mich denn nicht mehr blicken ließe, um unsere alte Kabarettfamilie am Leben zu erhalten. Seit es die böse Zensur nicht mehr gibt, gibt's auch die gute Familie nicht mehr. Manchmal trauere ich dieser guten alten Zeit auch nach, in der uns der gemeinsame Feind so zusammengeschmiedet hatte. Aber manchmal denke ich, es geht auch ohne Verein und ohne Familie. Man kann ja einfach Freund bleiben.
Aber das scheint wohl das Schwierigste überhaupt zu sein,

noch dazu auf einem freien Markt, auf dem auch der liebste Freund zum Konkurrenten werden kann. Und für viele von uns brachte ja die neue Freiheit die alte Einsicht, in der Not möglichst wendig zu sein. Es gilt wieder, was Georg Kreisler in einem seiner Lieder sagt: »Denn jedem Künstler ist es recht, spricht man vom andern Künstler schlecht.«

Wieso ich vieles nicht mehr weiß

Wer mir unter dem Siegel der Verschwiegenheit ein Geheimnis anvertraut, kann ziemlich sicher sein, daß ich es im nächsten Moment vergessen habe. Ich bin nicht sonderlich verschwiegen, aber außerordentlich vergeßlich. Und wozu soll ich mir etwas merken, was ich sowieso nicht weitersagen darf? Ich vergesse doch schon so vieles, was ich mir merken möchte oder soll.

Am schnellsten vergesse ich außer Namen, Terminen und Telefonnummern, was mir der oder jener über den oder jenen erzählt hat. Und manchmal vergesse ich auch, was ich selbst über den oder jenen gesagt habe oder welcher Meinung ich gestern abend in der oder jener Diskussion war.

Und wenn mir morgen jemand sagt, ich hätte gestern behauptet, die ganze Satire, das ganze Geschreibe hätten überhaupt keinen Sinn, dann kann das durchaus so gewesen sein, obwohl ich gerade dabei bin, das hohe Lied vom Sinn der Aufklärung zu singen. Das liegt nicht daran, daß ich gern jemandem nach dem Munde rede. Im Gegenteil. Ich bin streitsüchtig.

Manchmal widerspreche ich geradezu wahllos, besonders dann, wenn mein Gegenüber sich seiner Sache so ganz und gar sicher ist. Nichts reizt mich so sehr zum Widerspruch wie der Brustton der Überzeugung. Dann bin ich bereit, die gewagtesten Gegenthesen aufzustellen, sie eine halbe Nacht

lang mit allen logischen und unlogischen Argumenten zu verteidigen.
Am nächsten Morgen kann es allerdings passieren – vorausgesetzt, ich erinnere mich noch –, daß ich grinsend alles als Unsinn widerrufe. Ich habe Spaß am Streit, und damit habe ich schon viele Freunde und Feinde ernsthaft beleidigt, ohne das je zu beabsichtigen. Denn ich bin doch zutiefst friedfertig und harmoniebedürftig. Meine letzte Schlägerei hatte ich mit dreizehn, und ich erinnere mich noch allzugut an meine Angst, meinen Freund, mit dem ich mich da gerade schlug, ernsthaft verletzt zu haben.
Natürlich weiß ich, daß man mit Worten verletzen kann. Ich will das nicht. Aber wenn jemand behauptet, die DDR sei von Anfang an und in jeder Hinsicht ein Unrechtsstaat gewesen, während die Bundesrepublik schon immer und überhaupt ein Ausbund an Gerechtigkeit war, dann fällt mir hier und da schon ein böses Wort ein, das den Gerechten mir gegenüber verletzt. An solche Diskussionen noch zu finsterer DDR-Zeit erinnere ich mich sehr gut.
Da hatte ich tagsüber noch irgendeinem Funktionär gegenüber oder einem Bekannten, der alles nur halb so schlimm fand, gesagt, wie verrottet ich diese ganze DDR mit ihrem Scheinsozialismus fände, wie verzweifelt ich hier wäre. Kaum war es Abend, und Onkel Franz aus Braunschweig fragte mich ein wenig von oben herab, wie ich das alles hier, diese ganze Unterdrückung nur ertragen könnte, schon verteidigte ich mit guten und schlechten Argumenten, woran ich tagsüber zu verzweifeln vorgab.
Und habe beide Male nicht wissentlich gelogen. Ich sagte nur, was ich jeweils dachte. Und das konnte man auch in der DDR viel offener, als man heute annimmt oder damals gewagt hat. Meine Wahrheit ist eben doch relativ und subjektiv, also schwankend geblieben. Noch heute kommt es

manchmal darauf an, wer mir da gegenübersitzt, ob ich die oder jene Seite meiner unsicheren Wahrheit verteidige.
Daß ich relativ sicher argumentiere, ändert nichts an meiner absoluten Unsicherheit in Sachen Wahrheit. Ich glaube allerdings nicht erst seit heute, daß man ihr im Streit näher kommen kann als im freundschaftlichen Bestätigen gegenseitiger Überzeugungen.
Als ich noch Schauspieler am Berliner Kindertheater war, fuhren wir manchmal zu Gastspielen in die Bundesrepublik. Da kam es dann in Kneipen oder bei Verwandten schon zu Diskussionen, in denen Leute, die zu Hause kein gutes Haar an der DDR ließen, dieselbe verteidigten. Mit guten und schlechten Argumenten.
Einmal, auf der Rückfahrt von so einem Gastspiel, wachten wir in unserem Zweite-Klasse-Abteil vom Geruckel des DDR-Schienenstranges auf, merkten daran, daß wir also wieder »zu Hause« waren, und ein Kollege sagte fröhlich: »So, jetzt können wir wieder meckern.«

Wieso mein König kein Fleisch essen durfte und David nicht David heißen sollte

Wie gesagt, ich schrieb auch Theaterstücke für Kinder, war sogar zeitweise der meistgespielte DDR-Autor. Mehrere meiner Kinderstücke wurden auch vom Fernsehen der DDR produziert und gesendet. Es waren meist Märchenstücke, die von der Zensur allerdings nur mäßig beachtet wurden.

1979 wurde meine *Dornröschen*-Dramatisierung vom Fernsehen produziert. Ein wichtiger Aspekt der Geschichte war für mich, daß da ein König, statt seiner Tochter zu sagen, welche Gefahr ihr von Spindeln drohe, in seinem Land einfach alle Spindeln verbietet. Nur um die Tochter nicht zu beunruhigen, schützt er sie auf diese Weise zu Tode. Das hatte für mich sehr viel mit dem DDR-Erziehungswesen zu tun.

Das schien keine Zensur zu bemerken. Dafür stieß sie sich an etwas anderem. In der ersten Szene sollte der etwas verfressene König kalten Braten zum Frühstück essen. Es begab sich aber zu jener Zeit, daß das Fleisch knapp geworden war in der DDR. Und da sich die Laune der Bevölkerung bei Fleischknappheit nun einmal verschlechtert, sollte im öffentlichen Leben des Landes vom Fleisch keine Rede mehr sein, und auch ein Märchenkönig im Fernsehen

mußte dann eben Sahnetörtchen essen statt des feindlich gewordenen kalten Bratens.
So etwas nannten die Verantwortlichen die »besondere politische Situation«, auf die flexibel zu reagieren war. Was es gerade nicht gab – und das konnte in der DDR so vieles sein –, das durfte auch nicht mehr genannt oder gezeigt werden, um unsere Menschen nicht an das zu erinnern, was sie ohnehin alle Tage ärgerte.
In einem anderen, eher historischen Kinderstück über die Pariser Commune hatte ich einem Kleindarsteller den bedeutenden Satz in den Mund gelegt: »Wahlen sind Schwindel.« Es stand uns aber zu der Zeit gerade eine Volkswahl bevor, wie das seinerzeit liebevoll genannt wurde. Der verantwortliche Fernsehredakteur verstand den Spaß auf Anhieb, lächelte und sagte zu mir: »Da wolltest du uns aber wieder etwas unterjubeln.« Er war ganz stolz auf seine Wachsamkeit und ließ den Satz streichen. Ich protestierte nicht. Die Replik gehörte ohnehin nur zu dem, was man in der darstellenden Kunst Volksgemurmel nennt.
Einmal habe ich protestiert, und zwar energisch. Meine Freundin Renate Holland-Moritz hatte eine kurze Kindergeschichte geschrieben, *Der kleine Weihnachtsmann,* und ich hatte daraus ein Fernsehspiel gemacht. Die ganze Sache beruhte auf einer wahren Begebenheit. Renates Sohn David hatte, als sein Vater sich weigerte, weiter den Weihnachtsmann zu spielen, erklärt, dann spiele er ihn künftig selbst. Denn Weihnachten ohne Weihnachtsmann, das war für David eben kein Weihnachten.
Aus dem Spiel wurde Ernst, denn David zog sich nicht nur den roten Weihnachtsmannmantel an, er forderte für sich auch alle Rechte und Pflichten, die bisher dem Vater bei der Weihnachtsvorbereitung zustanden. Damit brachte er die ganze Familie durcheinander. Das gewohnte Rollenspiel

funktionierte nicht mehr. Für mich war das eine Emanzipationsgeschichte.

Dem Fernsehen war die Sache unpolitisch genug und als Weihnachtsgeschichte auch ausreichend atheistisch, wenn man nur bei der unvermeidlichen Bescherung statt der von mir angegebenen christlichen Weihnachtslieder das ideologiefreie »O Tannenbaum« sang. Die Lage auf dem Fleischmarkt des Landes hatte sich beruhigt. Der Gänsebraten durfte also auch auf den Bildschirm kommen. Es schien – und das bei einer wirklichen Gegenwartsgeschichte – keine Probleme zu geben.

Kurz vor Produktionsbeginn – ich war gerade damit beschäftigt, Handwerker und Baumaterial zu organisieren, weil ich mir ein altes kaputtes Haus gekauft hatte, ich also weder Zeit noch Nerven für irgendwelche dramaturgischen Probleme hatte – rief mich meine liebe Fernsehdramaturgin Katja Steinke an, um mir mitzuteilen, daß nach Ansicht ihrer Oberen der kleine David in unserer Weihnachtsgeschichte nicht David heißen dürfte. Ich teilte ihr mit, daß mir das völlig egal wäre. Von mir aus könnte David auch Paul heißen oder Fritz. Ich brauchte im Moment einen Dachklempner mit Zinkblech und sonst gar nichts.

Katja hatte sehr viel Verständnis für meine Handwerkerprobleme und versicherte, daß sie mich gewiß nicht mit Unwichtigkeiten belästigen wollte. Aber immerhin sollte ich doch mal nachdenken, warum David nicht David heißen dürfte. Ich kam nicht darauf, schließlich heißt einer meiner Söhne auch David, und ich finde den Namen sehr schön.

Ich hatte aber noch immer nicht gelernt, in globalen Zusammenhängen der Deutschen Demokratischen Republik zu denken. Irgendwie hatte diese DDR mal wieder akute Probleme mit dem Staat Israel. Ich kann wirklich nicht mehr

genau sagen, was das war, aber es war was. Und so war David ein feindlicher Name geworden.
Schön oder nicht schön, es war ein jüdischer Name. Katja fragte, ob wir uns das gefallen lassen dürften. Natürlich durften wir das nicht. Ich schrieb einen bitterbösen Brief an das Kinderfernsehen der DDR und drohte, mein Stück einfach zurückzuziehen, wenn David nicht David heißen dürfte.
Er durfte schließlich, denn das Weihnachtsprogramm des Fernsehens der DDR war eine heilige, lange geplante Angelegenheit. Und Antisemitismus, nein, den durfte sich dieses Fernsehen schließlich auch nicht nachsagen lassen.
Bei der Abnahme des fertig produzierten Fernsehspiels herrschte allgemeine Fröhlichkeit. Der Abteilungsleiter sagte beinahe glücklich, er verstünde unsere ganze Aufregung nicht mehr. Und der Name David störte ihn jetzt auch gar nicht. Er könnte sich kaum erinnern, worum es eigentlich gegangen wäre.
Israel wäre doch längst aus den Schlagzeilen der sozialistischen Presse verschwunden. Die augenblickliche politische Situation erfordere jetzt eine ganz andere Wachsamkeit.
Sprach's, gab den Film zur Sendung frei und arbeitet heute wieder beim Mitteldeutschen Rundfunk. Ich aber gelte bei demselben Sender, und das zitiere ich nur allzu gern wörtlich, als »politisch nicht tragbar«. Zum Glück nicht in allen Redaktionen. Die Kinderredaktion jedenfalls hat gerade angefragt, ob ich nicht noch mal so was wie den *Kleinen Weihnachtsmann* machen könnte.

Wieso ich einen Fernsehfilm nicht geschrieben habe

Als Autor hat mich Fernsehen eigentlich nie interessiert. Kaum etwas ist so schnell vergessen wie das Fernsehspiel von gestern. Trotzdem habe ich mehrere Kinderfernsehspiele geschrieben, weil da beim DDR-Kinderfernsehen eine Dramaturgin war, mit der ich gern arbeiten wollte – Katja Steinke. Da die allgegenwärtige Fernsehzensur bei Gegenwartsgeschichten jedes Komma abklopfte, suchten wir uns meist Märchenstoffe, um indirekt zu sagen, was direkt nicht gesagt werden durfte.
Richtige Fernsehspiele aber waren das nur selten, eigentlich schrieb ich immer Theaterstücke, die man eben auch im Fernsehstudio spielen konnte. Und fast alles, was ich zuerst fürs Fernsehen geschrieben hatte, wurde ja dann auch an vielen Theatern nachgespielt. Ich war eine Art Märchenonkel des DDR-Kindertheaters. Mich ärgerte allerdings, wie wenig Theaterleute erkannten, daß alles eigentlich Gegenwartsgeschichten waren und sind, die da als Weihnachtsmärchen auf die Bühne kamen. Zum Glück sind Zuschauer oft klüger als die Theatermacher.
Anfang der achtziger Jahre fragte mich ein Fernsehredakteur, ob ich nicht auch mal ein richtiges Fernsehspiel schreiben wollte. Richtig hieß natürlich für Erwachsene. Kunst für Kinder wurde auch in der DDR in allen Festreden hoch gelobt, in der Praxis aber meist geringgeschätzt. Das drückte

sich unter anderem in der Bezahlung aus. Ich war zwar mehrere Jahre der meistgespielte Bühnenautor der DDR, zu den hochbezahlten gehörte ich aber nie.
Für einen Kinderautor war es fast eine Ehre, von den Erwachsenen angesprochen zu werden. Ich schlug vor, eine Scheidungsgeschichte zu machen. Ich war zwar noch recht glücklich verheiratet, aber ringsum ließ sich alles, was verheiratet war, wieder scheiden. Von der ungewöhnlich hohen Scheidungsrate in der DDR konnte man sogar in der Zeitung lesen. Da wurde eben jung geheiratet und jung geschieden. Solange keine Kinder da waren, blieben Scheidungen reine Formsache. Man brauchte keinen Anwalt, also teuer war so eine Scheidung auch nicht. Und wenn man es nur einigermaßen vernünftig anstellte, konnte die Scheidung an einem Vormittag vollzogen werden.
Das Thema sagte dem Redakteur zu. Er versprach, mir einen Vertrag zuzuschicken, und ich ging recherchieren. Das heißt, ich besuchte im nahe gelegenen Oranienburg Scheidungsverhandlungen beim dortigen Kreisgericht. Meine Geschichte sollte in der Kleinstadt spielen. Zwei Wochen verbrachte ich jeden Vormittag im Gerichtssaal.
Meist waren es die Frauen, die die Scheidung eingereicht hatten, weil die Männer sie schlugen, wenn sie betrunken waren. König Alkohol war auch im Sozialismus nicht abgesetzt worden. Was ich dort im Gerichtssaal hörte und sah, hatte nichts zu tun mit der sozialistischen Menschengemeinschaft, von der in allen Medien gesprochen wurde. Heiter wurde es immer dann, wenn es buchstäblich ums Eingemachte ging. Da beklagte sich einer der gerade geschiedenen Männer bei der Richterin, daß seine Frau mehrere Gläser Birnenkompott bei der Gütertrennung unterschlagen hätte. Nein, sie hatten alle nicht viel zu teilen, aber um das Wenige wurde erbittert gestritten.

Die vorsitzende Richterin, eine resolute, ältere Frau mit sehr viel Lebenserfahrung, war durch nichts zu erschüttern. Sie leitete die Verhandlungen gar nicht wie eine Amtsperson, eher wie ein Haushaltsvorstand. Sie schien eher zu beraten als zu urteilen. Nur einmal habe ich sie wütend erlebt. Da behauptete der Mann von seiner Frau, sie wäre politisch zurückgeblieben, weil sie keine Zeitung lese und überhaupt jeden Sinn für die höhere Politik im sozialistischen Vaterlande vermissen lasse.

Sie entzog dem Mann das Wort und sagte: »So was können Sie im Parteilehrjahr erzählen. Hier wollen wir doch wenigstens versuchen, die Wahrheit herauszubekommen.« Die beisitzenden Schöffen zuckten etwas zusammen, sagten aber nichts.

Als ich die Richterin in einer Verhandlungspause fragte, wie sie denn fertig würde mit diesem alltäglichen Elend, das da vor ihr ausgebreitet wurde, sah sie mich verständnislos an. Wenn es in dieser DDR überhaupt einen Fortschritt gäbe, sagte sie, dann wäre er doch hier im Gerichtssaal zu besichtigen. Die Frauen ließen sich doch offensichtlich nicht mehr gefallen, was sie sich früher als ökonomisch abhängige Partner gefallen lassen mußten.

Sie hatte gerade eine junge Frau geschieden, Mutter von drei Kindern, die selbst keinen Beruf erlernt hatte. Wegen der ersten Schwangerschaft hatte sie ihre Ausbildung abgebrochen. Nun stand sie allein. Aber war das nicht besser, als mit einem Kerl zusammenzubleiben, der sie und die Kinder mißhandelte? Die Richterin – wie gesagt, das war in einer Kleinstadt – hatte der Frau eine Anstellung vermittelt. Die ökonomische Unabhängigkeit, sagte sie, ist bestimmt nicht alles. Aber ohne sie ist alles Reden von Gleichberechtigung eben nur Gerede. Die Richterin selbst übrigens war auch geschieden.

Ich weiß nicht, ob alle ihre Urteile rechtsstaatlich zu vertreten waren. Wenn es aber einen gesunden Menschenverstand gibt, so schien er mir hier am Werk zu sein. Geradezu verblüffend war es, wieviel Vertrauen die erbittert streitenden Parteien zu dieser Frau hatten. Bei meiner eigenen Scheidung übrigens war die Richterin von ähnlicher Statur.
Aber noch war ich ja nicht geschieden. Ich erzählte zu Hause jeden Tag von diesen schrecklichen Streitereien vor Gericht, von dem furchtbaren Haß, der zwischen Menschen stand, die sich doch einmal geliebt haben müssen, und war mir sicher – uns könnte das nie passieren. Meine Fernsehscheidungsgeschichte aber nahm langsam Gestalt an. Ich hatte das Exposé schon fast fertig, als der Vertrag kam.
Verträge habe ich kaum gelesen. Die Angst vor dem Kleingedruckten kannte ich noch nicht, und interessant an so einem Fernsehvertrag waren allenfalls Termine und die Summe von Auftrags- und Sendehonorar. Glücklicherweise hatte ich noch nicht unterschrieben, als mir ein im vorgedruckten Formular hinzugesetzter Satz auffiel. Er lautete: »Der Autor verpflichtet sich, eine *heitere* Gegenwartsgeschichte zu schreiben.«
Die Scheidungsgeschichten, die ich so erlebt hatte, waren zwar alle für Außenstehende, und noch war ich ja außenstehend, auch komisch. Aber heiter waren sie gewiß nicht. Ich rief also den Redakteur an und verlangte die Streichung des Satzes. Das aber lehnte er ab. Diesen Satz habe er hineinschreiben müssen, da ich schließlich kein ganz Unbekannter wäre und seine Chefs sowieso die Befürchtung geäußert hätten, ich würde ihnen da etwas Böses unterjubeln. Das Fernsehen der DDR wäre kein Kabarett und müßte auf der heiteren Beschreibung unseres Lebens bestehen.
Ich schickte also den Vertrag zurück und bedauerte in einem Begleitbrief unendlich, diese heitere Sicht auf unser

Leben nicht zu besitzen und also auch nicht beschreiben zu können. Damit war meine Karriere in der Fernsehabteilung für dramatische Kunst beendet. Ich schrieb wieder Märchen und Kabarettexte.

Einige Jahre später rief mich die Unterhaltungsabteilung an. Ein bekannter Schauspieler, den auch ich sehr schätzte, habe sich bereit erklärt, eine große Unterhaltungssendung zu moderieren, wenn ich ihm die Texte dafür schriebe. Ich fragte den Unterhaltungsredakteur, ob er sich vorstellen könnte, daß das, was ich so schrieb, über den Adlershofer Sender kommen dürfte. Er meinte, ich könnte doch mal versuchen, so zu schreiben, daß man es auch senden könnte. Ich bedauerte, dies nicht zu können, weil ich zu alt wäre, mich noch zu ändern. Aber wenn sich unser Fernsehen geändert hätte, könnte er ja noch mal anrufen. Und derselbe Redakteur rief mich dann wirklich an, als sich bei uns alles, also auch das Fernsehen, geändert hatte – im November 1989.

Da hatten wir alle die heitere Sicht auf unser sozialistisches Leben verloren. Jede Zensur war plötzlich verschwunden, und ich machte zwei Jahre lang die Satire im Fernsehen, die ich machen wollte. Alles, was daran schlecht und falsch war, habe ich selbst zu verantworten. Zu DDR-Zeiten konnte man jede mißlungene Satire mit der Zensur entschuldigen, die grundsätzlich die guten Pointen herausgestrichen hatte.

Weil in der DDR allen immer alles verboten werden konnte, konnte in der DDR auch nie einer etwas dafür. So gesehen, konnten wir für die ganze DDR nichts. Nachträglich ist das ein schönes Gefühl.

Wieso ich nicht mehr gern einkaufen gehe

Nein, Spaß macht das nicht mehr, wenn ich heute in meine alte Konsum-Kaufhalle komme, in der ich zu DDR-Zeiten so viel Lebenszeit verbrachte und so viele Erfolgserlebnisse hatte. Heute ist da ein Supermarkt, und statt der Kunden bilden die Waren Schlangen. Nichts mehr, was es nicht gibt. Meine Frau schreibt mir auf, was ich einkaufen soll, ich packe den Kram lustlos in den Einkaufswagen, die Kassiererin wartet schon auf mich – das Einkaufsleben ist langweilig geworden. Früher war der tägliche Gang in die Kaufhalle mein sozialer Kontakt. Ich brauchte keine Versammlungen zu besuchen, keine Zeitung zu lesen, keine Gespräche mit Arbeitskollegen – in der Kaufhalle erfuhr ich alles Notwendige.

Immer standen die Menschen dort in Schlangen, und ich war Teil dieser Schlangen. Da erzählte man sich Witze, auch die politischen – man war ja unter sich. Da wurde geschimpft auf Politiker, Verkäuferinnen, auf alles, was es nicht gab, und überhaupt war man sich einig – im Osten gibt's sowieso nichts.

Jetzt gibt es hier alles, nur eines nicht mehr – Spannung. Wie freute man sich früher über jedes ergatterte Glas Pflaumenmus, über jede Flasche Rotwein, über Papiertaschentücher. Es gab zwar Festpreise, aber eben auch Festmangelwaren. Und wenn man eine davon entdeckte, kaufte man sie,

egal ob man Pflaumenmusesser, Rotweintrinker oder Papiertaschentuchliebhaber war. Was knapp war, wurde mitgenommen. Und irgendwas war immer knapp, und wenn man es bekam, hatte man immer ein leises Glücksgefühl. Wenn ich zu Hause die Wohnungstür aufmachte, rief ich triumphierend: »Wißt ihr, was ich heute gekriegt hab'?«
Und wenn dann die ganze Familie beglückt »Pflaumenmus!« rief, konnte ich die Überraschung »Tempotaschentücher« lachend auskosten. Ich wurde gelobt für meinen Einkauf, gerade wenn ich nicht das anbrachte, was ich sollte, sondern das, was ich erjagt hatte. Als DDR-Kunde war man nicht König, sondern Jäger und Sammler. Man jagte nach Schinken und sammelte alles, was am Wege stand.
Als geübter Kunde hatte man einen scharfen Blick. Ein Pappkarton konnte gar nicht unauffällig genug in einer Ecke stehen, keiner ging achtlos dran vorbei. Wenn es genug Ketchup gäbe, brauchte man es ja nicht im Karton zu verstecken. Also legte man sich zu Hause ein Ketchup-Lager an. Denn auch darauf konnte man sich verlassen – irgendwann würde auch das knapp, und dann würde man zu Hause gelobt werden für die weise Voraussicht.
Eines allerdings war zu DDR-Zeiten, jedenfalls solange ich da einkaufen ging, nie knapp. Das war ein Spülmittel mit dem schönen Namen »FIT«. Unbeachtet stand es in den Regalen herum, und man kaufte es wirklich nur, wenn man unbedingt abwaschen mußte. Einmal aber kam ich in meine Kaufhalle, da war es aus den Regalen verschwunden. Statt dessen stand vor dem Regal ein Pappkarton mit der Aufschrift: »Bitte nur 2 x entnehmen.« Und siehe, keiner ging mehr achtlos am »FIT« vorbei, jeder nahm zwei Flaschen mit. Denn wenn man nicht mehr davon haben konnte, dann mußte man doch wenigstens so viel nehmen, wie erlaubt wurde. Hätte die DDR nur noch ein paar Jahre länger

bestanden, irgendwann hätte auch »FIT« den Glanz einer echten Mangelware gehabt.
Unsere DDR-Wohnungen waren regelrechte Sammellager für Mangelwaren. Auch in den kleinsten Neubauwohnungen war Platz für unsere Riesenkühltruhen, die bei manchen Familien größer waren als das Kinderzimmer. Das DDR-Wirtschaftswunder bestand darin, daß es zwar nichts gab, die Leute aber alles hatten.
Man mußte nicht Autobesitzer sein, um sich Auspuffanlagen in den Keller zu stellen. Ich selber verabscheue den süßlichen Rotwein der Marke »Rosenthaler Kadarka«, aber wenn ich ihn sah, nahm ich ihn mit für Freunde, Verwandte oder auch mal einfach nur so. Irgendwann würde man mal einen treffen, dem man damit eine Freude machen könnte.
Ja, es war nicht nur zur eigenen Freude, was man so kaufte. Als Berliner konnte ich meinen Dresdner Freunden viel Freude machen, wenn ich meinen Kofferraum vollpackte mit neuen Kartoffeln, Papiertaschentüchern, Rotwein, Pflaumenmus und was die Hauptstadt dem Rest der Republik so voraus hatte.
Daß es auch in Dresden manchmal Sachen gab, die in Berlin nicht zu haben waren, wird jeder Dresdner bestreiten, denn einem Dresdner geht es immer noch ein bißchen schlechter als allen andern. Aber ich habe damals in Dresden-Pillnitz im Dorf-Konsum, in dem mein Freund Schaller nie etwas zu kriegen behauptete, besten ungarischen und bulgarischen Rotwein kistenweise gekauft, als in Berlin keine Flasche zu haben war.
Nein, wir mußten nicht jeden Tag neu überlegen, was wir am nächsten Tag etwa essen würden. Wir aßen am nächsten Tag einfach das, was es gerade gab. Über das, was es nicht gab, brauchte man sich keine Gedanken zu machen. Das hatte man ja in der Tiefkühltruhe. Und was man in der

Tiefkühltruhe hatte, das taute man erst auf, wenn sich Westbesuch anmeldete.

Wer von uns ahnte denn damals, wie billig der mitgebrachte Westkaffee und die Tafel Schokolade bei Aldi war. Im Westen war einfach alles besser, und wenn unser Westbesuch das Wort Fast food aussprach, so vermuteten wir dahinter die erlesenste Delikatesse, die uns die Kommunisten wieder mal vorenthalten hatten und selbst heimlich in Wandlitz fraßen.

Und zu welchen satirischen Spitzenleistungen kam es im DDR-Kabarett dank dieser blühenden Mangelwirtschaft. Das Thema war ein Dauerbrenner. Die politisch brisante Bezeichnung von Autoersatzteilen riß das Publikum zu Beifallsstürmen hin. Ein namhafter Liedermacher der DDR hatte ein ganzes Lied gemacht, das nur aus einem Wort bestand, aber dieses Wort machte das Lied zu einem echten DDR-Hit. Es hieß »Pflaumenmus«.

Wieso ich zuerst von der Kanzel aus las

Meine Frau hat einen Jugendfreund, der lange Zeit Pfarrer war in einem kleinen mecklenburgischen Dorf. Er wohnte mit seiner großen Familie in einem schönen alten Pfarrhaus am Schweriner See. Dort besuchten wir ihn oft mit unserer ganzen, nicht ganz so großen Familie. In einem richtigen Pfarrerhaushalt ist das kein Problem. Wo sowieso schon viele Menschen zusammenleben, finden auch noch mehr Platz. Und eine Pfarrersfrau klagt nicht, sie freut sich über jeden Besuch.

Für die Kinder war es ein Paradies, zwar ganz und gar nicht luxuriös, aber wirklich paradiesischer Luxus dürfte mit dem, was in unserer Zivilisation unter Luxus verstanden wird, auch wenig zu tun gehabt haben. Also warmes Wasser gab es höchstens einmal in der Woche, wenn Badetag war. Mir reicht seit jeher die kalte Dusche, und die Kinder gingen sowieso lieber im See baden. Im Winter allerdings war es oft sehr kalt in dem großen Pfarrhaus. Wir wohnten meist oben in der Dachkammer und mußten manchmal auch Schnee fegen auf dem Dachboden, den der Wind durch die vielen Ritzen im Dach blies.

Jedes Jahr zu Silvester waren wir da, und ich durfte dann um Mitternacht die Kirchenglocke läuten. Die Küsterin, deren Amt das sonst war, durfte allerdings nicht erfahren, daß ich Atheist bin. Sie hatte viel strengere Ansichten als mein

Pfarrerfreund, mit dem man über alles reden und streiten konnte.
Anfangs verbrachten wir auch die Sommerferien in dem Pfarrhaus. Später fuhren wir nur noch außerhalb der Badesaison hin, denn aus der Idylle am Schweriner See war ein Naherholungsgebiet geworden. Naherholung klingt für mich immer etwas nach Nahkampf. Direkt unterhalb des Pfarrhauses war ein großer Campingplatz, also mit der schönen Sommererholung war es vorbei.
Während eines solchen Sommerurlaubs fragte mich mein Freund einmal, ob ich nicht in seiner Kirche meine Kabarettexte vorlesen wollte. Er kannte eine ganze Menge von meinem Zeug, weil ich oft in seinem Haus schrieb und die Ergebnisse dann manchmal abends vorlas.
Bis dahin war ich nie auf die Idee gekommen, so etwas öffentlich vorzulesen. Aber um mich ein bißchen nützlich zu machen, denn außer dem regelmäßigen Abwasch tat ich ja im Pfarrhaus kaum etwas für die Allgemeinheit, sagte ich ja. Mein Freund malte ein paar Plakate mit der Ankündigung, daß am kommenden Sonntag nachmittag eine Kabarettlesung in seiner Kirche stattfinden würde. Es war herrliches Sommerwetter an diesem Sonntag, und ich konnte mir nicht vorstellen, daß da jemand in die Kirche kommen könnte, um Kabarettexte zu hören.
Aber ich hatte mich geirrt. Das Wort Kabarett lockte zu DDR-Zeiten wohl immer und überall viele Menschen an. Die Kirche jedenfalls war so voll wie sonst nur zu Heiligabend. Um von allen, die da gekommen waren, gesehen und gehört zu werden, mußte ich auf die Kanzel steigen. Es ist eine kleine Kirche, und die Kanzel ist nicht sehr hoch, aber es war doch eine Kanzel, von der ich da meine ganz und gar unheiligen Texte las. Ich weiß nicht, ob vorher oder nachher in dieser wunderschönen mecklenburgischen Dorfkir-

che noch einmal so laut gelacht wurde. Vermutlich findet aber nur ein Atheist etwas dabei, wenn in einer Kirche auch gelacht wird.
Die Gottesdienste, die ich dort erlebt hatte, waren jedenfalls alles andere als scheinheilig, und die Predigten meines Freundes waren oft eher fröhlich als weihevoll. Manche Parteiveranstaltung in der DDR gab sich heiliger als alle Gottesdienste, die ich erlebte.
Meine lustige Lesung jedenfalls sprach sich in mecklenburgischen Kirchenkreisen herum. Ich genoß allerdings schon vorher eine gewisse Berühmtheit unter den Pfarrern der Gegend, weil ich in dem Ruf stand, ein guter Skatspieler zu sein. Ich weiß nicht, ob ich wirklich so gut spielte, jedenfalls spielte ich schnell und riskant, wie ich das im Berliner Kindertheater gelernt hatte, wo wir die vielen Wartezeiten bei Proben und Vorstellungen mit Skatspielen buchstäblich totschlugen.
Eigentlich bin ich alles andere als ein Spieler, aber als Schauspieler muß man so viel herumsitzen und warten, daß man nach allen möglichen Zerstreuungen sucht. In Dresden hatte ich bei Fernsehproben auch Siebzehnundvier spielen gelernt. Diese Fernsehproben fanden damals in der Dresdner reformierten Kirche statt, weil es in der noch zerstörten Stadt keine Probenräume gab. In der Gemeinde war diese Fremdnutzung zwar umstritten, aber mit dem so verdienten Geld konnte der Pfarrer immerhin eine neue Orgel anschaffen.
Ich weiß nicht, ob ihm das heute vielleicht als Staatsnähe ausgelegt wird. Ich weiß aber, daß die DDR-Kirchen sehr arm waren und daß der Pfarrer damals darauf bestand, die Textbücher zu lesen, bevor sie in seinem Haus probiert werden durften. Also Gotteslästerliches hätte er nicht zugelassen.

Was er aber nicht wissen konnte: Wir Schauspieler spielten in den Wartezeiten in seinem heiligen Haus ganz und gar unchristliche Kartenspiele um Geld, eben Siebzehnundvier. Unser Aufenthaltsraum, also das Spielzimmer, lag mit dem Fenster ebenerdig zur Straße. Eines Tages blieb ein Dresdner Muttchen vor dem offenen Fenster stehen, schaute uns kopfschüttelnd zu und sagte dann verächtlich: »Und das nennen die beten!«
Siebzehnundvier spielte ich längst nicht mehr, als ich nach Mecklenburg kam, aber eben Skat. Und mein sehr flottes, wohl auch leichtfertiges Spiel machte Eindruck im bedächtigen Nordland. So lernte ich auch andere Pfarrer kennen, und beim Skatspiel oder Rotweintrinken – da bin ich ja auch nicht ganz schlecht – verabredeten wir die eine oder andere Lesung. Manchmal las ich dann in Kirchen oder Gemeinderäumen, oft aber auch in irgendwelchen Privatwohnungen, wo man sich zu Hauskreisen traf.
Das hatte manchmal schon fast konspirativen Charakter, aber es machte Spaß, weil es in solchen kleineren Kreisen zu guten Gesprächen kam nach der Leserei. Man war unter sich, und ich weiß nicht, wer – außer ihnen selbst natürlich – damals schon wußte, was ein IM ist und wie viele es davon gab. Nur einmal hatte mich ein Rostocker Pfarrer gewarnt, ich sollte immer daran denken, daß die Staatssicherheit dabeisein könnte. Ich sagte ja, vergaß aber die Stasi im nächsten Moment wieder. Schließlich las ich in Kirchen- oder Privaträumen, und – ehrlich gesagt – ich glaubte auch nicht so ganz an diese Allgegenwart.
Eines Tages rief mich der Rostocker Pfarrer in Berlin an und fragte, ob ich nicht Lust hätte, mit ihm, einigen seiner Gemeindemitglieder und meiner Familie in die Tschechoslowakei zu fahren. Dort sollte ein Treffen mit seiner westlichen Patengemeinde und Leuten von der tschechischen

Charta 77 stattfinden. Er hatte wohl vor, den Bundesbürgern und den mutigen Leuten von der Charta 77 zu zeigen, daß auch bei uns in der DDR so etwas wie ein freies Wort gesprochen wurde.
Das Treffen fand in der Nähe von Prag statt, an einem Stausee. Der Ort hieß, wenn ich mich recht erinnere, Slappy. Ein tschechischer Schiffsbauingenieur hatte sich dort mit Freunden ein wunderschönes, großes Haus gebaut, wo solche geheimen Treffen stattfanden. Warum es ein Geheimtreffen sein mußte, war mir nicht ganz klar. Da wurde in aller Heimlichkeit offen miteinander geredet, viel gesungen und zu meinem Leidwesen auch noch gebastelt. Die Situation in der Tschechoslowakei nach 1968 schien mir noch viel bedrückender als zu Hause. Aber ein bißchen übertrieben fand ich unser konspiratives Getue schon. Da fuhren wir nach Prag, um ein paar Maler zu besuchen, und sollten die Häuser nie zusammen betreten, immer nur einzeln oder zu zweit. Ich kam mir vor wie beim Indianerspiel. Und dann wurden uns Bilder gezeigt, deren ganze Opposition darin bestand, daß sie abstrakt waren. Nachdem ich aber nun weiß, worum sich die Staatssicherheit bei uns so alles kümmerte, bin ich ziemlich sicher – wir waren auch in Slappy und Prag nicht ganz ohne Aufsicht.
Das vorläufig letzte Mal habe ich im Winter 1990/91 im mecklenburgischen Bad Doberan vor Pfarrern gelesen. Mein alter Freund rief mich an und fragte, ob ich ihm und seinen Amtsbrüdern nicht wieder mal ein bißchen Trost spenden könnte. Ich spendete gern von dem, was ich selbst so dringend brauchte in so verwirrenden Umbruchzeiten. Nach der Lesung wurde lange diskutiert. So einig wie zu DDR-Zeiten waren wir uns in der neuen Freiheit längst nicht mehr.
Die einzige Frau unter den Pastoren fand ja alles ganz gut

und ganz schön, was ich so vorgelesen hatte, aber sie vermißte doch, daß ich auf nichts eine Antwort geben könnte, an der man sich aufrichten könnte in der allgemeinen Ungewißheit. Der Propst sah seine Schwester im Amte vorwurfsvoll lächelnd an und sagte: »Die Antworten finden wir doch woanders, liebe Schwester.« – »Ich weiß, ich weiß«, entgegnete die Getadelte, »aber auch bei Jesus finde ich nicht immer alles.«
Übrigens haben mich auch PDS-Gruppen nach der Wende mehrmals zu Lesungen eingeladen. Und da fand ich endlich wieder, was ich früher in den christlichen Hauskreisen oder Gemeindehäusern empfunden hatte – diesen Hauch von Konspiration und Illegalität. Die Hauskreise damals waren ja nicht weniger legal, als es die PDS heute ist.
Aber Minderheiten haben mich schon immer angezogen, wenn sie in der Lage sind, sich selbst in Frage zu stellen. Schließlich gehöre ich ja selbst zu einer Minderheit und habe wieder mal allen Grund, mich und das, was ich zu denken glaube, in Frage zu stellen.
Mein Mecklenburger Pfarrerfreund übrigens hat mir erzählt, daß zu denen, die bei ihm jetzt Trost suchen, Leute gehören, die ihm einst als Staatsmacht gegenübersaßen, darunter auch solche, die ihn einst verhört und bedroht hatten, weil er sich beispielsweise für Republikflüchtige einsetzte. Er findet das in Ordnung. Schließlich war er immer da für die Mühseligen und Beladenen. Auch mir scheint Vergeben seliger zu sein denn Vernehmen.

Wieso ich feige bin

Nein, mutig bin ich nicht. Ich bin sogar so etwas wie ein Überzeugungsfeigling. Zum Mut fehlt mir einfach die Phantasielosigkeit. Als ich wegen meiner Schlafstörungen einmal zu einer Beratung ging, wurde mir gesagt, ich müßte lernen, besser mit meinen Ängsten umzugehen. Sicher lebte ich dann gesünder, aber ich müßte wohl auch meinen Beruf aufgeben.

Satiriker sind nun mal professionelle Schwarzseher. Kränkend ist für unsereinen aber eine politische Wirklichkeit, die auch die schwärzeste Prognose eines Tages noch als Schönfärberei entlarvt. Optimismus – der uns ja in der DDR vom frühen Morgen bis zum späten Abend gepredigt wurde – galt bei uns schlicht als Mangel an Information.

Unter diesem Mangel habe ich nie gelitten. Ich war kein schlechter Schüler, ging nicht einmal ungern zur Schule, aber sonntags oder zu jedem Ferienende litt ich unter Einschlafstörungen. Meine Mutter begriff das nie. Ich war schließlich der mit Abstand beste Schüler in der Familie, für sie das Kind, um das sie sich die wenigsten Sorgen machte.

»Leg dich um und schlaf«, sagte sie noch zu meinen Kindern, wenn die mal nicht einschlafen konnten. Die ständige Angst zu versagen ist wohl nicht nur Versagern bekannt. Ich habe alle Prüfungen in der Schule mit links gemacht, war überhaupt nicht fleißig und machte mir tagsüber kaum

Sorgen um meine Zensuren. Selbst in einem Fach wie Biologie, in dem ich eigentlich fast gar nichts wußte, hatte ich auf dem Abiturzeugnis eine Zwei und hätte, wäre es nach allen Vorzensuren gegangen, eine Eins bekommen müssen.

Unser Biologielehrer ging mit seinen Leistungskontrollen nach dem Alphabet. Man konnte sich also ausrechnen, wann man womit drankam. Ich war mit meinem katholischen Freund in einer ansonsten reinen Mädchenklasse. Ich weiß nicht, ob das immer so ist – unsere Mädchen waren viel fleißiger als wir. Auf dem Schulhof repetierten sie meist noch den Stoff für die nächste Stunde. Wir liefen dann nur hinter ihnen her, um rasch zu lernen, was wir in der nächsten Stunde wissen mußten.

Das tat ich auch, als ich erfuhr, daß ich in Biologie geprüft würde. Auf dem Schulhof erfuhr ich von den Mädchen alles über die Schweinezucht, wiederholte das dann im Unterricht, und der verwunderte Biologielehrer, der eigentlich wußte, wie wenig ich wußte, gab mir zum Ansporn eine Eins.

Als ich dann wieder an die Reihe kam, wiederholten wir gerade den Stoff des ganzen Schuljahres, und auf mich fiel noch einmal dieselbe Schweinezucht, von der ich mir des großen Erfolges wegen alles gemerkt hatte. Das brachte mir die zweite Biologie-Eins ein. Als wir zum selben Thema zufällig auch noch eine Klassenarbeit schrieben, fing ich meine dritte Eins zum Thema. Ich hätte also auf dem Zeugnis auch eine Eins haben müssen. Als mein Biologielehrer das zu seinem Erstaunen feststellte, rief er mich zu sich und fragte mich einfach so, ob ich die Eins meiner Meinung nach verdient hätte. Ich zögerte mit der Antwort. Da sagte er, er könnte mich ja einfach noch mal prüfen. Bevor es dazu kam, gab ich zu, in Biologie eigentlich keine Eins verdient

zu haben. Wir einigten uns auf eine mir noch sehr schmeichelnde Zwei.
So kam ich zu guten Zensuren in Fächern, von denen ich keine Ahnung hatte. Ich hatte überhaupt in der Schule Glück, hab' nie eine Prüfung verhauen und lebte doch ständig in der Angst, es nicht zu schaffen. Ich schwöre, das verführte mich nie dazu, etwa fleißig zu werden. Es muß wohl auch so was wie das Glück des Untüchtigen geben. Wo andere von guten Zensuren träumten und schlechte bekamen, da bekam ich fast immer gute Zensuren und träumte von schlechten.
Und schlafe also auch heute noch schlecht. Manchmal ist es einfach die Angst vor dem nächsten Tag, manchmal auch nur die Angst vor dem Nicht-schlafen-Können, die mich am Einschlafen hindert. Und wenn ich dann doch eingeschlafen bin und träume, dann träume ich meist von Situationen, in denen ich versage. Dazu gehört der vermutlich typische Schauspielertraum. Ich komme auf die Bühne, ohne ein Wort Text zu wissen. Ich arbeite schon lange nicht mehr als Schauspieler. Den quälenden Traum vom abwesenden Text träume ich immer noch.
Eine andere Situation, die ich wirklich einmal erlebt habe und für die ich mich tausendmal schäme, verläßt mich auch nicht in meinen schlechten Träumen. Vielleicht werde ich sie los, wenn ich sie erzähle, obwohl sie mir peinlich ist.
Sekretärin für Kultur im Zentralkomitee der SED war eine Dame, die ich mir nie ohne Lockenwickler und Kittelschürze vorstellen konnte, obwohl ich sie so nie gesehen habe. Sie war für mich die verinnerlichte Kittelschürze und hatte im Zentralkomitee über Kunst und Kultur zu entscheiden, also auch über Kabarett. Ich hatte mit ihr so gut wie nie zu tun, hörte nur immer mal, daß sie mich haßte. Das war mir herzlich gleichgültig.

Sie schien auch mögliche Begegnungen mit mir zu vermeiden. Aber das ist nur eine Vermutung. Einmal jedenfalls begegneten wir einander im Theaterverband. Sie kam – selbstverständlich angemeldet und in devoter Begleitung – zu einer Sitzung der Sektion Kabarett, deren Vorsitzender ich war.
Dort hielt sie uns einen Vortrag über Kabarett, bei dem wir alle betreten zu Boden sahen. Sie verstand von Kabarett soviel, wie ein Lockenwickler von Kabarett versteht. Alle erwarteten von mir, daß ich ihr widersprechen würde. Ich widersprach nicht nur nicht, ich bezeichnete einen ihrer unsäglichen Vorschläge sogar als interessant. Es war der Vorschlag, einen Wettbewerb um den besten Westtext zu machen. Also um eine Art von Texten, die wir längst aus unseren Programmen verbannt hatten – die Entschuldigungsnummer dafür, daß wir an der DDR herumkritisierten. Da gaben wir dem Klassenfeind sein Fett und schläferten die eigenen Zuschauer bestenfalls ein.
In den fünfziger, sechziger Jahren hatten große Teile unserer Programme aus solcher Anbiederungsware bestanden. Ich hab' selbst auch welche verfaßt. Aber dafür schäme ich mich nicht so. Die Ostnummern unserer Westkollegen waren zu jener Zeit kaum besser. Daß ich aber diesen Vorschlag einer Kittelschürze im Angesicht meiner erstaunten Kollegen als interessant bezeichnete, statt aufzustehen und zu gehen, wenn ich schon nicht widerspreche, das nagt an mir, und ich träume immer wieder davon.
Das hatte ja nichts mit Mut zu tun, nur mit Zivilcourage, deren Mangel ich früher und heute immer wieder öffentlich beklage. Wie stolz war ich, als dieselbe Dame mir dann, als ich mit meinen Kollegen den Nationalpreis erhielt, ausdrücklich nicht gratulierte. Aber schon am folgenden Abend fiel mir wieder die Geschichte im Theater-

verband ein, und ich schämte mich, wie ich das heute noch tue.
Sicher hab' ich keinem damit geschadet außer mir selbst. Aber daß ich heute noch davon träume, schadet mir – finde ich – auch nicht. Ich bitte alle Kollegen, die dabei waren und nichts gesagt haben, um Entschuldigung. Sollten sie das vielleicht schon längst vergessen haben, mir ist dieser interessante Vorschlag unvergeßlich.
Immer wenn ich auf der Bühne den Mangel an Zivilcourage beklage, weiß ich heute noch, ich spreche auch von mir.

Wieso ich zu Wohnung und Telefon kam

Ich habe nicht viele Prinzipien, gehöre überhaupt nicht zu den guten Menschen, die das schon aus Prinzip sind. Aber ein Prinzip versuchte ich zu DDR-Zeiten doch einzuhalten: Ich wollte keine Privilegien in Anspruch nehmen, die von der Partei manchen Künstlern und anderen Prominenten gewährt wurden.

Das war – ich weiß es heute – lächerlich. Denn was da in der DDR Privileg war, ist anderswo Selbstverständlichkeit – ein neues Auto, wenn das alte nicht mehr fährt, ein Telefonanschluß, eine annehmbare Wohnung …

Die Partei verwaltete den permanenten Mangel und liebte es, Geschenke zu machen, wenn der Beschenkte vorher nur hübsch Bitte-bitte machte. Selbstverständlich mußten solche Geschenke bezahlt werden. Aber Geld spielte nur eine sehr untergeordnete Rolle im real-existierenden Verteilersystem.

Da ich gerade dieses System kritisierte, meinte ich, mich daran nicht beteiligen zu dürfen. Soweit mein schönes Prinzip. Als mich dann die häßliche Wirklichkeit in Form meiner Ehescheidung einholte und ich bei Freunden im ehelichen Schlafzimmer einwohnen mußte, verließ mich mein Prinzip, und ich ging ins Kulturministerium, um Bitte-bitte zu machen. Das aber war nicht nur prinzipienlos, das war dämlich.

Der für Fälle wie mich zuständige stellvertretende Minister

gab mir sofort, was er zu vergeben hatte – eine Audienz in seinem Dienstzimmer.
Als ich ihm meine obdachlose Situation schilderte, zeigte er viel Verständnis und teilte von Herzen meine Ratlosigkeit. Schließlich bot er mir seine Hilfe in Form einer Dringlichkeitsbescheinigung für das Wohnungsamt an. Davon besaß jeder Wohnungssuchende in der DDR mindestens ein Dutzend.
Eine Wohnung hätte mir nur der Parteichef von Berlin zuteilen können. Aber bei dem – das wußte ich auch ohne den Hinweis meines stellvertretenden Ministers – sollte ich mich besser nicht sehen lassen. Dem war meine ganze Kabarettschreiberei schon lange ein Dorn im Auge. Die Abneigung war durchaus gegenseitig, obwohl wir uns persönlich gar nicht kannten.
Ich ging also, nunmehr nicht nur wohnungs-, sondern auch prinzipienlos, zurück in die fremde Schlafstube und schämte mich. Aber das interessierte keinen Menschen, denn ich schämte mich ja nur vor mir.
Zu der eigenen kleinen Wohnung kam ich dann, wie man in der DDR eben zu etwas kam – ich hatte einen Freund, der einen Bekannten hatte, dessen Bekannter gerade aus einer Wohnung auszog und mich vorher rasch noch als Untermieter aufnahm. Wer in der DDR erst mal in einer Wohnung saß – sei es als Haupt- oder auch nur Untermieter –, der war unkündbar.
Um mir auch weiterhin im persönlichen und beruflichen Leben behilflich zu sein, schrieb mir das Kulturministerium eine Dringlichkeitsbescheinigung für den Erwerb eines Fernsprechanschlusses. Und nur ein Jahr später wurden doch wirklich im ganzen Haus Fernsprechanschlüsse gelegt. Alle meine Nachbarn hatten plötzlich Telefon, obwohl sie, soweit ich weiß, keine Dringlichkeitsbescheinigung vom

Kulturministerium hatten. Ich frequentierte weiterhin die öffentlichen Telefonzellen.

Daß ich dann, etwa ein halbes Jahr später, auch einen eigenen Anschluß bekam, verdankte ich einem Herrn vom Fernsprechamt Berlin, der gern ins Kabarett ging und sich erinnerte, meinen Namen mal auf einem Programmzettel gelesen zu haben.

Will sagen, nicht jeder, der in der DDR keine Privilegien genossen hat, tat dies aus Charakterstärke. Bei manchen hat es einfach nicht geklappt.

Wieso mein Welterfolg nicht größer wurde

Mein erstes Theatererlebnis – das hatte ich schon erzählt – war *Der Vetter aus Dingsda.* Es war schon deshalb ein Erlebnis, weil Kinder unter vierzehn Jahren gar nicht zugelassen waren. Ich war höchstens zwölf und sah zu meinem allgemeinen Kummer aus wie neun. Aber meine Mutter hatte dem strengen Feuerwehrmann am Eingang gesagt, ich wäre schon vierzehn. Daß meine sonst so ehrliche Mutter so offensichtlich log, muß dem Einlaßbeamten wohl einfach die Sprache verschlagen haben. Jedenfalls ließ er mich passieren.

Ich war sicher der jüngste Zuschauer im Finsterwalder »Gesellschaftshaus Naundorf«, wo die Zuschauer auf Gartenstühlen saßen und die Darsteller durch den Zuschauerraum gehen mußten, wenn sie auf die Bühne wollten. Viel mehr aber irritierte mich die dicke Schminke, die alle Gesichter auf der Bühne wie paniert erscheinen ließ. Und dann wunderte mich, warum die da oben plötzlich so unverständlich zu singen anfingen, nachdem sie vorher so schön verständlich gesprochen hatten.

Meine Mutter erklärte mir, das wäre eben die Kunst daran, und ein Lied wie »Ich bin nur ein armer Wandergesell, gute Nacht, liebes Mädel, gut' Nacht« könnte sie immer wieder hören. Man konnte es ja auch wirklich gleich mitsingen. Auf

dem Heimweg jedenfalls haben wir es, wenn ich nicht irre, zusammen gesungen.
Als ich dann das erste Schauspiel sah, vermißte ich den Gesang während der Vorstellung überhaupt nicht. Erst auf dem Heimweg fiel mir auf, daß ich kein so schönes Lied auf den Lippen nach Hause trug. Warum manchmal im Theater gesungen wird und manchmal gar nicht, darüber machte ich mir lange Zeit Gedanken. Aber dann dachte ich einfach, daß das eben so ist, wie es auch im Leben ist. Da gibt es ja auch Tage, an denen man singt, und Tage, an denen man eben nicht singt.
Ich habe immer gern gesungen und würde das sicher heute noch so gern tun, wenn ich nicht Musikunterricht gehabt hätte. Da mußte man manchmal ganz allein vor der ganzen Klasse singen. Bis zur achten Klasse machte mir das nicht viel aus. Ich hatte wohl sogar eine ganz hübsche Stimme, sang jedenfalls im Schulchor mit. Eines Tages war mal wieder Gesangsprüfung im Unterricht. Jeder sollte sein Lieblingslied singen. Und so sang ich denn mit feiner, heller Sopranstimme und viel Gefühl »Sah ein Knab' ein Röslein stehn, Röslein auf der Heiden ...«.
Weiter kam ich nicht, weil die ganze Klasse lachte. Alle anderen Jungs hatten längst Stimmbruch, nur ich sang mit vierzehn noch Sopran. Der Lehrer schimpfte zwar auf meine albernen Mitschüler, aber ich hatte mich unsterblich blamiert. Wenn mich jemand ärgern wollte, brauchte er nur zu sagen: »Sing doch noch mal ›Sah ein Knab' ein Röslein stehn‹.« Nein, ich sang nie wieder vor der Klasse. Lieber ließ ich mir eine Fünf in Musik und Mitarbeit geben. Ausgelacht zu werden war soviel schlimmer.
An der Schauspielschule hatten wir Chanson-Unterricht. Ich litt Höllenqualen und versuchte mich mit künstlerischem Sprechgesang zu retten. Unsere sonst so strenge

Dozentin überging meine Sangeskunst mit nachsichtigem Lächeln und gab mir zum Schluß, weil ich in der Musiktheorie etwas sicherer war, im Fach Chanson ein äußerst schmeichelhaftes Genügend. Leider genügte mein Singtalent in der Praxis dann kaum noch. Natürlich mußte man auch im Kindertheater immer mal singen und im Kabarett erst recht. Die Musiker gaben sich viel vergebliche Mühe mit mir, und meine Kollegen freuten sich meist sehr an den Tönen, die da von mir ausgingen. Vielleicht bin ich überhaupt nur wegen der Singerei nicht mehr auf der Bühne.

Dabei habe ich, seit ich schreibe – und das tue ich, so lang ich denken kann –, immer am liebsten Lieder geschrieben, ganz konventionell in ordentlichem Versmaß und mit Endreim. Natürlich habe ich mich, als ich von Kopf bis Fuß Brecht-Jünger war, auch an reimloser Lyrik mit unregelmäßigen Rhythmen versucht. Aber das tat ich aus rein künstlerischer Überzeugung, denn Spaß hat mir das nicht gemacht. Als ich dann wieder auf den Kästner kam, begann sich bei mir auch alles wieder zu reimen.

In allen meinen Kinderstücken gibt es Lieder. Denn ich höre andere Leute so gern singen. Mag die deutsche Sprache und manche moderne Kunstauffassung dem Reim auch noch so feindlich gegenüberstehen, ich liebe ihn, und am liebsten hab' ich ihn gesungen. Könnte ich nur selbst auch singen, nie hätte ich ein Wort für fremde Leute geschrieben. Ich wär' der deutsche Brel und Brassens, und Biermann würde wohl neidlos seine Gitarre einpacken, denn gegen einen Brel und einen Brassens ist er eben nur ein deutscher Liedermacher.

Ich wäre und hätte sehr viel, gäbe es nicht diesen verdammten Konjunktiv nur als reine Möglichkeitsform. Aber versucht habe ich immerhin sehr viel, und nicht immer habe ich alles so schnell eingesehen wie mein fehlendes Talent für den Gesang. Mein Freund Ostberg kann sehr schön singen und ist trotzdem wohl nicht viel glücklicher geworden, denn er ging einst zum Operettentheater. Früher haben wir beide alle Operetten der Welt aus tiefstem Herzen verachtet, damals, als wir noch genau wußten, was allein Kunst ist. Mit zunehmendem Alter wurden wir unsicherer, auch wenn wir heute noch nicht alles schön finden, was so auf deutscher Operettenbühne gesungen wird. Aber es gibt eben auch gute Operetten, die nicht besser und nicht schlechter werden, wenn man sie Musical nennt, wie es gute und schlechte Opern, Schauspiele, Bücher und Leberwurst gibt.

Ich ging regelmäßig zu Ostbergs Premieren, und wenn ich da so eine weniger gute Operette sah, wußte ich nur eines – das könnte ich besser. Das habe ich auch dem Intendanten des Berliner Metropoltheaters gesagt. Er schien mir das zu glauben, denn er sagte immer wieder, ich sollte doch mal was Besseres schreiben. So nahm mein Welterfolg, denn weniger konnte es ja gar nicht werden, seinen Anfang.

Ich suchte nach einem Stoff und fand, was Lion Feuchtwanger schon vor mir gefunden hatte, die alte, indische Geschichte von der Bajadere *Vasantasena*. Feuchtwanger hatte ein Schauspiel daraus gemacht, wohl weil er noch nicht ahnte, daß wirklich moderne Welterfolge ausschließlich Musicals sind. Mit Hilfe eines sehr belesenen Musikdramaturgen schrieb ich also ein Libretto und gab es dem Intendanten zu lesen.

Er war weder begeistert noch entsetzt, sondern fragte nur, wen ich mir denn so als Komponisten meines Werkes vorgestellt hätte. Da Kurt Weill und Hanns Eisler schon verstorben waren, schlug ich Paul Dessau vor. Der Intendant war ein erfahrener Operettendirektor und meinte, Dessau wäre gewiß ein bedeutender Komponist, für das Genre Operette aber vielleicht nicht so geeignet. Als ich sagte, das könnte man doch mal ausprobieren, sagte der Intendant nur, das hätten sie schon mal ausprobiert. In den fünfziger Jahren hätte Dessau für sein Haus etwas komponiert, und das wäre die größte Pleite seiner Intendantenlaufbahn gewesen. Operettenpublikum sei ein ganz besonderes Publikum, das man nicht überfordern dürfe.

Andere bei uns lebende Komponisten kannte ich damals noch nicht gut genug, und schließlich fand ich die ganze Musik auch nicht so wichtig. Mein Libretto sprach ja schon für sich. Der Intendant schlug einen seiner Hauskomponisten vor, der für DDR-Verhältnisse im Musicalbereich bereits äußerst erfolgreich war. Ich kannte den Namen vom Hörensagen und war einverstanden, weil ich keinen anderen Vorschlag wußte.

Besagter Komponist also las mein Textbuch und reagierte sofort und begeistert. Gerade auf dieses Libretto hätte er gewartet. Keine Frage, er würde es sofort komponieren, ich müßte es nur ganz und gar umschreiben.

Ans Umschreiben war ich vom Kabarett her gewöhnt und ahnte nichts Böses. Der Komponist war ein älterer Herr und über die Maßen freundlich. Sich mit ihm zu streiten war nahezu ausgeschlossen, weil ihn jede andere Meinung, besonders aber meine, auf der Stelle unendlich traurig werden ließ. Er verzweifelte derart an meiner Uneinsichtigkeit, daß ich sehr schnell alles einsah, nur um ihn nicht wieder so traurig zu machen.

Er hatte in *Vasantasena* den Stoff seines Lebens gefunden, und den durfte ich ihm mit meinem Libretto nicht kaputtmachen. Er war sofort, nachdem er den Kompositionsauftrag angenommen hatte, nach Indien gereist, um in alle

Geheimnisse indischer Musik einzudringen und sie in das unvermeidliche Meisterwerk einfließen zu lassen. Daß mein Theater-Indien hier in Mitteleuropa lag, daß mich an diesem klassischen Stoff der Zeitbezug interessierte, das machte ihn so tieftraurig, daß ich schnell alles zurückzunehmen bereit war, um ihn nur wieder aufzuheitern. Und er konnte sehr heiter sein, wenn ich nur seinem musikalischen Rat folgte.
Meine ganze Familie hatte er in sein wunderschönes Haus an der Ostsee eingeladen – und was tat man zu DDR-Zeiten nicht alles für einen Ostseeurlaub! Sogar ein kleines Häuschen wollte er für mich und meine Familie auf sein Grundstück bauen lassen, wenn ich ihm nur endlich aus seinem indisch gewordenen Herzen dichten wollte. Schließlich wollte ich fast alles, was er wollte, nur damit er nicht wieder so unendlich verletzt wäre, wie er immer war, wenn ich ihn nicht verstand.
Ich war schließlich bereit, auf alle deutsche Logik zu verzichten, ich stellte ihm die Hauptdarstellerin immer dann auf die Bühne, wenn er für seine Komposition ihren Sopran brauchte, ganz egal, ob sie vom Handlungsverlauf her da sein konnte oder nicht. Wenn er sie – wie er sich ausdrückte – musikdramaturgisch brauchte, hatte ich sie ihm hinzuschreiben. So entstanden logisch ganz und gar unbegreifliche Situationen, aber das war dann eben Musiktheaterdramaturgie, von der ich nachweislich nichts verstand. Was mußte ich auch noch von meinem Libretto verstehen, wenn er mit seiner Musik die Zuschauer verzaubern würde und sie im übrigen den Text sowieso nicht verstehen würden. Diese Bemerkung tröstete mich denn auch über alle Ungereimtheiten meines Textes hinweg. Sobald er gesungen wurde, war wirklich kaum noch etwas zu verstehen.

Aber davon konnte ich mich erst auf der Bühne überzeugen. Vorher versuchte ich den Intendanten zu überzeugen, daß er für die Inszenierung einen mir bekannten Regisseur vom Berliner Ensemble engagieren sollte, der in die nunmehr doch sonderbar verstrickte Handlung kraft seines Regietalentes etwas Logik hineininszenieren könnte. Mein eben noch heiterer Komponist wurde wieder tieftraurig, aber er gab nach. Da er die musikalische Leitung hatte, würde er schon das Schlimmste verhindern, muß er sich gesagt haben.
Allerdings bestand er darauf, daß der Regisseur, bevor er dieses nunmehr zutiefst von indischem Geist erfüllte Werk auf die Bühne brachte, einmal selbst nach Indien reiste. Diesem Wunsch entsprach der Regisseur nur zu gern, denn das Theater mußte die Reise bezahlen, und wie kam man schon mal nach Indien als DDR-Bürger unterhalb des Rentenalters? Leider hatte der Regisseur in Indien ganz andere Eindrücke gesammelt als zuvor der Komponist. Er schien nur das Elend gesehen zu haben. Jedenfalls kam er krank an Leib und Seele zurück, und die Inszenierung mußte erst mal verschoben werden.
Der Komponist war verzweifelt. Schließlich war er doch auch in Indien gewesen und überwältigt von den wunderbaren Farben und Klängen dieses Märchenlandes. Ein paar Bettler waren auch da, aber das gehörte nun einmal zur indischen Exotik. Ich war nie in Indien, konnte also nicht mit ihm streiten. Schließlich starb der Intendant, aber der Regisseur genas und begann endlich mit der Inszenierung.
Nachdem etwa vier Wochen probiert worden war, stellte sich heraus, daß mein Regisseur eine andere Verpflichtung im Ausland hatte, die er unmöglich verschieben konnte oder wollte. Die Berliner Inszenierung noch mal zu verschieben, das lehnte der neue Intendant ab. Er erinnerte mich an

meine dahingeworfene Bemerkung, notfalls würde ich das Ding selbst zu Ende bringen. Ich bin – das habe ich schon zugegeben – ein Preuße. Wenn es nur irgendwie geht, halte ich mich an Vereinbarungen, auch wenn ich sie noch so leichtfertig eingegangen bin. Also hielt ich und inszenierte.

Da ich als Kind Blockflöte spielen gelernt habe, kann ich Melodiestimmen lesen, aber natürlich keine Partitur. Also saß ich allnächtlich mit dem Klavierauszug vor dem Tonbandgerät und versuchte, mich durch die Musik zu buchstabieren, die ich am nächsten Tag szenisch umzusetzen gedachte. Morgens waren die Bühnenproben. Nachmittags stand ich mit der Choreographin und meiner Assistentin im Ballettsaal, um die Arrangements vorzubereiten. Zum Glück verstanden die beiden wesentlich mehr vom Musiktheater als ich.

Wie vergeblich es allerdings sein kann, einen Musiktheaterchor arrangieren zu wollen, weiß nur, wer einmal eine Oper oder eine Operette inszeniert hat. Am Ende, also spätestens zur Premiere, stehen doch alle auf ihren angestammten Plätzen – die Alten vorn, die Jungen hinten. Nicht die Handlung oder der Regisseur entscheidet, wer wo zu stehen hat, sondern die Dauer des Beschäftigungsverhältnisses. Je länger einer am Theater ist, desto weiter steht er vorn.

Am besten verstand ich mich übrigens mit dem Ballett. Da ich auch davon wenig verstehe, ließ ich den Tänzern und ihrer Choreographin ungewohnte Freiheiten, und sie machten daraus viel Besseres, als mir je hätte einfallen können. Mein längst wieder trauriger Komponist litt als musikalischer Leiter unter jedem logischen Einfall, der in die Regie einfloß. Aber er resignierte zum Glück nicht völlig, sondern setzte immer dann wieder seine musikdramaturgi-

schen Erfahrungen ein, wenn ich mal nicht so genau aufpaßte.
Irgendwie kam die Geschichte aber ins Laufen, und wenn man so lange an einer Sache gearbeitet hat, wie ich an *Vasantasena* arbeitete, kommt einem auch Absurdes langsam logisch vor. Man gewöhnt sich an das Unvermeidliche, ähnlich wie wir uns alle irgendwann an alle Absurditäten der DDR gewöhnt haben. Was lange währt, muß zwar nicht gut werden, aber man findet sich halt auch mal ab.
Die Premiere schien uns allen recht zu geben. Sie war ein geradezu rauschender Erfolg. Die ersten Kritiken in der Tagespresse waren überschwenglich. Alles wurde gelobt, die wunderschöne, so exotische Musik genauso wie die zahlreichen, zeitbezüglichen Anspielungen des hochintelligenten Textes. Ich vermutete schon, daß Musiktheater eben doch so etwas wie ein Gesamtkunstwerk sein könnte, in dem die Einzelheiten nichts miteinander zu tun haben müßten.
Dann kam der erste Verriß, der mich tief traf, obwohl er mich hätte belustigen müssen. Da stand schwarz auf weiß, daß er, der Kritiker, ein Kenner der DDR-Musikgeschichte, zwei Dinge nicht verstünde – nämlich wieso man dem Hanns Eisler einst seinen *Doktor Faustus* habe ausreden und dem Ensikat die *Vasantasena* habe einreden können. Irgendwie muß mich die große Traurigkeit des Komponisten angesteckt haben, denn statt über den lustigen Verriß zu lachen, habe ich der Redaktion einen beleidigten Brief geschrieben, den ich hiermit tiefbeschämt zurücknehme.
Aber zurück zum Welterfolg! Der stellte sich nämlich doch noch ein. Das Stück wurde in Berlin etwa fünfzigmal vor jeweils halbvollem Haus gespielt und dann, wenn ich nicht irre, in Döbeln, Wittenberg und sogar im tschechischen Liberec nachgespielt. Nun ja, dachte ich, die DDR ist eben

eine kleine Welt, und ihre Welterfolge sind halt auch nicht viel größer.
Ich kehrte zurück zum Kindertheater und zum Kabarett und ließ meinen armen Komponisten nun allein die ganze Trauer tragen. Wir sind uns seitdem aus dem Weg gegangen, nicht weil wir uns nicht mehr leiden könnten, nein, wir passen einfach nicht zusammen. Und wenn man nicht gerade verheiratet ist miteinander, dann ist das ja auch keine Katastrophe, aber eben auch kein richtiger Welterfolg.

Wieso ich einer Freundin riet, in den Westen zu gehen

Also das ist eine lange Geschichte, und schön ist sie auch nicht. Ich will sie nicht beschönigen, aber wenigstens kurz machen. Sie passierte mir zu einer Zeit, als ich schon fest entschlossen war, diese DDR freiwillig nicht zu verlassen. Auch allen Freunden und Bekannten, die weg wollten, riet ich zum Bleiben. Denn das waren ja meist Leute, die sich nicht angepaßt hatten, Leute, die etwas verändern wollten.

Anpassung ist ein Menschenrecht, ich weiß. Aber in der DDR wurde von diesem Recht allzu viel und allzu schnell Gebrauch gemacht. »Man kann ja doch nichts machen.« Das war die gängigste Redewendung. Daraus wurde übrigens nach der Wende die freimütige Bekundung: »Ich sage gar nichts mehr.«

Ich gehörte zu denen, die meinten, man könnte vielleicht doch noch was machen, und habe auch heute nicht die Reife, gar nichts mehr zu sagen. Wer damals entschlossen war, die DDR zu verlassen, der ging, notfalls auch übers Gefängnis. Es führten so viele Wege in den Westen, aber kaum einer führte zurück. Traf ich mal einen von den »Ehemaligen« in seiner neuen Heimat wieder, dann gab es nach fröhlicher Begrüßung meist eher traurige Gespräche.

Aus der DDR waren sie allesamt weggegangen, weil sie hier

unglücklich waren. In der DDR unglücklich zu sein, dafür gab es viele Gründe, darunter auch solche, die nur scheinbar mit der DDR zu tun hatten. So fanden denn auch viele nicht das erhoffte Glück im Westen. Dafür hatten sie aber alle etwas verloren – die Hoffnung auf die andere Möglichkeit. Wer sich in der DDR eingesperrt fühlte, und das war das vorherrschende Gefühl, der konnte immer noch davon träumen, daß in der Freiheit alles besser wäre.

Denen, die damals einzeln und oft mit großem Risiko weggegangen waren, war es wohl ganz ähnlich ergangen, wie es uns Zurückgebliebenen ging, als wir, ohne die Wohnung zu wechseln, auch im Westen ankamen. Sie hatten Anpassungsprobleme, und der Anpassungsdruck war jetzt eher größer als kleiner. Manche von denen, die in der DDR jede Anpassung verweigert hatten, kapitulierten im Westen. Ich Unwissender habe ihnen das dann fast immer – wenn auch unausgesprochen – vorgeworfen. Ja, ich habe auch eigene Kompromisse damit entschuldigt.

Wie gesagt: Wenn mich hier Freunde oder Bekannte fragten, habe ich immer zum Bleiben geraten. Es sei denn, der- oder diejenige sagte, er oder sie wollte endlich ein richtiges Auto fahren und Urlaub auf Mallorca machen. Wer nur das vom Westen erwartete, konnte wohl kaum enttäuscht werden und hatte in der DDR bestimmt keine Aussicht auf die Erfüllung seiner Wünsche.

Ausgerechnet der Tochter eines CIA-Spions, die es weder zum großen Auto noch nach Mallorca zog, riet ich, in die Bundesrepublik zu gehen. Ihr Vater hatte den Amerikanern militärische Geheimnisse verraten, und wer militärische Geheimnisse verrät, der tut meiner Ansicht nach der Menschheit fast immer einen Gefallen. Er hatte es auch nicht für Geld getan, sondern ausschließlich für sein Gewissen. Dafür wurde er in der DDR zu lebenslangem Zuchthaus verurteilt.

Ich hatte vor seiner Verhaftung nur einmal mit ihm telefoniert. Danach lernte ich seine Familie kennen und erfuhr so, was es bedeutete, in der DDR als Spion verurteilt zu sein. Das hatte weniger mit Strafe zu tun als mit Rache. Nach zehn Jahren Haft – die Amerikaner hatten nichts für ihn getan – kaufte ihn die Bundesrepublik frei, und seine ganze Familie durfte mit ihm ausreisen.
Eine seiner Töchter zögerte. Als er verhaftet worden war, war sie noch ein Kind. Und ein Kind kann seinem Vater auch Heldentaten manchmal nicht verzeihen, wenn er aus Gründen des Heldentums im Alltag nicht zur Verfügung steht. Jetzt hatte sie in Leipzig gerade ein Studium begonnen. Ihr ging es wie mir – sie hatte noch nicht herausgefunden, wo das Gute und wo das Böse wohnte. Daß sie das jetzt ausgerechnet von mir wissen wollte, verunsicherte mich ganz und gar. Daß die DDR nicht der Hort des Guten war, das wußten wir beide schon. Aber war es die Bundesrepublik? Das wußten wir beide noch nicht.
Ich wiederholte immer nur, daß sie nur selbst ihre Entscheidung treffen könnte. Das wollte sie ja auch gern, aber vorher wollte sie eben ausgerechnet von mir hören, was ich an ihrer Stelle täte. Das habe ich ihr nicht gesagt – ich war allerdings auch schon älter als sie. Ihr riet ich dann nach langem Zögern, sie sollte doch einfach mal nach drüben gehen und sich da umschauen. Den Osten kannte sie schließlich, und wenn man einmal die Wahl hat, dann sollte man sie auch wahrnehmen. Danach könnte sie ja immer noch entscheiden, wo sie leben wollte. Ich war wirklich so blauäugig, das zu glauben. Ich ahnte nicht, daß es in der DDR noch so etwas wie Sippenhaft geben könnte.
Ein paar Tage vor ihrer Ausreise zeigte sie mir das große Papier, auf dem stand, daß sie aus der DDR-Staatsbürgerschaft entlassen wäre. Das allerdings klang endgültig. Ich

erschrak etwas, sagte aber nichts. Jetzt war es ohnehin zu spät. Im Westen angekommen, tat sie zuerst mal das, wovon jeder DDR-Bürger träumte – sie reiste herum. Sie verschaffte sich, was in der DDR nur theoretisch zu haben war, eine Weltanschauung.

Ich traf sie in Brüssel wieder. Sie kam gerade aus London zurück, als ich mal wieder in Brüssel inszenierte. Nein, zurück in die DDR wollte sie zum Glück nicht, obwohl wir von nichts anderem sprachen als von dieser DDR. Sie wollte einfach wiedersehen, was sie kannte, ihre Freunde treffen, eben mal wieder nach Hause, wie man eben immer mal wieder nach Hause möchte, auch wenn man sich längst woanders eingerichtet hat.

Aber das durfte sie nun nicht mehr. Nicht einmal die Transitwege durfte sie benutzen, weil sie die Tochter ihres Vaters war. Ich versuchte sie zu trösten und glaubte auch wirklich, daß das völlig unsinnige Verbot früher oder später aufgehoben werden müßte. Deshalb schrieb ich auch Briefe an einige Behörden, bekam aber bestenfalls eine Empfangsbestätigung, keine einzige Antwort. Dann fragte ich einmal einen Funktionär, von dem ich annahm, er könnte vielleicht etwas tun. Er konnte aber gar nichts, er war nur Kulturfunktionär, hatte also in der DDR in etwa die Macht, die heute in der Bundesrepublik ein Ausländerbeauftragter hat. Als ich ihn wiedertraf, sagte er nur, ich sollte die Finger von der Sache lassen, die Staatssicherheit wäre da im Spiel. Damit war das Gespräch zu Ende. Das Wort Staatssicherheit konnte viele Gespräche beenden.

Meine Freundin traf ihre Freunde aus der DDR in Prag oder Budapest und durfte die DDR erst wieder betreten, nachdem die Mauer gefallen war. Jetzt ist sie häufig hier, und immer wenn wir uns sehen, reden wir über damals, als ich ihr diesen Rat gab. Und dann bekomme ich regelmäßig –

ohne genau zu wissen warum – mein schlechtes DDR-Gewissen. Dabei habe ich ihr ja nicht einmal ganz falsch geraten. Aber mir wird etwas bewußt, was ich in besseren Stunden verdrängen kann: Wie oft habe ich vor mir selbst und vor anderen das wirklich Schlimme, Unmenschliche an diesem Land verharmlost. Wie oft wollte ich nicht zur Kenntnis nehmen, was doch unübersehbar war. Die Wahrheit über die Staatssicherheit haben wir doch nicht erst nach deren Zusammenbruch erfahren. Manche Einzelheiten wußte ich nicht, aber daß ich und andere Leute hier ständig überwacht waren, daß Unschuldige im Gefängnis saßen, daß an jedem zweiten Kneipentisch ein Spitzel saß – das wußten wir alle und haben darüber Witze gemacht. Dieser Staat, der sich auf nichts lieber berief als auf seinen Antifaschismus, hatte längst selbst faschistische Züge angenommen.
Und jetzt, da wir in der Freiheit angekommen sind und erfahren müssen, wie unmenschlich auch Freiheit sein kann, wieviel Ungerechtigkeit Platz im Rechtsstaat hat, wie hohl auch die Phrasen demokratisch gewählter Politiker sein können, jetzt versuchen wir uns manchmal nachträglich noch eine menschlichere DDR einzureden. Gewiß, es gab keine Arbeitslosigkeit, keine Obdachlosigkeit. Aber wie haben wir uns seinerzeit erregt über die allgemeine Schlamperei, über die alle schimpften und die fast alle mitgemacht haben. »Man kann ja doch nichts machen.«
Nein, das Schlimmste, was mit dieser DDR hätte passieren können, wäre, daß alles noch so wäre, wie es war, als die größten Staaten der Welt jene waren, die mit einem U anfingen: die USA, die UdSSR und *Unsere* Deutsche Demokratische Republik.
Was aber würde ich heute der Tochter eines KGB-Spions raten, der auf der falschen Seite die richtigen militärischen

Geheimnisse verraten hat? Die Frage ist hypothetisch, denn wonach sollte sie mich heute überhaupt noch fragen. Seit es nur eine Antwort gibt auf die Frage »wohin?«, erübrigt sich die Frage selbst. Aber ein Satz bleibt für mich doch gültig, von dem ich einmal meinte, er gelte nur für unzufriedene DDR-Bürger: »Bleibe im Lande und wehre dich täglich!« Denn seit es kein Drüben mehr gibt, bliebe ja sonst nur die Hoffnung aufs Jenseits.

Wieso ich früher die Tagesschau mit anderen Augen sah

Zu den wachsam gehüteten Staatsgeheimnissen der DDR gehörte die Einschaltquote der *Aktuellen Kamera,* der Nachrichtensendung des DDR-Fernsehens. Alle wußten, daß sie kaum einer anguckte, keiner wußte, keiner durfte wissen, wie wenig sie gesehen wurde. Das Fernsehen galt auch in der DDR als Massenmedium, obwohl die Massen es kaum zur Kenntnis nahmen.

Ich gehörte zu der verschwindend kleinen Minderheit, die regelmäßig die *Aktuelle Kamera* sah. Alle lachten über mich, die Familie verließ kopfschüttelnd das Zimmer, wenn ich – jeden Abend wieder – um neunzehn Uhr dreißig auf den Folterknopf drückte.

Das war nicht nur Masochismus. Ich meinte, mich auch über die Nichtinformation des DDR-Fernsehens informieren zu müssen. Eine halbe Stunde währte der peinliche Schrecken allabendlich. Danach, um zwanzig Uhr, schaltete ich um auf die Tagesschau, und die Familie versammelte sich jetzt einträchtig vor der Mattscheibe, um zu erfahren, was denn nun wirklich in der Welt passiert war.

Der *Aktuellen Kamera,* wenn man sie überhaupt sah, glaubte man so gut wie nichts. Selbst dem Wetterbericht aus Potsdam mißtraute man mehr als der Wetterkarte aus Frankfurt. Der *Tagesschau,* die man natürlich sah, glaubte man fast alles, auch wenn man nicht alles gleich wichtig nahm. Mein

Gott, was gingen einen Bonner Steuererhöhungen an oder die Arbeitslosenzahlen aus Nürnberg?
Wenn aber dann einmal gleiche Bilder mit nahezu gleichen Wortberichten – etwa über einen Vulkanausbruch oder eine Überschwemmung – über die feindlichen Sender flimmerten, dann war man eher geneigt, der *Tagesschau* zu mißtrauen als der *Aktuellen Kamera* zu glauben. Der Verdacht lag nämlich nahe, daß der Westen mal wieder auf einen Propagandatrick der Kommunisten hereingefallen war, die nur zu gern Katastrophen außerhalb des sozialistischen Lagers erfanden.
Honecker hat einmal verkündet, der DDR-Bürger gehöre zu den bestinformierten Menschen dieser Erde. Damit hatte er – meinte ich damals – nicht ganz unrecht. Was er verschwieg, das war, woher dieser DDR-Bürger seine Informationen bezog. Deshalb empfand ich diese Bemerkung damals als zynisch. Heute weiß ich, sie war auch schlicht unwahr. Hätte uns der Westen so unvorbereitet überraschen können, wenn wir über ihn wirklich informiert gewesen wären?
Gewiß, die *Tagesschau,* überhaupt das Westfernsehen, hatte die sozialen Probleme in der Bundesrepublik nicht verschwiegen. Aber das waren doch Meldungen aus einer fernen Welt, die der unseren an Wohlstand und Schönheit so weit überlegen war. Das sahen wir täglich im Werbefernsehen. Und vieles von dem, was die Werbung uns so schön bunt nahebrachte, konnten wir ja – sofern wir ein bißchen Westgeld hatten – im Intershop kaufen, oder wir bekamen es von Westtante und -onkel in den beliebten Geschenksendungen zugeschickt.
Was waren die grauen Bilder von Arbeits- oder Obdachlosigkeit gegen das wunderbare Aroma des Westkaffees? Armut im Westen? Mein Gott, wir waren arm dran ohne die

täglichen Südfrüchte, die betäubenden Gerüche westlicher Kosmetika. Von westdeutschen Arbeitslosen wußten wir nur, daß sie Mercedes fuhren. Wenn wir sie im Urlaub am Schwarzen Meer oder am Balaton trafen, sahen wir ja, welchen Luxus sie sich mit ihrem Arbeitslosengeld leisten konnten, während wir uns mit Dauerwurst und Tütensuppen durch den Urlaub im sozialistischen Bruderland schleppten.

Nein, was wir mit eigenen, neidisch aufgerissenen Augen sahen, das konnte kein Politmagazin, keine schwarzmalende Reportage aus unserem Westbild tilgen. Unsere Arbeit war schließlich nichts als eine schlechtbezahlte, traurige Pflicht, aber doch kein Menschenrecht, um das man sich Sorgen machen mußte. Unsere beneidenswerten Westverwandten sagten ja auch oft genug, was wir sowieso schon lange wußten: Wer arbeiten will, der findet auch Arbeit.

Und war nicht alles, was über unseren angeblich so strahlend schönen Sozialismusalltag in unseren Medien berichtet wurde, erstunken und erlogen? Wenn da also was vom harten, ungerechten westlichen Kapitalismus berichtet wurde, dann konnten wir nur müde ablachen. Wer zu Hause lügt, dem glaubt man auch woanders nicht. Die konnten zehnmal vom Wolfsgesetz des Kapitalismus reden. Wir wußten aus dem Werbefernsehen, was soziale Marktwirtschaft ist.

Jetzt, da diese Marktwirtschaft eher frei als sozial über uns gekommen ist und die Angst um den Arbeitsplatz, die Angst vor der nächsten Mieterhöhung genauso gegenwärtig ist wie die tägliche Banane, erschrecken wir. Im Osten herrscht jetzt soziale Unsicherheit, die wohl auch den abgebrühtesten Altbundesbürger das Gruseln lehren würde.

Wenn ich jetzt in der *Tagesschau* von Steuererhöhungen höre, von Pflegeversicherung und Gesundheitsreform,

dann muß ich mir immer erst bewußtmachen, daß das jetzt auch für mich gilt. Als damals vom Solidarbeitrag die Rede war, fand ich ihn gut und richtig. Als ich dann vom Finanzamt erfuhr, daß ich diesen Solidarbeitrag für mich und meinesgleichen auch zu zahlen hätte, fand ich ihn nur noch richtig, aber nicht mehr so richtig gut. Die ganzen schlechten Nachrichten der *Tagesschau* kommen zwar nach wie vor aus dem westlichen Hamburg. Ihre Folgen aber treffen nun auch mich im östlichen Berlin.
Also, so ruhig wie früher, als die Mauer noch stand, sehen wir die *Tagesschau* hier nicht mehr. Ja, selbst dem Werbefernsehen mißtrauen wir jetzt gelegentlich. Wenn sich aber Kanzler Kohl in einer, sagen wir, Silvesteransprache an die Bundesbürger wendet, dann braucht unsereins noch einige Zeit, um sich gemeint zu fühlen. Kohl ist jetzt auch mein Kanzler. So was muß man erst mal verdauen.
Und Blüms sichere Rente könnte einmal meine werden, wenn ich je Rente bekommen sollte als Freiberufler. Mein Verteidigungsminister Rühe ... Nein, was zuviel ist, ist zuviel. Nein, Soldat werde ich bestimmt nicht mehr, nicht einmal Bürger in Uniform. Bundesbürger reicht erst mal.

Wieso mir ausgerechnet ein Grenzbeamter als erster sagte, daß man ihn vierzig Jahre lang belogen und betrogen hätte

Als am 9. November 1989 in Berlin die Mauer fiel, lag ich in Brüssel im Bett. Am 4. November war ich auf der großen Demonstration in Berlin und glaubte, nachdem sie friedlich verlaufen war, eine Zeitenwende mitzuerleben. Am 5. November fuhr ich zu einer sehr traurigen Beerdigung nach Brüssel – eigentlich privat, aber natürlich unter einem Arbeitsvorwand offiziell eingeladen. Eine Schauspielerin, mit der ich oft gearbeitet hatte, war sehr jung gestorben.
Wie durch ein Wunder, aber zu der Zeit schienen ja fast alle Wunder möglich geworden zu sein, hatte ich rechtzeitig alle Papiere zusammen bekommen. An eine offene Grenze allerdings wagte wohl noch keiner zu denken, als ich vier Tage vor der Grenzöffnung Berlin verließ. In Brüssel war Sterbewetter. Ich wollte schnell wieder nach Hause.
Irgendwelche Journalisten hatten gehört, daß der Ostberliner Kindertheatermacher gerade wieder in Belgien war. Sie wollten von mir wissen, was ich von der Situation in Berlin hielte. Ich hielt damals sehr viel von dieser Situation. Auf die Frage, ob das denn nicht das Ende des ganzen Sozialismus wäre, antwortete ich so sicher, wie ich das im-

mer nur tue, wenn ich mich irre: »Jetzt fängt vielleicht der Sozialismus überhaupt erst an, ein Sozialismus zu werden.«

Ja, ich glaubte damals wirklich an all das, was man uns jetzt geglaubt zu haben vorwirft. Eine deutsche demokratische Republik, die ihren Namen verdient, also klein schreibt, sollte es werden. Ein vorläufig armes, aber freies Land, in dem Alternativen nicht nur diskutiert, sondern ausprobiert werden.

Wie klein unsere Minderheit war, die solchen Träumereien an preußisch-sächsischen Kaminen nachhing, wußte ich damals nicht. Von einer Wiedervereinigung sprach noch kein Mensch. Ich kann mich auch nicht erinnern, damals aus Bonn ein Wort davon gehört zu haben.

Es war ein Aufbruch ins Ungewisse nach vierzig Jahren schrecklicher Parteigewißheit. Hoffnung und Angst hielten sich die Waage. Jedenfalls sollte es nicht noch einmal die Übernahme eines fremden Siegersystems sein wie 1945 in Ost und West.

Der dritte Weg, von dem alle Realpolitiker, die uns von einer Katastrophe in die andere führen, genau wissen, daß er nur zur Katastrophe führen kann, sollte einmal wenigstens probiert werden. Daß es dazu nicht kam, wissen wir jetzt alle; daß es schlicht unmöglich war, was Leute wie ich wollten, wissen auch alle.

Daß man vielleicht doch hätte versuchen sollen, wenigstens ein paar Schritte selbstbestimmt zu gehen, sagen jetzt im Osten immer mehr Leute, die im alten System keine Hoffnung sahen und im neuen alten System keine Perspektive mehr haben. Die auf der Strecke geblieben sind auf dem geraden Weg in die Marktwirtschaft, würden heute gern noch mal den krummen Weg ins Ungewisse gehen, wenn sie nur die Chance hätten, die Richtung ein wenig

mitbestimmen zu dürfen und vor allem auf dem Weg in eine – zugegeben ungewisse – Zukunft noch gebraucht zu werden.
Ich weiß, das ist alles linker Schnee von gestern. Wir sind jetzt auf dem rechten Weg. Alles ist gekommen, wie es kommen mußte, wenn erst gehandelt wird und dann nachgedacht. In der DDR hieß das gesetzmäßige Entwicklung, heute nennt man es wohl Sachzwang. So gesehen verstehe ich auch das schöne deutsche Wort von der Tatsachenbehauptung – man schafft Tatsachen und behauptet dann, nicht anders handeln gekonnt zu haben.
Aber was rede ich denn da? Schließlich bin ich doch nicht unter die Räder gekommen. Mir geht es besser als jemals zuvor. Ich genieße Rede- und Schreibfreiheit. Keiner nimmt unsereinem noch krumm, daß er ein linker Spinner ist. Bunte Vögel braucht das Land. Solange die Mehrheit noch im Wohlstand lebt, läßt sie auch Minderheiten leben. Und wer ins Kabarett geht, der zündet keine Häuser an und legt gewiß auch keine Bomben.
Ich gestehe, daß ich 1990 nur aus Altersgründen nicht Terrorist geworden bin. Ich hatte nie Sympathien für die RAF. Gewalt steht mir als Mittel der Auseinandersetzung nicht zur geistigen Verfügung. Aber so hilflos, wie man sein muß, um Terrorist zu werden, hab' ich mich manchmal schon gefühlt, als alles kam, wie es halt kommen mußte, wenn man die Welt in Sieger und Besiegte teilt.
Drohbriefe erhielt ich übrigens nicht von den Siegern, sondern von manchen Verlierern, als sie noch nicht wußten, daß sie's waren. Sie unterschrieben ihre Drohungen tapferanonym mit dem schönen Eigennamen »das Volk«. Mich würden sie schon noch fertigmachen, stand da in schwarzumrandeten Trauerbriefen. Ich vermute, daß so mancher von ihnen jetzt auf dem Arbeitsamt sitzt und auf »die da

drüben« schimpft, nachdem er vorher nur auf »die da oben« geschimpft hatte.
Ich schimpfe nicht, ich versuche meine Chance zu nutzen, wissend, daß ich zu den wenigen gehöre in meiner Generation, die noch eine Chance haben. Was jetzt über vierzig ist im Ostvolk, das ist oder wird gewöhnlich abgewickelt. Das Wort Altlast muß gar nichts Politisches bedeuten. Schuld daran sind auch wir linken Intellektuellen, die, »objektiv betrachtet«, den Realpolitikern den Weg für ihre Realpolitik mit freigemacht haben.
Damals, als ich am 5. November 1989 im Zug nach Brüssel saß, saßen um mich herum nur DDR-Bürger, die auf dem Weg zu Verwandten waren. Wir diskutierten fröhlich über das, was in Berlin geschehen war. Alle waren froh über die vorauszusehenden Veränderungen. Es war ein Nichtraucherabteil. Zum Rauchen traf ich mich auf dem Gang mit einem großen, starken Stahlarbeiter aus Henningsdorf, der zu seinem arbeitslosen Schwager nach Dortmund fuhr. Er sagte zu mir: »Paßt bloß auf, daß ihr Intellektuellen uns nicht die Arbeitslosigkeit in den Osten holt.« Wir haben nicht aufgepaßt. Wir haben uns übernommen und wurden also übernommen.
Davon ahnte ich nichts in der Brüsseler Wohngemeinschaft, wo ich schlief, als in Berlin die Mauer fiel. Am Morgen des 10. November weckte mich einer der belgischen Mitbewohner gegen halb sieben, um mir die gute Nachricht vom Fall der Berliner Mauer zu bringen. Ich stürzte mit ihm in die Küche. Wir hörten im belgischen Radio, was in Berlin passiert war. Ich trank meinen Kaffee schnell aus und rief bei der belgischen Eisenbahn an, um die schnellste Verbindung nach Berlin herauszubekommen.
Kaum hatte ich aufgelegt, da riefen die belgischen Journalisten wieder an, denen ich an den Vortagen noch meine

Sozialismusträume in Mikrophon und Kamera gesprochen hatte. Nun sollte ich als Ostexperte meine fröhliche Stellung nehmen zum Mauerfall. Ich nahm statt dessen den ersten Zug nach Köln. Dort kaufte ich mir die Morgenzeitungen, in denen nichts stand, was ich nicht schon aus dem belgischen Radio wußte. Und dafür gibt man nun sein letztes Westgeld aus!

Im Zug nach Berlin saß ich neben einem jungen Westberliner Postbeamten, der genauso aufgeregt war wie ich. Er war zu Besuch bei seinen Eltern gewesen und hatte wie ich morgens aus dem Radio erfahren, was in der Nacht in Berlin geschehen war. Nun wollte er nach Hause, um dabeizusein, wenn Weltgeschichte passierte. In unserem Abteil gab es nur ein Thema – die Berliner Mauer. Jeder, der hinzukam, wurde nach Neuigkeiten gefragt.

Als wir uns der Grenze näherten – es gab sie ja noch –, fragten mich die westlichen Mitreisenden, ob sie wohl »meine« Grenzer fragen könnten. Ich fragte sofort, als sie in den Zug stiegen in ihren gewohnten Uniformen, mit den gewohnten Aufforderungen, die Reisedokumente bereitzuhalten. Es war anscheinend noch alles heil an der deutsch/deutschen Grenze bei Marienborn.

Meine Frage wurde zunächst nicht beachtet. Als ich sie wiederholte, machte ein älterer Bahnpolizist, der mit der Kontrolle eigentlich nichts zu tun hatte, den Mund auf: »Das ist ja alles nur in Berlin passiert ...« Weiter kam er nicht. Der kontrollierende Offizier fuhr ihm ins Wort: »Die Grenzorgane der DDR sind kein Auskunftsbüro.« Den Ton kannten wir alle. Keiner fragte weiter.

Eine halbe Stunde später kam der Bahnpolizist zu uns zurück. Er machte die Abteiltür hinter sich zu, nachdem er sich vorsichtig im Gang umgesehen hatte. Dann erzählte er unter Tränen, was wir alle wußten. Er hatte mit seiner

Familie die halbe Nacht vor dem Fernsehapparat gesessen. Für ihn war mit der Mauer die ganze Welt zusammengebrochen. »Die haben uns doch immer gesagt, wir stehen auf Friedenswacht. Wir müssen die DDR schützen, sonst kommt der Klassenfeind ...« Und dann heulte er richtig los, und keiner im Abteil lachte. »Vierzig Jahre lang haben sie uns belogen und betrogen ...«
Der Postbeamte aus West-Berlin versuchte den Magdeburger Bahnpolizisten zu trösten. Er wäre auch nur ein kleiner Beamter, und die Kleinen müßten überall ausbaden, was die Großen anrichten. Es war ein deutsch/deutscher Kleinbeamtentrost, der mich rührte. Der fassungslose Bahnpolizist entschuldigte sich bei uns. Er durfte sich nicht zu lange von der Truppe entfernen. Noch heute früh hätte es bei der Befehlsausgabe geheißen: nicht provozieren lassen durch feindliche Fragen! »Aber man kann doch nicht immer schweigen.« Damit ging er.
Als er in Griebnitzsee mit den anderen Uniformierten ausstieg, winkte er uns heimlich zu. Wir winkten ebenso heimlich zurück. Der Mann war wenigstens alt genug für den Vorruhestand, sag' ich mir jetzt, da ich weiß, was Vorruhestand ist.
Als wir uns dem Bahnhof Zoo näherten, sahen wir überall Massen von Menschen fröhlich singend durch die Straßen ziehen. Trabants auf dem Ku'damm! Der Zug brauchte sehr lange, bis er endlich im Bahnhof Zoo einfuhr. Auf dem gegenüberliegenden S-Bahnsteig drängelten sich Tausende von Menschen. Ein paar von ihnen liefen über die Gleise zu unserem Zug. Sie waren ziemlich erschöpft, die meisten betrunken.
Jetzt wollten sie unbedingt zurück in den Osten, weil sie ja am Morgen zur Arbeit gehen wollten, wie sich das gehört, sagten sie. Einer von ihnen hielt sich an mir fest und sagte

immer wieder: »Wahnsinn! Wahnsinn! Hättest du mir das vor einer Woche gesagt, ich hätte gesagt, du bist wahnsinnig ...«

Dann fragte er mich, ob ich schon mal in West-Berlin war. »Wahnsinn, sag' ich dir, Wahnsinn! Also hier um den Ku'damm rum ist alles wahnsinnig in Ordnung. Aber Kreuzberg, ich sag' dir, wahnsinnig verkommen alles, schlimmer als bei uns – Wahnsinn.« Dann nahm er noch einen Schluck aus der Flasche und ließ mich stehen.

Vom Bahnhof Zoo bis zur Friedrichstraße brauchte der Zug mehr als eine Stunde. Auf dem Grenzbahnhof war nun wirklich der Menschenteufel los. Alles schob sich hin und her. Es war kaum zu erkennen, wo es nach Westen, wo es nach Osten ging. Die Leute, die in den Westen wollten, hielten ihre Personalausweise hoch. Die Grenzer, die irgendwo im Gedränge standen, drückten Stempel, ohne hinzusehen, in die hochgehaltenen Ausweise. Man hätte auch ohne jeden Stempel hin und her gekonnt. Da war nichts mehr zu kontrollieren. Aber ich hatte den Eindruck, die meisten gingen nur mit Stempel nach drüben. Ein bißchen deutsche Ordnung mußte auch im absoluten Chaos herrschen.

Ich habe danach tagelang meine Wohnung nicht mehr verlassen, die Welt draußen nur noch im Fernsehen gesehen. Diese Art der Normalisierung – eine offene Grenze scheint mir etwas Normales zu sein – war mir unheimlich. Ich wurde das Gefühl nicht los, daß Krenz die Mauer nur aufgemacht hatte, um die Menschen von seinen Straßen zu bekommen. Denn da waren sie gefährlich für das, was er noch für seine Macht hielt.

Im Westberliner Warenhaus vergaßen die Revolutionäre ihre Ostberliner Revolution. Sie konnten sich die Nasen platt drücken an den Schaufenstern und staunen, was man

so alles kaufen konnte, wenn man mehr hatte als die hundert Mark Begrüßungsgeld.
Ich habe mir übrigens dieses Geld nicht geholt. Einer meiner Söhne – ich sag' nicht, welcher – hat es sich dafür zweimal geholt. Da muß es Tricks gegeben haben. Als ich ihm sagte, daß ich das peinlich fände, sagte er nur grinsend: »Du weißt ja nicht, wie das im Westen langgeht.« Ich gestehe, so ganz richtig hab' ich das bis heute noch nicht begriffen. Aber ich habe eine ganze Menge Freunde im Westen, die auch nicht klüger sind als ich.

Wieso ich früher mit der Zeitung schneller fertig wurde

Die sozialistische Pressevielfalt bestand vorwiegend in der Vielfalt der Zeitungsnamen. Ob es sich nun um die *Berliner Zeitung* oder die *Sächsische Zeitung* handelte, sie waren alle so eine Art Spätausgabe des *Neuen Deutschland,* das sich folgerichtig Zentralorgan nannte. Unterschiedlich waren lediglich Lokal- und Kulturseiten und natürlich der Anzeigenteil. Das in der Presse gedruckte Parteichinesisch war überall gleich. Es war eine tote Sprache, die auch den lebendigsten DDR-Bürger einschläferte.

Durch einfache Sprachregelungen wurden auch aus den kompliziertesten Problemen irgendwie Erfolgsmeldungen. Waren Pläne in der bösen Wirklichkeit nicht erfüllt worden, so sprach die gute Presse beruhigend von notwendigen Plankorrekturen. Jeder wußte, was gemeint war, aber keiner sprach es aus. Die Chefredakteure wurden regelmäßig zu Anleitungen bestellt, bei denen ihnen mitgeteilt wurde, welches Wort der Partei zu welchem Problem eingefallen war, beziehungsweise welche Wörter aus dem sozialistischen Sprachschatz zu streichen wären. Aber das müßte einer von ihnen genauer beschreiben.

Kaum hatte Gorbatschow sein böses Wort vom »neuen Denken« in Umlauf gebracht, zog es die Abteilung Agitation und Propaganda aus dem sozialistischen Verkehr der DDR. Als die einzige Ölmühle der DDR abgebrannt war und das

Speiseöl knapp wurde, verschwand auch das böse gewordene Wort Öl aus dem offiziellen Sprachgebrauch. Um zu wissen, was gerade unerwünscht war, weil nicht lösbar oder einfach nicht vorhanden, mußte man die Zeitungen nur nach dem durchforsten, was nicht drinstand.

Ja, es war schon eine gewisse Kunst, sich anhand von DDR-Zeitungen zu informieren. Aber diese Kunst war erlernbar. Gerüchteweise wußte man ja sowieso fast alles, aber ob die Gerüchte wirklich stimmten, das entnahm man dem, was nicht in den Nachrichten stand. Und wie die Presse schwiegen auch Fernsehen und Rundfunk überall da, wo Probleme entstanden waren.

Wir hatten wirklich keine Probleme in der DDR, jedenfalls keine ausgesprochenen. Wir hatten eine flächendeckende Informationspolitik, die im Zentralkomitee der SED erdacht und noch in der kleinsten Kreiszeitung umgesetzt wurde. Dieser Informationspolitik verdankten unsere Kabaretts viel von ihrer großen Wirkung, und es machte uns allen das Zeitunglesen so leicht. Als ich gerüchteweise davon hörte, der Berliner Parteichef Konrad Naumann sollte abgesetzt werden, sah ich einfach in die Zeitungen der letzten Woche, und sofort fiel es mir wie Schuppen von den Augen – der Mann war eine Woche lang weder in Wort noch Bild aufgetaucht. Aus dem Gerücht wurde Gewißheit durch das, was eben nicht in der Zeitung stand.

Auf diese Presse war einfach Verlaß. Da mußte man sich nicht erst durch lange Artikel quälen, und man hatte Zeit für den Lokalteil beziehungsweise für die Anzeigenseiten. Aus diesen Anzeigen zum Beispiel erfuhr man fast alles, was auf der Wirtschaftsseite nicht stand. Wo man für Autoersatzteile – auch gebrauchte – Höchstpreise bot, da konnte es um die Autoindustrie nicht so gut stehen, wie das im redaktionellen Teil stand. Die Bundesregierung hätte, bevor sie den

Laden hier so einfach übernahm, weil sie ihn aus der Portokasse glaubte bezahlen zu können, nur die Anzeigenseiten der sozialistischen Presse lesen müssen. Uns allen wären unnötige Überraschungen erspart geblieben.
Allerdings konnte man zu DDR-Zeiten auch nicht einfach annoncieren, was man wollte. Auch für die Inserate gab es eine gewisse Sprachregelung. Aber schon das Fräulein an der Anzeigenannahme wußte genau, wie man welche Annonce zu formulieren hatte, damit sie gedruckt würde. Wenn jemand beispielsweise Westgeld für eine schwierig zu habende Dienstleistung bot, so bot er blaue Fliesen, Synonym für westliche Hundertmarkscheine. Aber lange ging das nicht, denn irgendwann kam uns die Partei auf unsere blauen Fliesen und zog auch sie aus dem Anzeigenverkehr. Aber wer auf dem DDR-Schwarzmarkt – und den gab es für Waren wie für Dienstleistungen – tätig war, der wußte immer genau, wie er annoncieren mußte, damit alle anderen Schwarzhändler – und davon gab es unendlich viele – alles verstehen konnten, was nicht gedruckt war. Das war ähnlich wie mit unseren heimlichen Pointen im Kabarett – der Kundige verstand sie, aber dem, der sie aussprach, war nichts nachzuweisen.
Nein, so langweilig, wie man immer behauptete, war die DDR-Presse gar nicht. Für den Eingeweihten konnte sie ganz schön aufregend sein. Nach zehn Minuten hatte mich meine Morgenpresse gewöhnlich gut informiert. Heute brauche ich oft Stunden, um nur ein paar der unterschiedlichsten Wahrheiten herauszufinden. Früher wußte ich nach wenigen Sätzen, was da alles gelogen war.
Daß viele ehemalige DDR-Bürger mit ihrer neuen, nun freien Presse nicht zu Rande kommen und sich von ihr nun schon wieder belogen fühlen, liegt wohl einfach am pluralistischen Charakter der neuen Pressewahrheit. Da man

früher wußte, daß die Ostpresse sowieso log, vermutete man, daß die Wahrheit in der Westpresse stünde, ohne zu ahnen, wie viele Wahrheiten es in diesem System geben könnte. Wer vierzig Jahre von einer einzigen Partei belogen wird, muß doch einfach hoffen, daß wenigstens die anderen Parteien nicht lügen. Und wenn jetzt plötzlich jede Zeitung etwas anderes sagt – unabhängig und überparteilich –, dann bleibt dem an die Einheitslüge gewohnten Leser nur noch eines: keinem zu glauben oder allen. Hier ein bißchen Wahrheit, da ein bißchen Wahrheit, das genügt uns einfach nicht. Wir wollen endlich die ganze Wahrheit und nichts als die Wahrheit.

Aber nicht einmal das, was wir DDR-Bürger früher für die absolute Wahrheit hielten – das Werbefernsehen nämlich –, hält noch, was es verspricht, seit wir kaufen können, wofür da geworben wird. Und so wie mit den meisten Waren, die man jetzt auch bei uns zu kaufen kriegt, ist es wohl mit der ganzen Freiheit – kaum hat man sie, weiß man nichts mehr mit ihr anzufangen. Also das Wahre ist auch die Freiheit nicht.

Wieso wir Ostdeutschen unsere Revolution nur nach Feierabend gemacht haben

Immer hatte man von uns Ostdeutschen gesagt – und man sagt das jetzt erst recht –, wir hätten eine schlechte Arbeitsmoral. Wie an jedem Vorurteil ist auch an diesem etwas wahr. Wie gern nutzten wir doch einst unsere volkseigene Arbeitszeit, um zum ganz und gar privaten Friseur zu gehen oder zum Arzt, zum Amt, zum Fleischer und zum Gemüsehändler.

Als wir aber daran gingen, unsere katastrophal unfähige Regierung zu stürzen, vergaßen wir alle sozialistische Untugend und besannen uns auf gute alte, deutsche Traditionen: Erst die Arbeit, dann das Vergnügen, tags Arbeit, abends Feste, morgens zur Frühschicht, abends zur Montagsdemonstration ...

Nein, wegen dieser Revolution ist bei uns keine Arbeitsstunde ausgefallen. Ich vermute, Polizei und Staatssicherheit machten sogar Überstunden. Auch als in Berlin die Mauer gefallen war und wir eine ganze Nacht lang trunken im Arm des Klassenfeindes gelegen hatten, standen wir doch morgens wieder pünktlich im noch sozialistischen Wettbewerb und erfüllten Pläne, die keiner mehr kontrollierte. Es war eine ordentliche deutsche Revolution ohne Risiken und Nebenwirkungen.

Daß sie so ganz und gar friedlich und unblutig verlaufen ist, wird uns heute von Leuten vorgeworfen, die damals praktisch weit weg waren, uns heute aber theoretisch sagen, was wir alles falsch gemacht haben. Zu einer Revolution gehören Tote, sonst macht dem postrevolutionären Feuilleton die ganze Revolution keinen Spaß. Statt diese gehaßte Parteiführung mit gesundem Volksempfinden zu lynchen, trotteten wir friedlich durch die Straßen und riefen: »Keine Gewalt!« Und weil wir zu feige waren, das bißchen Gewalt anzuwenden, das zu einer richtigen Revolution gehört, hat nun der Rechtsstaat den Ärger.
Er soll nach Recht und Gesetz verurteilen, was wir aus Trägheit zu beseitigen vergaßen – diese ganze verbrecherische Partei- und Staatsführung. Ich jedenfalls muß gestehen, daß ich nie vorhatte, irgendwen zu beseitigen. In der damals noch erscheinenden bunten Bilderzeitung *Quick* vom 9. November 1989 wurde ich zitiert mit der herzigen Aufforderung: »Köpfe müssen rollen: SED-Chefideologe Hager und Stasiminister Mielke ...«
Gesagt hatte ich aber, die Genannten müßten sofort zurücktreten. Köpfe sollen denken, nicht rollen, hatte ich immer gedacht. Die *Quick* wußte damals schon besser, worüber heute erst viel klügere Köpfe nachdenken. War das überhaupt eine Revolution, wenn sie doch alle überlebt haben, die Guten, die Bösen und wir vielen irgendwo dazwischen? Aber gerade das erscheint mir das wirklich Revolutionäre an dieser Revolution zu sein – ihre Gewaltlosigkeit. Auf ihrem Höhepunkt – das ist für mich die Berliner Demonstration vom 4. November 1989 – zeigte sich die ganze Umwälzung von einer geradezu undeutschen Leichtigkeit. Wann je wurde in Deutschland ein System ausgerechnet mit Humor zu Grabe getragen? Ein paar hundert Künstler hatten zur Demonstration aufgerufen, und Hunderttausende kamen.

Viele Leute riefen mich Ende Oktober noch an, damit ich ihnen lustige, aggressive Sprüche sagen sollte für ihre Transparente. Ich antwortete nur: »Denkt euch selbst was aus.« Und das, was sich die Demonstranten damals selbst ausdachten, war dann soviel komischer, aggressiver als alles, was sich ein Berufssatiriker hätte ausdenken können. Das machte mich nicht neidisch, sondern stolz. Deutsche – nein, tut mir leid, damals waren es nur Ostdeutsche – haben ihre Regierung auch noch mit Humor gestürzt.

Das paßt natürlich in kein deutsches Geschichtsbild. Revolutionen gehören da nicht hin, und schon gar kein Humor. Und wenn nun auch noch beide zusammenkommen, dann kann das Ganze nur ein Witz gewesen sein.

Ich gebe ja auch zu, es war eine kleine Revolution. Das einzig Große daran war vielleicht nur unsere Angst vor Gewalt. Aber es ist nun mal die einzige Revolution, die ich erlebt habe. Und die Hoffnung, so was noch mal zu erleben, habe ich sofort nach der sich anschließenden Wende verloren. Als Kanzler Kohl zum erstenmal von einer deutschen Revolution sprach, wußte ich definitiv, sie ist vorbei.

Und als dann die Lachnummer Krenz, um die Leute von seinen Straßen zu bekommen, ganz nebenbei die Grenze aufmachen ließ, da ahnte ich zumindest, was folgen würde. Wir Ostdeutschen bildeten wieder das, wofür wir berühmt und berüchtigt waren im nun sofort wieder überlegenen Westen: Wir bildeten Schlangen. Zuerst versammelten wir uns vor den Bankschaltern, um uns unser revolutionäres Begrüßungsgeld abzuholen, dann standen wir bei Aldi nach der deutschesten aller Schalenfrüchte an, nach der Banane. So kam die Welt wieder in Ordnung, und die ostdeutsche Revolution konnte zu den Stasi-Akten gelegt werden, wo Haupt- und Nebensachen nicht mehr zu unterscheiden sind. Ein paar Vertreter der Berufsopposition halten ihre

Opferakten noch hoch, der übergroße Rest der Bevölkerung will von Vergangenheit nichts mehr wissen, solange keine Zukunft in Sicht ist.

Ja, wir haben uns alle ein bißchen geirrt. Wir hielten Kohl für die D-Mark, er hielt sich für Bismarck, und am Ende will keiner für seinen Irrtum bezahlen. Nun haben wir die Einheit, von fast allen gewollt, aber von keinem so recht bedacht.

Daß ein Volk zu dumm ist, so etwas vorauszusehen, was ja vorauszusehen war, ist das gute Recht des dummen Volkes. Denn wenn es nicht dumm wäre, brauchte es ja keine schlaue Regierung, die dafür bezahlt wird, etwas klüger zu sein. Eine Regierung wird nun einmal auch deshalb besser bezahlt als das gewöhnliche Volk, weil sie Schaden von diesem Volk abzuwenden hat. Selbst unser Kanzler mußte das schwören, bevor er tun und lassen durfte, was er so tat und ließ.

Die uns regieren und uns in diese Einheit geführt haben, sollten das Geld für nicht erbrachte Leistungen zurückzahlen müssen. Das wäre noch nicht einmal revolutionär, das wäre nur nach marktwirtschaftlichen Regeln verfahren. Meinen Dachdecker bezahle ich auch nicht dafür, daß er mir ein sicheres Dach verspricht, sondern ausschließlich dafür, daß er dieses Dach dicht macht und mich nicht im Regen stehen läßt.

Aber noch einmal zurück zu unserer ostdeutschen Revolution. Ich gestehe, daß ich stolz bin, dabeigewesen zu sein. Sie hat nur kurz gedauert, fand aber im Gegensatz zu anderen deutschen Revolutionen nicht nur in der Musik oder in Gedanken statt. Daß es eine Nachfeierabendrevolution war, scheint mir einfach das typisch Ostdeutsche an ihr zu sein. Schließlich hatten wir in vierzig Jahren DDR gelernt, nach Feierabend einfach besser zu arbeiten.

Wieso ich nach fremdem Aktenstudium die eigene Akte erst recht nicht sehen will

Neulich abends kam ein – sagen wir – sehr guter Bekannter zu uns, der früher mal Pfarrer war, ein sehr kluger, ganz und gar nicht scheinheiliger Mann. Er brachte mehrere Kilo seiner Stasi-Akten mit. Die hatte er nicht etwa selbst bei der Gauck-Behörde angefordert. Sie sind ihm – so nennt man das wohl – zugespielt worden von einer Gruppe, die sich einmal selbst ernannt hatte, die Stasi-Auflösung in ihrer Kirchengemeinde voranzutreiben.

Ich kenne die Motive der Leute nicht, sie können aller Ehren wert sein. Aber ich bin doch sehr erschrocken, als ich in dem Wust von Papieren las. Da standen alle Klar- und Decknamen, wie sie eben in die Akten gekommen sind. Nichts war geschwärzt. Was ich las, war Stasi pur.

Mit diesen Akten könnte man heute noch meinen unschuldigen Bekannten erpressen, wenn er nur etwas jünger wäre und vielleicht daran dächte, sich noch mal bei einer Gemeinde oder einer Kirchenleitung um ein Pfarramt zu bewerben. Die Absicht der Staatssicherheit bei der Anlage der Akten war es ganz offensichtlich gewesen, den Observierten vor seiner damaligen Gemeinde oder Kirchenleitung auf jede nur mögliche Weise zu denunzieren. Er sollte aus der Stadt verschwinden, da seine Haltung Staat

und Partei gegenüber als besonders negativ eingeschätzt wurde.
Pfarrern dürfen ja bekanntlich auch heute noch manche durchaus menschlichen Dinge nicht passieren, die für uns christliche oder gar atheistische Laien fast jeden Schrecken verloren haben. Darauf baute die ganze Stasitaktik. Mein Bekannter, der einst meinte, Gemeinde und Stadt aus freiem Entschluß verlassen zu haben, zweifelt jetzt daran, ob dieser Entschluß wirklich so frei war, wie er bisher glaubte. Unter den auf ihn angesetzten Spitzeln übrigens befand sich keine allzu überraschende menschliche Enttäuschung. Von einigen hatte er es geahnt, bei anderen überraschte es ihn nicht allzu sehr.
Schlimm ist, was da so völlig wahllos gesammelt wurde – Telefonmitschnitte, Briefe von ihm, an ihn, seine Frau, seine Kinder, alles ganz und gar durcheinander, scheinbar zusammenhanglos. Die IM-Berichte strotzten von Vermutungen, Halb- und Unwahrheiten. In einem der Protokolle ist festgehalten, der Observierte habe den unglaublichen Verdacht geäußert, sein Telefon würde von der Staatssicherheit abgehört. Man habe ihn darauf hingewiesen, daß dies rein rechtlich in der DDR gar nicht möglich wäre. Es folgen die erwähnten Telefonmitschnitte.
Nichts von dem, was ich las, beweist wirklich etwas, was man dem »operativen Vorgang« anhängen könnte. Aber man kann Vermutungen anstellen, Zusammenhänge herstellen, die dann das erwünschte Negativbild ergeben. Man kann und soll sich wohl seinen Teil denken. Da sind verdächtig scheinende kleine Unregelmäßigkeiten, mögliche Dummheiten, die zu jeder Menschenbiographie gehören, mit denen man aber, wenn man sie so dokumentiert, auch jede Menschenbiographie beschädigen oder zerstören kann. Ich hatte beim Lesen das Gefühl, klaftertief in Scheiße zu ste-

hen. Nach einer halben Stunde weigerte ich mich weiterzulesen.
Nun stelle ich mir vor, daß meine Akte – da mein Name in dieser Akte auch vorkommt, nehme ich einfach an, daß es von mir ähnlichen Dreck gibt – auch irgendwo in der Weltgeschichte herumschwirrt. Und da kann nun irgend jemand, der sie zufällig oder nicht zufällig in die Hand bekommt, lesen, welches Bild sich die Staatssicherheit von mir zusammengepusselt hat. Ich weiß ja, das können eigentlich nur Lappalien sein, die aber, das weiß ich jetzt auch, in einen vielleicht gewünschten Zusammenhang gebracht, gar nicht mehr so läppisch sind.
Nun bin ich kein Stolpe, das öffentliche Interesse an mir hält sich wohltuend in Grenzen – aber könnte ich nicht auch, wenn die großen Skandale sich abgenutzt haben, das Zeug zu einem kleinen bieten? Ich weiß es nicht und bin auch, da ich den Dreck nicht gelesen habe, noch ganz gelassen. Es müßte mit dem Teufel zugehen, wenn ... Aber nach dem, was so hier und da ans Licht kommt, scheint es mir manchmal mit dem Teufel zuzugehen. Wieviel neue und alte Rechnungen werden jetzt aufgemacht?
Wieviel neue Munition für durchaus alte Feindschaften – die gibt es ja nicht nur in Kirchenkreisen – steckt noch in diesen Akten? Sie sind angelegt worden, um zu denunzieren, um Mißtrauen zu schaffen, um Leute in die Hand zu bekommen. Ein böser Zweck heiligte hier alle bösen Mittel. Wie steht es jetzt mit dem guten Zweck?

Wieso die Leute über mich lachen

Also, daß die Leute über mich lachen, das verstehe ich ja. Aber daß sie auch über meine Texte lachen, wenn sie mein ratloses Gesicht dazu gar nicht sehen, das verstehe ich schon weniger. Ich bin nämlich ein deutscher Spaßmacher, und das heißt: Ich meine fast alles ernst, was ich schreibe. Satire beginnt, wo der Spaß aufhört. Also wundert es mich auch nicht, wenn manche Leute über mein Zeug gar nicht lachen können. Und wenn sie sich manchmal sogar darüber aufregen, dann ist mir das auch recht. Nur daß sie sich langweilen, will ich nicht.

Die Leute aufzuregen, das ist in der marktwirtschaftlichen Freiheit viel schwieriger, als es in der sozialistischen Demokratie war. Damals genügte es, das Wort Demokratie komisch auszusprechen, und fast alle lachten. Oder sie regten sich auf, weil sie allein bestimmen wollten, was noch demokratisch und was schon antisozialistisch war. Nicht zur sozialistischen Demokratie gehörte es, eine andere Meinung zu äußern als die allein richtige, die von der Partei vertreten wurde. Es war schon fast ein Kunststück, mit Satire keinen Ärger zu bekommen.

Wenn uns das aber doch mal passierte, dann fragten wir uns sofort, was wir falsch gemacht hatten. Aber meist war die Frage noch gar nicht ausgesprochen, da trat der erwartete Ärger ein. Es reichte ja, daß ein empörter Zuschauer der Partei eine Eingabe schickte. Was in den sechziger Jahren

die Partei noch organisieren mußte – die Empörung der Zuschauer –, das tat der parteiliche Zuschauer der siebziger und achtziger Jahre schon aus eigenem Antrieb. Revolutionäre Wachsamkeit nannte man das, was da überall lauerte, wo die ideologische Friedhofsruhe gestört werden konnte. Heute kriegt man als Kabarettist kaum noch Ärger. Heute kriegt man allenfalls schlechte Kritiken und soll sich dann darüber auch noch selbst ärgern. Als zu unserem letzten *Distel*-Programm in allen Berliner Tageszeitungen ausnahmslos gute Kritiken erschienen, fragten wir uns allerdings auch, was wir denn falsch gemacht hätten. Denn auch in der Freiheit kann ja wohl nicht Satire sein, was allen gefällt. Satire war und ist zwar immer auf Mißverständnisse angewiesen, weil sie ja von denen bezahlt wird, die sie angreift, wenn man aber von allen so freundlich mißverstanden wird, muß man sich schon fragen, woher dieses Mißverständnis kommt.
Inzwischen ist nun aber mit einiger Verspätung der erste Totalverriß erschienen. Wir können also das Programm beruhigt weiterspielen. Über einen kritischen Einwand, der meist, aber nicht nur aus dem Westen kommt, freue ich mich besonders: Worüber die sich im Osten noch aufregen können – das ist doch längst gegessen! Nun beginnen wir aber gerade erst, diese uns neue Demokratie zu verdauen. Und wenn wir angesichts von des Kaisers neuen Kleidern erstaunt rufen: »Aber der hat ja gar nichts an!«, dann mag das für viele naiv klingen. Ich mag mich nun mal mit vielen nackten Tatsachen, auch wenn sie noch so alt sind, nicht abfinden.
Als mir vor Jahr und Tag bei der öffentlich-rechtlichen Abnahme eines Textes gesagt wurde, er sei zwar gut und richtig, aber so was könnte man natürlich nicht senden, da äußerte ich mein Unverständnis. Die weithin als ganz links

beleumundete Fernsehdame sagte darauf triumphierend: »Ja, ihr denkt eben immer noch, ihr wärt in die Freiheit gekommen! Dem ist aber nicht so.« Nicht so sehr störte mich, daß ich nun die Grenzen der Freiheit sehen mußte – von denen ahnte ich doch zumindest schon –, aber daß man stolz darauf ist, sie zu kennen, statt sich zu schämen, daß man nicht den Mut hat, sie zu übertreten, das macht mich doch etwas betroffen. Wir haben uns für unsere Schande wenigstens noch geschämt. Aber nun – das habe ich ja schon an anderer Stelle festgestellt – müssen wir wohl alle Scham ablegen und stolz darauf sein, daß es bei uns nicht so schlimm ist wie anderswo. Denn in unseren Kabarettkellern und -dachböden herrscht ja wirklich Freiheit.

Und im Zuschauerraum sitzen oft genug die Leute, die wir meinen. Aber sie sind nicht so dumm, das zu merken. Denn was sich heute so im Zuschauerraum eines Kabaretts trifft, gehört ohnehin zu dem zwar kleinen, aber durchaus nicht unbedeutenden Teil der Menschheit, der weiß, daß er ihr besserer Teil ist. Denn er hat doch zumindest eingesehen, daß es so nicht weitergehen kann, wie es leider doch immer weitergeht, weil die anderen nicht aufhören wollen, so weiterzumachen. Da kann man selber zwar auch nichts machen, aber man kann doch wenigstens klüger sein. Und allein schon dieses Gefühl, klüger zu sein als der große dumme Rest, schafft diese wunderbar überlegene Atmosphäre der inneren Übereinstimmung im Kabarettpublikum.

Daß die Kabarettisten auf der Bühne zu diesem besseren Teil der Menschheit gehören, versteht sich von selbst. Und sie sagen es ja auch deutlich genug, wenn auch mit diesem komischen Augenzwinkern, das alles so lustig sein läßt. Wir stellen uns zwar manchmal dumm, aber nur weil wir zu klug sind zuzugeben, wofür wir unsere Narrenweisheit halten –

für die wirklichste aller wirklichen Weisheiten. Nein, wir tun nicht überlegen. Wir sind es.

Als mir zu DDR-Zeiten einmal diese kabarett-typische Besserwisserei vorgeworfen wurde, verteidigte ich mich damit, daß ich sagte, ich wüßte nichts besser, aber fast alles anders. Das sagte ich so dahin, wie man eben manchmal seine Weisheiten so unbedacht von sich gibt, ohne zu überlegen, ob nicht vielleicht doch etwas dran sein könnte. Anderswisserei allerdings war damals bei uns genauso verpönt wie Besserwisserei, und meine schöne Ausrede nützte mir nichts.

Je länger ich darüber nachdenke, desto wahrscheinlicher finde ich das mit dem Anderswissen. Ein von mir regiertes Land wäre vermutlich unbewohnbar. Auch das habe ich schon zu DDR-Zeiten zugegeben und bleibe dabei, weil ich ziemlich sicher bin, daß niemand von mir erwarten wird, daß ich das erst noch beweise. Ich muß doch gar nicht erst regieren, um diese Welt unbewohnbar zu machen. Ich fürchte, das schaffen wir auch ohne mich.

Es reicht mir, die Welt, wie ich sie sehe, zu kommentieren, auch wenn ich damit nichts verändere. Von meinem Menschenrecht auf Irrtum habe ich bereits reichlich Gebrauch gemacht. Meine Irrtümer allerdings hatten, soweit ich das übersehe, nicht so furchtbare Folgen wie die Irrtümer derer, die bis heute überzeugt sind, daß sie nicht irren, und also ihre Menschenversuche, die sie Realpolitik nennen, an uns Lebenden fortsetzen.

Wir Satiriker treiben ja nur mit dem Entsetzen Spaß, das sie uns allen bereiten. Ein vergleichsweise harmloser Beruf, verglichen mit dem der großen Vordenker. Ich finde, es ist Zeit, endlich mal mit dem Nachdenken anzufangen, denn es kommt sehr wohl darauf an, diese Welt erst mal zu interpretieren, bevor man sie verändert.

Satiriker übrigens sind fast immer und fast überall systemerhaltend. Beleidigte Idealisten hat man sie mal genannt, und weil die Wirklichkeit nun mal für jedes Ideal eine Beleidigung sein muß, deshalb macht unser Beruf nicht nur lächerlich, er ist es natürlich selbst auch. Leute, die nie einsehen wollen, daß alles so ist, wie es eben ist, machen sich irgendwann lächerlich. Früher konnte ich mich mit der DDR nicht abfinden, heute will ich mich mit der Bundesrepublik nicht abfinden. Unsereins sehnt sich einfach danach, unrecht zu haben.

Als ich noch Student war an der Leipziger Theaterhochschule, saß ich einmal mit zwei bereits verheirateten Mitstudenten und deren Frauen in einer Kneipe. Die eine der Frauen war schwanger, die andere hatte gerade ihr Medizinstudium begonnen. Die Medizinstudentin wies die Schwangere auf die enormen Gefahren ihrer Schwangerschaft hin. Ihre medizinischen Kenntnisse gipfelten in dem Satz: »Als Schwangere stehst du sowieso schon mit einem Fuß im Grabe.«

Wir medizinischen Laien waren fassungslos, die Schwangere brach in Tränen aus, und schließlich sahen alle betreten zu Boden. Da wies der Ehemann seine Medizinsachverständige zurecht: »Das stimmt ja alles, was du sagst, aber so was sagt man doch nicht, wenn eine Schwangere dabei ist.« Die erste, die lachte, war die Schwangere. Aus der Schwangeren wurde wenige Wochen später die glückliche Mutter eines gesunden Kindes. Die Medizinerin brach ihr Studium nach ziemlich kurzer Zeit ab. Hätte ich mit meinen ganz und gar unmedizinischen Schwarzsehereien nur einmal so unrecht gehabt wie die unglückliche Medizinerin, ich wäre heute vielleicht ein unglücklicher Satiriker, aber ganz sicher auch ein glücklicherer Mensch.

Satirische Texte aus Berlin

Dialektisch for you

Guten Abend, meine Damen und Herren! »Dialektisch for you« beginnt seinen Kurs für Fortschrittliche mit dem Hauptlehrsatz: Alles hat bei uns zwei Seiten – eine schöne und eine sehr schöne.
Den schönen Seiten unseres Lebens begegnen wir alltäglich in der Straßenbahn, im Konsum, im Betrieb. Die sehr schönen Seiten aber bringen uns Presse und Fernsehen jeden Tag ins Haus. Daß der Widerspruch zwischen den sehr schönen und den nur schönen Seiten kein antagonistischer ist, erkennen wir daran, daß der Umschlag eines schönen alten Problems in eine sehr schöne, neue Erfolgsmeldung alltäglich und reibungslos erfolgt.
In grauer Vorzeit war Dialektisch die Sprache der Wissenschaft. Heute aber ist das Bildungsprivileg der wenigen endlich der totalen Qualifizierung aller zu allem gewichen. So wurde denn auch das Dialektische bei uns zu einer wahren Aller-Welts-Sprache, die wir der Genauigkeit halber Neudialektisch nennen wollen. Sie klingt bisweilen wie eine tote Sprache, wird aber ausschließlich von Lebenden gesprochen. Besonders gern wird sie von Verantwortlichen benutzt, wenn irgendwo irgendwas nicht geklappt hat. Denn mit ihr kann man mühelos alle Mängel, Schwächen und Schwierigkeiten erklären, ohne irgend jemand oder irgend etwas verantwortlich zu machen, außer die objektiven Gesetzmäßigkeiten. Unsere objektiven Schwierigkeiten näm-

lich haben wir durch einfache Heiligsprechung zu Gesetzmäßigkeiten erhoben und somit unantastbar gemacht.
War Dialektik bei unseren Klassikern noch die Lehre von den Widersprüchen, so ist Neudialektik einfach leeres Gerede, dem keiner widerspricht. Es bietet Gelegenheit, ganz konkrete Probleme mit allgemeinen Lehrsätzen so aus der Welt zu reden, daß jedes konkrete Problem verblaßt hinter der herzigen Aufforderung:
»Das muß man dialektisch sehen!«
Sie merken schon, neudialektisch kann man nicht nur denken und sprechen. Man kann es auch sehen, selbst wenn man es nicht fassen kann.
Aber sehen wir uns ein Beispiel an:
Wenn es gerade mal keinen Kümmel gibt, so ist das kein Widerspruch zu der These von der sich ständig verbessernden Versorgung, sondern einfach eine alltägliche Erscheinung. Mit den Mitteln der Neudialektik aber dringt man von der alltäglichen Erscheinung vor zu ihrem nicht alltäglichen Wesen. Das Wesen keines Kümmels aber ist – wie das Wesen beispielsweise keiner Ersatzteile – unwesentlich. Das heißt, man soll daraus kein Wesen machen, sondern sich der wirklich wesentlichen Frage zuwenden, die da heißt: Wie versalzen wir dem Klassenfeind die Suppe? Und nicht etwa: Wie verkümmeln wir sie ihm?
Das tut er ja schon selbst mit den gewaltigen Kümmelbergen der EWG, die zu einer ernsten Kümmelkrise des gesamten kapitalistischen Systems führen müssen. Wohingegen im Sozialismus kein Kümmel auch zu keiner Kümmelkrise führen kann, woraus man wiederum erkennt, daß wir uns endgültig kümmelfrei machen müssen von westlichen Einflüssen, die über Kümmel und Korn immer wieder bei uns einzudringen versuchen.
Merke: Je kleiner ein Problem ist, um so naheliegender ist

es, ihm mit der Grundfrage unserer Zeit zu Leibe zu rücken. Wo von Grundprinzipien die Rede ist, da hat eine Kümmeldiskussion keine Perspektive. Die Frage nach dem Klassenfeind löst nach wie vor am einfachsten innere Widersprüche, denn da wird jeder Widerspruch sinnlos.
Wo Lenin noch sagte, es käme nicht darauf an, die Welt zu interpretieren, sondern sie zu verändern, da sagt ein Neudialektiker von hier und heute: Es kommt nicht einfach darauf an, etwas zu verändern, sondern vor allem, jede Veränderung sofort und ausführlich zu interpretieren. Auf diese Art und Weise wurden schon größere Fehler zu mittleren Erfolgen interpretiert. Für einen wahrhaft geschulten Neudialektiker gibt es nichts, was er nicht so lange interpretieren könnte, bis es kein Mensch mehr wiedererkennt. Er vermag zu jedem Widerspruch zu sagen: Verweile doch, du bist so schön!
Sein Grundsatz aber lautet: Ich kenne keine Fragen mehr. Ich kenne nur noch Antworten!

Distel, Januar 1974

(Diesen Text druckte *Der Spiegel* ab.)

Schild und Bürger

(Zwei Verkehrsschilder – das souveräne Stoppschild und das unsichere Hauptstraßenschild – stehen an derselben Straßenecke und unterhalten sich.)

HAUPTSTRASSE: Weshalb stehst du'n hier?
STOPPSCHILD: Weil sie mich hierhergestellt haben. Und du?
HAUPTSTRASSE: Weil sie mich hier stehengelassen haben.
STOPPSCHILD: Ja, ja, wenn man erst mal irgendwo steht …
HAUPTSTRASSE: Ach Gott, als Hauptstraße kommt man ganz schön rum – heute hier, morgen da …
STOPPSCHILD: Wieso Hauptstraße? Hier stehe ich. Und wo ich stehe, ist Stoppstraße. Das ist Gesetz.
HAUPTSTRASSE: Aber wo ich stehe, ist Hauptstraße. Das ist auch Gesetz.
STOPPSCHILD: Einer von uns beiden muß hier falsch sein.
HAUPTSTRASSE: Kann ein Gesetz hier falsch sein?
STOPPSCHILD: Nie.
HAUPTSTRASSE: Aber vielleicht überflüssig?
STOPPSCHILD: Alle Gesetze wären überflüssig, wenn die Menschen nicht wären.
HAUPTSTRASSE: Wozu gibt es überhaupt Menschen?
STOPPSCHILD: Damit sie Gesetze machen, nach denen sie sich nachher richten müssen.
HAUPTSTRASSE: Und wenn sie sich nicht danach richten?

STOPPSCHILD: Dann werden sie danach gerichtet.

HAUPTSTRASSE: Möchtest du Mensch sein?

STOPPSCHILD: Nein, Schild ist besser. Nach uns muß man sich richten.

HAUPTSTRASSE: Aber du hast doch selber gesagt, die Menschen haben uns überhaupt erst gemacht!

STOPPSCHILD: Das nützt ihnen jetzt auch nichts mehr.

HAUPTSTRASSE: Wieso, sie brauchen uns doch nur so hinzustellen, wie sie wollen.

STOPPSCHILD: Du siehst ja, was dabei rauskommt! (Geräusch eines Verkehrsunfalls)

HAUPTSTRASSE: Ganz schöner Blechschaden.

STOPPSCHILD: Da hat einer die Vorfahrt nicht beachtet.

HAUPTSTRASSE: Jetzt schimpfen sie bestimmt wieder auf uns Schilder.

STOPPSCHILD: Dabei sind wir nur da, um den Menschen zu helfen, daß sie sich zurechtfinden.

HAUPTSTRASSE: Ja, den Menschen zu helfen, das ist unser oberstes Gesetz.

STOPPSCHILD: Und jeder von uns ist eine Durchführungsbestimmung.

HAUPTSTRASSE: Aber ein Stoppschild in der Hauptstraße …

STOPPSCHILD: … ist immer noch besser als ein Hauptstraßenschild in der Stoppstraße.

HAUPTSTRASSE: Aber denk doch mal an den Kraftfahrer – woher soll der denn eigentlich wissen, ob das nun eine Stoppstraße ist oder eine Hauptstraße, wenn wir beide hier stehen?

STOPPSCHILD: Er muß sich eben die günstigste Möglichkeit raussuchen für sein Vorwärtskommen. Das macht man mit allen Gesetzen so.

HAUPTSTRASSE: Also bestimmt der Mensch letztendlich doch selbst über sein Schicksal?

STOPPSCHILD: Wenn er am Stoppschild nicht anhält, bestimmt.

HAUPTSTRASSE: Aber man sagt doch, im Kommunismus bestimmt jeder selbst über sein Schicksal.

STOPPSCHILD: So ist es. Da braucht man dann auch gar keine Schilder mehr. Im Kommunismus weiß jeder selbst, wo's langgeht.

HAUPTSTRASSE: Herrlich ... Aber der Weg dahin!

STOPPSCHILD: Ja, der könnte manchmal besser beschildert sein.

Distel, März 1977

Disziplin!

Neulich hat mein Sohn eine Eintragung in sein Hausaufgabenheft bekommen. So was bekommt er öfter – er ist gesund und munter. Aber diese Eintragung, von der ich hier spreche, bekam er nicht in der Schule und nicht von einem seiner armen Lehrer. Er bekam sie im Spielzeugladen von einer dort amtierenden Verkäuferin. Er hatte nämlich an einem eben gekauften Spielzeug bemängelt, daß es nicht funktionierte. So ungehöriges Betragen muß natürlich bestraft werden. Wo kämen wir hin, wenn schon unsere Kinder Qualität verlangen dürften? Die Verkäuferin verlangte also folgerichtig das Hausaufgabenheft des Querulanten und schrieb mit amtlichem Kugelschreiber hinein: »David benimmt sich im Spielzeugladen unmöglich.« Unterschrift, kein Stempel, nur die dringende Aufforderung, diese Eintragung seinem Schuldirektor vorzulegen. Dann durfte mein Sohn den Ort seines Vergehens ungehindert verlassen.

Leider ist ihm wohl der Ernst unseres Lebens trotz seiner zwölf Jahre noch nicht ganz klar. Denn er lachte, als er mir die Eintragung zeigte, und meinte sogar, die Verkäuferin müßte ja wohl einen ... Nein, ich verrate nicht, was die Verkäuferin nach Meinung meines Sohnes haben müßte. Sonst bekommt er am Ende noch eine Eintragung und macht sich wieder nichts draus.

Soweit der konkrete Fall. Lasset uns nun zur totalen Verall-

gemeinerung schreiten. Hat nicht die Verkäuferin eine herrliche Möglichkeit der Disziplinierung unseres Handelslebens entdeckt? Man brauchte doch nur jedem unserer Bürger so ein Hausaufgabenheft – oder sagen wir besser: Führungsheft – in die Hand zu geben, das der Verkäuferin auf Verlangen vorzulegen ist, auf daß sie Lob oder Tadel an ihre Kunden verteile. Endlich entschiede diese Verkäuferin dann nicht mehr nur darüber, was sie wem verkauft, endlich hätte sie ein Mittel in der Hand, für Ruhe und Disziplin in ihrem überfüllten Laden zu sorgen. Dem Kunden stünde dann wirklich nur noch das Wort zu, wenn die Verkäuferin es an ihn richtet. Ja, man könnte die Sache erweitern auf jede Pförtnerloge, jedes Restaurant, jede Amtsstube. Überall da wären die Führungshefte vorzulegen, wo unsere Bürger zu unmöglichem Verhalten neigen.
Wie freundlich würde dann endlich der Umgangston vor dem einen besetzten Schalter in unseren tausend Postämtern oder Reichsbahnfahrkartenausgabestellen! Wer meckert, hat einfach sein Führungsheft vorzulegen. Für leises Murren: einfache Eintragung; für lautes Meckern: Tadel; Versuch der Beschwerde oder gar Aufwiegelung der noch ruhig Abwartenden: Verweis; und das nicht etwa nur aus dem Postamt, nein, der Verweis könnte gleichbedeutend sein mit einem Verweis aus unserem öffentlichen Handels-, Gaststätten- und Ämterleben. Unsere Bürger würden überall da, wo sie heute noch meckernd anstehen, nicht nur freundlicher stehen, sie würden vermutlich auch kürzer stehen, da schon bald nicht mehr jeder die Ansteherlaubnis hätte. Nur die Besten dürfen auf Dauer noch anstehen.
Unsere Verkäuferinnen, Kellner, Pförtner, kurz – alle Amtsausüber als Umgangsverkehrspolizisten. Um die Sache zu vereinfachen und auch eventuelle Analphabeten in die Lage zu versetzen, dieses schöne Amt zu verwalten, könnte

man die Tadel auch in Form von Stempeln verteilen, wie es unsere Verkehrspolizei ja mit einigem Erfolg praktiziert. Fünf Stempel – Entzug der Einkaufserlaubnis!

Ausländische Besucher, die aus ihren Heimatländern so eine feine Ordnung und Disziplin nicht kennen, bekämen mit dem Visum einen Berechtigungsschein. Fünf Stempel würden die sofortige Ausweisung nach sich ziehen. Wer unseren Kellnern nicht freundlich entgegenkommt, unsere Verkäuferinnen nicht dankbar anlächelt, unseren Pförtnern keine gebührende Achtung für ihr schweres Einlaßamt entgegenbringt, hat einfach keinen Anspruch darauf, mit ihnen überhaupt in Kontakt zu kommen.

Endlich hätten wir auch freundliche Patienten in allen Wartezimmern. Denn natürlich hat auch unser Gesundheitswesen Anspruch auf Mitwirkung bei der Disziplinierung unserer Bevölkerung. Zahnschmerzen sind schließlich keine Entschuldigung für ein unfreundliches Gesicht.

Können Sie sich den Zulauf vorstellen, den unser Handel erführe, wenn da draußen stünde: Suchen unbescholtene Verkäuferin aus der nichtscheltenden Bevölkerung? Denn wer wollte nicht doch mal seinen Launen freien Lauf lassen?

Eulenspiegel, Mai 1981

Der kleine Mann in uns und um uns rum

Der kleine Mann versetzt mitunter Berge,
wenn ihm die Großen das befehln.
Gewaltige Ideen verwirklichen die Zwerge,
weil sich die Riesen nicht so gerne quäln.

Der kleine Mann hat kleine Ziele.
Er wurschtelt sich so durch.
Er ist zufrieden, hat er Brot und Spiele,
und seine Neubauzelle ist ihm Burg.

Die Lieblingsausrede des kleinen Mannes ist: Ich bin ja nur ein kleiner Mann. Gefährlich wird der kleine Mann, wenn ihn das gesunde Volksempfinden packt. Damit haben auch kleine Leute schon großen Schaden angerichtet, wenn auch selten angestiftet. Der kleine Mann brockt gewöhnlich die Suppe nicht ein. Er löffelt sie aber immer aus.

Geduld, das ist des kleinen Mannes Stärke,
und Skepsis, weil er meist verliert.
Des kleinen Mannes Handschrift tragen
große Werke,
die stets ein Größerer für ihn signiert.

Sich selbst verwirklicht er im Garten,
am Auto, am Balkon.

Er schreibt aus Zeitz und London Ansichts-
karten
und träumt auch mal, er wär King Kong.

Doch Traum und Wirklichkeit weiß er genau zu unterscheiden. Er kennt seine Grenzen, die er sich selbst gesetzt hat. Er kennt die Menschen, wie er sagt, und er liebt es, Hunde zu dressieren. Denn er braucht nicht nur den Obertan. Er braucht auch einen Untertan. Was auch geschieht, der kleine Mann hat es vorher gewußt. Aber man – der kleine Mann sagt immer *man*, wenn er *sich* meint –, man konnte ja nichts machen.

Der kleine Mann ist nicht so für das Neue.
Er muß es ja auch meist bezahln.
Der großen Liebe folgt – das weiß er – lange
Reue.
Das ist mit Menschen wie mit Idealn.

Am besten geht's ihm in der Mitte,
so zwischen warm und kalt.
Er wird nie erster, bestenfalls der dritte.
Doch seine Gattung ist uralt.

Und trotz seines inzwischen biblischen Alters ist und bleibt der kleine Mann zeugungsfähig. Und auch seine Nachkommenschaft gehet hin und mehret sich redlich, wie das dem kleinen Manne aufgetragen wurde.
Und wenn DU nicht gestorben bist, dann lebt ER noch heute.

Für das Programm »Die Sachsen kommen«,
das nicht aufgeführt wurde. Ca. 1985.

Unser Zensor

Liebe Kollegen, liebe Gäste, liebe Stammgäste des Café de la Régence – ich hab' mir sagen lassen, daß es solche gibt, die bereits ihre dritte Ehefrau in immer die gleiche Vorstellung geführt haben. Wir feiern heute abend also die Haltbarkeit und Beständigkeit einer Theateraufführung, die nicht nur die verschiedensten Theaterkonzeptionen unbeschadet überstanden hat, sondern auch so manches kulturpolitische Hoch und Tief dieser satirefreundlichen Republik. Denn *Rameaus Neffe* ist eine scharfe politische Satire. Wenn eine Satire so einen anhaltenden Erfolg hat, so muß das nicht ausschließlich auf Mißverständnissen beruhen. Es kann auch auf dem Einverständnis beruhen, daß niemand und nichts von uns gemeint ist.

Denn mit nichts macht man sich heute und hier beliebter als mit Kritik. Mit Kritik an den unhaltbaren Zuständen der Vergangenheit. Wie haltbar dagegen die Zustände der Gegenwart sind, beweist die Tatsache, wie wenig ihnen Kritik anhaben kann, diesen Zuständen der Gegenwart, die manchmal schon Züge von Ewigkeit angenommen zu haben scheinen. In einem weniger philosophischen, aber durchaus nicht weniger erfolgreichen Bühnenwerk heißt es: Glücklich ist, wer vergißt, was nicht zu ändern ist. Uns allen also bietet diese Gegenwart alle Voraussetzungen, glücklich zu sein, wenn wir nur nie vergessen, daß sie eben nicht zu

verändern ist, ohne daß man sich zumindest mittelfristig unglücklich macht.
Wie unglücklich hingegen muß Denis Diderot gewesen sein, der seine herrliche Satire *Rameaus Neffe* nie hat veröffentlichen können. Wie muß er uns Glückliche heute beneiden, da so eine scharfe Kritik völlig unbeanstandet – also von daher schon erfolgreich – gedruckt und aufgeführt werden darf – 250mal allein an der Volksbühne. Das hätte ihm – Diderot – in den vergangenen zwölfeinhalb Jahren immerhin annähernd siebzehntausend Mark brutto an Tantiemen eingebracht, netto also etwas mehr als ein Trabant de luxe noch kostet. Länger spart ja auch eine lebende kleine Verkäuferin nicht auf einen solchen Wagen. Aber Diderot ist ein großer, also toter Satiriker. Als er noch nicht so groß war, weil er noch lebte, empfing er für eine andere kritische Arbeit, die er allein aus Geldgier und Dummheit veröffentlicht hatte, die Auszeichnung von drei Monaten und zehn Tagen Gefängnis. Seine zweite bedeutende Auszeichnung bestand in der Tatsache, daß er nie Mitglied der ehrwürdigen Académie française war. Bei uns wäre er schon aus Altersgründen längst Mitglied der Akademie der Künste und anderer Altenvereinigungen geworden, und sein Rücken wäre nur gebeugt, weil er die Brust voller Orden und Ehrenzeichen trüge.
Und nichts von dem, was er zu Lebzeiten geschrieben hat, wäre heute verboten oder auch nur unerwünscht. Aber ein grausames Schicksal hat ihn zu einer Zeit leben lassen, da die Herrschenden wenig Spaß verstanden und das kritische Wort fürchteten, als könne man mit Worten irgend etwas verändern. Kraft ihres politischen Amtes meinten sie klüger zu sein als alle Dichter, Philosophen und Satiriker. Sie allein wußten, was die richtige Politik ist, also wußten sie auch, wie richtige Literatur und Kunst auszusehen hatte. Darauf wür-

de heute kein Mensch mehr kommen, daß ein durchschnittlicher Landesfürst in solchen Fragen kompetenter wäre als ein Voltaire, d'Alembert oder eben Diderot. Heute kennt man kaum noch die Namen der Könige, sobald sie nicht mehr Könige sind. Die großen Satiriker hingegen gehören zu den beliebtesten Toten der Welt. Ein guter Satiriker braucht nur zu sterben, und schon werden alle lebenden Zensoren der Welt darauf hinweisen, wie lebendig sie doch für uns geblieben sind, die Diderot, Heine und Tucholsky. Habe ich das Wort Zensor gebraucht? Das Wort ist längst ungebräuchlich geworden, da eine Zensur nicht mehr stattfindet, sondern längst überall Verantwortungsbewußtsein eingezogen ist und die dafür Verantwortlichen sich mit Recht dagegen wehren würden, Zensor genannt zu werden, schon aus dem erwähnten Verantwortungsbewußtsein heraus. Die Zensoren, um das Wort noch einmal zu mißbrauchen, verbindet übrigens alles mit den Satirikern. Was wäre der eine ohne den andern? Und auch die Zensoren werden ja erst nach ihrem Tode wirklich Zensoren genannt. Zu Lebzeiten sind sie gute Freunde und Berater der Künstler, mitunter studierte Kultur- und Literaturwissenschaftler, die nur das Schlimmste verhüten und stets das Beste für Künstler und Publikum wollen. Karl Kraus hat einmal sehr schön und sehr falsch gesagt, Satiren, die der Zensor verstünde, gehörten mit Recht verboten. Er hielt alle Zensoren für dumm, und das war dumm von ihm. Selbstverständlich ist Zensur immer dumm, aber Zensoren können verdammt schlau und gerissen sein, manchmal sogar gebildet. Dann wissen sie um die Vergeblichkeit ihres Tuns.

Obwohl also – wie gesagt – bei uns Zensur nicht mehr stattfindet, wird doch manchen Satiren der scharfe Zahn gezogen, bevor sie ihn überhaupt zeigen können. Ich wiederhole, es handelt sich hierbei nicht um Zensur, sondern

ausschließlich um Verantwortungsbewußtsein. Und dann sagen alle, die Verantwortlichen wie Verantwortungslosen: Seht mal, was für ein schlechtes Buch Hinze und Kunze wieder geschrieben haben.
Früher nannten sich Satiriker gern beleidigte Idealisten. Heute genügt es zuweilen, Realist zu sein, und alle lachen. Früher mußte der Satiriker oft übertreiben, um sich verständlich zu machen. Heute braucht er nur zu beschreiben, und alle halten es für übertrieben, sofern sie das erwähnte Verantwortungsbewußtsein besitzen oder einfach nur Angst haben, daß ihnen jemand beweist, daß sie davon nicht genug haben. Dabei kann man noch soviel Verantwortungsbewußtsein haben. Es gibt immer noch einen, der mehr hat. Das allein erklärt so manchen fliegenden Wechsel der Verantwortlichen und ihre Angst vor solchem Wechsel. Diese Angst ist dem Künstler fremd, er hat sich nur vor seinem Gewissen zu verantworten und vor der Familie, für deren Unterhalt er zu sorgen hat.
Diderot hingegen mußte Rücksicht nehmen auf den Hof und auf die Kirche und auf zwei Familien. Aber davon spricht heute kein Mensch mehr, weder von seinen zwei Frauen noch vom französischen Hof. Die Kirche ist bei uns längst Bündnispartner geworden, und Diderot hätte sicher seinen festen Platz in der Liberal-Demokratischen Partei gefunden. Wie viele Tabus hatte er aber damals zu fürchten, damals, als man die Tabus nicht nur kannte, sondern auch Tabus nannte. Bei uns hingegen gibt es längst keine Tabus mehr für den, der über den Dingen steht, also da, wo die Tabus nicht mehr tabu, sondern wirklich nicht mehr zu sehen sind. Heute braucht man nur den richtigen Standpunkt zu teilen (man muß ihn gar nicht mal haben, teilen reicht), und man braucht nur ein bißchen Einsicht in die Erfordernisse der augenblicklichen, also besonderen Situa-

tion, und schon kann man alles sagen, malen und schreiben, was uns nützt. Ob uns das etwas nützt, das allerdings wird die Nachwelt entscheiden, der einzig unsichere Punkt in unserer ganzen Kulturpolitik. Heute ist alles klar, unklar ist nur, wie wir morgen dazu stehen. Die Mitwelt flicht dem Satiriker keine Kränze, die Nachwelt selten dem Realpolitiker. Heine- und Lessingpreise werden keinem Heine und keinem Lessing verliehen. Wenn trotzdem einem Satiriker zu Leb- und Schreibzeiten ein Preis verliehen wird (ich spreche da aus bitterer Erfahrung), muß er sich da nicht fragen, woher der Irrtum kommt? Er tut das aus rein materiellen Gründen nicht öffentlich. Denn wovon soll ein Satiriker leben, wenn nicht von den Mißverständnissen seiner Zeitgenossen? Ein Satiriker ist so gewissenlos, Geld von denen zu nehmen, die er verspottet. Und er ist so schamlos, sich dennoch für ein nützliches Mitglied der Gesellschaft zu halten. Schließlich ernährt er ja mit seiner Arbeit zumindest die oben erwähnten Zensoren. Es wäre also völlig falsch von einer Gegner- oder gar Feindschaft zwischen Satiriker und Zensor zu sprechen. Strittig erscheint mir lediglich die Frage, wer hier wem dankbar zu sein hat.

Diderot lebte unter anderem von der Gnade der russischen Zarin, die mit einiger Ruhe sehen und lesen konnte, wie Diderot französische Zustände kritisierte. Ich könnte mir auch bei uns ein Wohlleben für Diderot denken, wenn er bei den französischen Zuständen bliebe, an denen es ja nach wie vor genug zu kritisieren gibt.

Vive le Diderot mort – es lebe der tote Diderot. Et vive la France de hier – und es lebe das Frankreich von gestern! Denn beide geben uns Gelegenheit, über uns und übers Heute nachzudenken.

Vortrag, gehalten in der Volksbühne,
Ost-Berlin, Juni 1986

Revolution, Freiheit und Angst

Was da im Jahre 1989 wirklich als Revolution begann – so einmalig für deutsche Verhältnisse –, droht zur Wende zu verkommen, wenn wir schüchternen, ungeübten kleinen deutschen Revolutionäre uns nun nachträglich von unserer Angst wieder besiegen lassen. Bestand nicht auch der übergroße Teil jener scheinbaren Allmacht der gewesenen Staatssicherheit aus unserer Angst? Um so befreiender war jener 4. November hier in Berlin, als diese Angst, die uns wohl alle beherrscht hatte, plötzlich zu schwinden begann. Vielleicht war das der fröhlichste Tag dieser Revolution. Da wurde mit Witz und Gelächter ein Regime zu Grabe getragen, dessen Allmacht sich bei den vorangegangenen Demonstrationen in Leipzig und Dresden nur zurückzuhalten schien. Daß dieser Sieg gewaltlos errungen wurde, macht ihn so besonders wertvoll.

Ich bin von Hause aus nicht sehr mutig. Die mir seit Jahren nachgesagte große Klappe ist nur der kleine Junge, der im Keller singt. Je größer meine Angst ist, desto lauter versuche ich zu singen. Ich sage singen, nicht schreien. Normalerweise meide ich alle Menschenansammlungen, bei denen mehr als hundert Leute dasselbe schreien, und sei es nur »Tooor!« Jahrzehntelang bin ich zu keiner Demonstration gegangen, weder zu diesen Jubelmanifestationen für eine greise Parteiführung, die sich dort wohl auch nur ihre mächtige Todesangst wegjubeln lassen wollte, noch ging ich zu den mutigen kleinen Gegendemonstrationen, mit denen die Revolution ganz unmerklich eingeläutet wurde. Ich hielt diese Demonstrationen lange für vergeblich und hatte Angst vor der Gewalt, mit der sie immer wieder auseinandergetrieben wurden. Andere waren mutiger oder verzweifelter. Ich hatte ja immer das Privileg, mir meine Verzweiflung vom Herzen schreiben zu können. Wieviel Verzweiflung dazu gehört, die Leute über ihre eigene Misere zum Lachen zu bringen, das weiß vielleicht nur ein Satiriker oder ein Clown, wie auch immer man uns Narren nennen mag. Da sitzt man schwitzend an der Schreibmaschine und ist beglückt, wenn einem eine böse Pointe gelingt über schlimme Zustände, und hat in seinen Sternsekunden – länger reicht es nicht – das Gefühl, mit einer gelungenen Formulierung irgend etwas an der nicht gelingen wollenden Welt zu ändern.

Witze verändern die Welt nicht, aber sie machen sie erträglicher. Mit dem Witz wehrt sich der kleine Mann wie ich gegen den großen Ernst der Mächtigen, und wenn er einen Saal voller Mitlacher gefunden hat, glaubt er, manche Schlacht schon gewonnen zu haben, die draußen noch gar nicht begonnen hat. Der Witz – oder sagen wir's etwas vornehmer: die Satire – macht keine Revolution. Aber sie kann helfen, diese vorzubereiten. Ich behaupte – nun laßt mich auch mal ein bißchen größenwahnsinnig sein –, die Satire hat diese Revolution in der DDR mit vorbereitet. Was da zwischen gedruckten Zeilen stand, aus den Kabarettkellern oder von Theaterbühnen erklang, war keine mächtige Internationale. Es war das leise, manchmal auch lauter werdende und nicht totzukriegende Verlachen des Bestehenden. Auch wenn uns das Lachen oft genug im Halse steckenblieb, wir hörten nicht auf, lächerlich zu machen, was sich so gar nicht lächerlich gab – diese feierliche Hohlheit eines Systems, an dem alles real und nichts sozialistisch war. Unter dem Vorwand, eine große Idee zu verwirklichen, hat es diese mit Füßen getreten. Die Idee wurde zur materiellen Gewalt, die man gegen die Massen ergriffen hat.

Nun, da das System endlich hinweggefegt ist, scheint auch das Lachen verschwunden zu sein. An die Stelle des heimlichen oder offenen Verlachens, des politischen Witzes (Kennen Sie noch einen?) ist die Empörung getreten über die Enthüllung der Unmoral derer, die uns Moral gepredigt hatten. Keine noch so schlimme Enthüllung scheint jetzt unmöglich, und die Wut der ehemals Stummen entlädt sich auf der Straße, während die Spaßmacher erschrocken verstummen. Nicht nur sie. Die errungene Freiheit wissen am wenigsten die zu nutzen, die am längsten um sie kämpften. Der Volkszorn kennt keine Pointen, keine ironischen Zwischentöne. Wer vierzig Jahre geduckt und gedemütigt war, wie sollte der gelassen mit Freiheit umgehen können? Und die da jahrzehntelang trotz alledem – oder sagen wir's sächsisch-realistischer: »Nu grade« – den aufrechten Gang zu trainieren versuchten, ducken sich plötzlich, verlieren den Rest von Humor angesichts dieser so plötzlich ausgebrochenen Freiheit, von der keiner zu sagen vermag, wohin sie führt – zum Chaos oder zu einer »neuen Ordnung«. Westliche Freiheit, nach der fast alle verlangen, scheint mir nichts anderes als die Einsicht in die Notwendigkeit, die Herrschaft des Kapitals anzuerkennen. Und diese Einsicht will ich nicht aufbringen, obwohl ich keinen praktikablen Gegenvorschlag formulieren kann. Im Augenblick sind wir freier, als das je ein Bundesbürger war. Aber auch die Angst ist wohl größer, als wir sie je kannten. Aus den ehemals gefürchteten und gehaßten

»Bullen« sind verhuschte Kaninchen geworden, die gelähmt auf die Schlange der Demonstranten starren, wenn sie nicht plötzlich selbst laut schreiend durch die Straßen ziehen. Redner haben nur noch eine Chance, wenn sie die Losungen der Demonstranten wiederholen. Von den vielen Losungen scheint nur noch eine übriggeblieben zu sein: »Deutschland – einig Vaterland!« Die deutsche Muttersprache, in der wir denken gelernt haben, scheint der Freiheit des Wortes zum Opfer gefallen zu sein. Wir, deren einzige Waffe das Wort war und ist, die es nutzten im Kampf gegen die Unfreiheit, scheinen uns selbst wegprotestiert zu haben.
Aus den Wortführern der Berliner Novemberdemonstration sind lästige »linke Spinner«, »Privilegierte des alten Bonzensystems« oder einfach – das hat in Deutschland Tradition – weltfremde Intellektuelle geworden, die alles zerreden und nichts bewegen. Noch vor kurzem galten wir weltfremden Intellektuellen als Volksverhetzer, Unruhestifter, ewig Unzufriedene für eine Regierung, die behauptete, für das Volk zu sprechen. Dann lief ihr dieses Volk einfach davon oder drohte lautstark – und das war viel gefährlicher: »Wir blieben hier!« Ich behaupte, dieser Ruf hat das Regime wirklich gestürzt.
Daß in Wandlitz zu gleicher Zeit eine Gegendemonstration unter derselben Losung stattgefunden haben sollte, das ist einer der letzten Witze, die mir noch eingefallen sind. Der viel größere Witz, über den nur keiner lacht, ist doch aber, wie wenig die Bundesregierung vorbereitet war auf die Erfüllung ihrer jahrzehntelang wiederholten Forderung nach Freiheit für die Brüder und Schwestern im anderen Teil des Vaterlandes. Jetzt, da die Brüder und Schwestern zu Hunderttausenden kommen, wohin man sie gerufen hat, kommen sie natürlich ungelegen. Die angestammte Heimat hat

plötzlich einen ganz anderen Sinn bekommen. Nun, da die Teilung nur noch in arm und reich, also in den zwei unterschiedlichen Währungen zu bestehen scheint, möchte man vermutlich ganz gern wieder teilen, um nicht abgeben zu müssen.

Für mich hat sich nicht nur der angeblich real-existierende Sozialismus als Propagandatrick erwiesen ... Den zweiten Teil des Gedankens hinzuschreiben, zögere ich. Nicht, weil ich nicht an ihn glaubte, sondern weil ich fürchte, dran glauben zu müssen ... Ich bin, wie gesagt, nicht besonders mutig. Nie brauchte man in diesem Land des einst himmlischen Friedens mehr Mut zur eigenen Meinung als jetzt, da endlich Meinungsfreiheit herrscht. Denn diese Meinungsfreiheit droht wieder zu werden, was sie war: zur Freiheit der einen Meinung, die sich in einem neuen »gesunden Volksempfinden« ausdrückt. Es scheint unser Los zu sein, ewig zu den Andersdenkenden zu gehören, nur weil wir – wie immer – zweifeln. Wir, die wir so gern verspottet haben, spotten nun jeder Beschreibung. Wir sitzen verhuscht in unseren Spinnstuben und fürchten die Freiheit der Straße. Viele von denen, die sich zuerst auf die Straße wagten, trauen sich dort nicht mehr hin. Sollte das unser Fehler, unsere ewige Feigheit sein? Sollten wir uns nicht stellen und sagen, singen, schreien, was wir denken? Welche Chance hätten wir, gehört zu werden? Vermutlich keine. Aber erst recht keine Chance haben wir, wenn wir uns dem hingeben, was auch schlechte deutsche Tradition ist, der Weinerlichkeit des ohnmächtigen Intellektuellen.

Laßt uns allen Mut zusammennehmen, der heut erforderlich ist, um noch einen Witz zu machen. Ich fang' mal bei mir an – also ich nehme allen meinen Mut zusammen ... Es fällt mir kein Witz ein. Oder doch? Zum Beispiel dieser: Ich verlange die Offenlegung der geheimen, nicht legalen Machenschaften von Verfassungsschutz und Bundesnachrichtendienst und die Entlassung der dort Beschäftigten in die Produktion. Wer darüber lachen wird? Verfassungsschutz und Bundesnachrichtendienst.

Constructiv, März 1990

Die folgenden sieben Nummern sind Teile des Programms »Diesseits von Gut und Böse«, *Distel,* 1992

An uns soll's nicht liegen

(Vorspiel auf dem Kabarett – Sphärenklänge, drei Engel erscheinen.)

Was immer auch die Menschheit tut –
die Welt ist schlecht, der Mensch ist gut.
Wie sauber sich der Mensch auch hält –
um ihn herum verdreckt die böse Welt.
Die Umwelt, die wir so behüten,
geht ein, weil finstre Mächte wüten.
Indess' wir für Naturschutz werben,
gehn Bäume ein und Fischlein sterben.
Trotz Tierschutz stirbt der Wal im Wasser,
als wäre er ein Menschenhasser.
Die Hausfrau wäscht phosphatfrei – und?!
Bleibt jetzt das Grundwasser gesund?
Wir halten rein die liebe Luft.
Der Wind bläst Dreck hinein, der Schuft.
Wir bauen Bomben aus Neutronen,
die nachweislich die Umwelt schonen.
Wir tanken bleifrei, fahrn mit Kat.
Wie dankt uns das das grüne Blatt?
Es hängt so welk am trocknen Ast,
als wär das Leben eine Last.
Der menschgewordne Optimismus,
der fehlt dem Pflanzenorganismus.

Wir schützen unsern Wald auch künftig.
Doch die Natur wird nicht vernünftig.
Und grade so wie die Natur
stellt sich auch die Geschichte stur.
Der Mensch ist gut. Doch die Geschichte
macht alles Gute schnell zunichte.
Sie nimmt dem Menschen alles krumm.
Drum drehn wir uns nach ihr nicht um.
Wer immer strebend sich bemüht,
erfindet eben Dynamit.
Doch menschlichen Erfindungsgeist
verfälscht die Kriegsgeschichte dreist.
Was auch der Mensch an Fortschritt schafft,
Geschichte ist die böse Kraft,
die nach dem Krieg auch Sieger quält,
indem sie seine Opfer zählt.
Wie wärn wir Deutschen populär,
wenn da nicht die Geschichte wär!
Von uns gibt's herrliche Gedichte.
Was schlecht war, ist doch nur Geschichte.
Und noch eins – wär der Mensch allein,
dann könnte er auch friedlich sein.
Er könnte brav in Frieden leben,
würd's nicht die bösen andern geben.
Der Mensch ist gut. Die anderen sind schlecht.
Die Ein-Mensch-Welt wär endlich ganz
gerecht.
Des Menschen Güte wär unendlich
und Toleranz ganz selbstverständlich.
Ein jeder könnte ganz er selber sein,
denn keiner schleppte fremde Sitten ein.
Kein Neger würde bei uns blaß –
es gäb ja keinen Fremdenhaß.

Kein Türke würde uns mehr stinken.
Kein Skinhead schlüge einen Linken.
Kein Linker wäre selbstgerecht.
Auch Scheiße röche nicht mehr schlecht.
Der gute Mensch hat Gott sei Dank
nichts gegen eigenen Gestank.
Der Mensch ist gut. Wir brauchen nur
die andern, Geschichte und Natur
endgültig zu besiegen.
AN UNS SOLL'S NICHT LIEGEN.

Der Pferdefuß

(Frau Mephisto hinkt natürlich.)

Grüß Gott! Ich bin der Pferdefuß – die böse Wirklichkeit. [Die Engel: Damit haben wir nichts zu tun! (Sie entschweben.)] Als Vergleich hinke ich natürlich. Trotzdem sind über mich bisher alle Weltverbesserer gestolpert. Wer sich in die Wirklichkeit begibt, kommt darin um, denn der Mensch ist nicht böse, der Mensch ist nur dumm. Er denkt, wenn er denkt, ändere das irgendwas an der Wirklichkeit. Der Idealist ist eben ein Teil von jener Kraft, die Gutes will und stets das Böse schafft. Denn auch die besten Ideen fallen irgendwann in die Hand von Realpolitikern. Die gehen auf Ideenfang und machen daraus Bumerang. Von ihrem himmlischen Bonn aus versprechen sie dem Volke die Einheit und den Menschen, nicht so hart aufzuknallen. Und was wurde in der Wirklichkeit aus diesem schönen Einheitssieg? Der freie deutsche Bruderkrieg. Es kann der bravste Kanzler nicht in Frieden leben, wenn es dem bösen Volke nicht gefällt. Er meint zwar immer, man müsse der Wirklichkeit in die Augen sehen, doch dann guckt er doch wieder bloß die Hannelore an. Woher soll er wissen, daß es Schlimmeres gibt? Frau Merkel ... Aber die ist ihm ja ein Born im Auge. Sie hat in Bonn geschafft, was ihr in Mecklenburg keiner zutraute – den doppelten Aufschwung Ost. Sie hat sich mit seiner Hilfe zur Stellvertreterin des Ostvolks beim

Kanzler auf Erden aufgeschwungen. Das sollte man nun aber nicht dem Ostvolk zum Vorwurf machen. Schließlich kann man auch den Katholiken ihren Papst nicht immer wieder vorwerfen.
Nun werden Sie fragen, was der Papst mit der Wirklichkeit zu tun hat? Nun, sie wird immerhin von ihm bevölkert. Im doppelten Sinne sogar. Sein Kinderreichtum ist nicht von dieser, sondern von der Dritten Welt. Er ist ja nur für das ungeborene Leben zuständig. Was kann er dafür, daß die Kinder, ehe sie in den Himmel kommen, die böse Dritte Welt passieren müssen? Was dem Kanzler das Denken, ist dem Papst das Kondom – das wollen sie dem Volke verbieten. Wo ist die Macht, die da Gehorsam unter Strafe stellt? Zum Vertrauen geboren, zum Gehorchen bestellt, kommt das Volk auf dic Welt.
Aber Gottes schöne Welt ist längst in Menschenhand gefallen, und das heißt: Auch den Busen der Natur findest du nur noch am Arsch der Welt. Und die großen Menschheitsideen auf dem Misthaufen der Geschichte: Das Christentum wurde in die Kirche gesperrt, der Sozialismus wurde bei Stalin zwischengelagert, und die deutsche Einheit fiel ausgerechnet in Kohls Amtszeit. Alles Vergängliche ist nur ein Gleichnis. Aber das Unzulängliche, bei Kohl wird's zum Ereignis.

Alle loben den Menschen

Lobet den Menschen, den mächtigen Herren
auf Erden.
Er ist am mächtigsten, lebt er als Hammel in
Herden.
Erst die Partein
helfen den kleinen Menschlein,
größere Tiere zu werden.

Lobt die Parteien, sie machen den Menschen
zum Mitglied,
das in den Wahlkampf und gegen die anderen
mitzieht.
Was uns vereint,
ist der gemeinsame Feind.
Bist du nichts, bist du doch Mitglied.

Lobet das Alte, denn das ist bei uns jetzt das
Neue.
Alt ist, wir halten dem Neuen auch wieder
die Treue.
Ach, über Nacht
wechseln die Herrn und die Macht.
Treu sind wir immer aufs neue.

Die Stützen der Gesellschaft

Mit uns ist jeder Staat zu machen,
denn wir gehören stets dazu.
Zur Freiheit wie zu Diktaturen
sind wir das Passepartout.
Wir leben und wir lassen leben –
gleich wie, gleich wo, gleich unter wem.
Uns gab's, uns gibt's, uns muß es geben
in jeglichem System.

Auf uns beruht die Macht der Macher –
wir machen schließlich alles mit.
Auf uns baut auch der Widersacher,
wenn er ans Ruder tritt.
Wir warten nicht erst auf Befehle.
Uns ist Gehorsam angeborn.
Wir laufen mit mit Leib und Seele
und bleiben ungeschorn.

Wir sind ja keine Ideologen.
Wir führen nicht, wir folgen nur.
Wenn's schiefgeht, hat man uns betrogen,
dann wechseln wir die Spur.
Opportunisten, schließt die Reihen,
und lauft mit ruhig festem Schritt.
Wir sind die stärkste der Parteien –
wir siegen immer mit!

Nachspiel in der Hölle

(Drei reuige Teufel treten auf.)

Sie haben so recht, die Brüder und Schwestern,
die jetzt so himmlisch über uns lästern –
Menschen im Osten sind Teufel von gestern.
Haben wir nicht auf die Mauer vertraut
und in ihrem Schatten rote Bete angebaut?
Statt auf den Kanzler der Deutschen zu warten,
bauten wir selbst Kohl an im ostdeutschen
Garten.
Wir wagten vor zehn Jahren nicht mal zu
ahnen,
daß die Bonner schon längst die Vereinigung
planen.
Wir glaubten in unseren östlichen Welten,
daß bei uns die Gesetze des Westens nicht
gelten.
Versuchten mit staatserhaltendem Lachen,
die Hölle auch noch bewohnbar zu machen.
Die Dichter äußerten feige Kritik
und beschönigten so noch die Republik.
Statt die Stasi bei sich selbst anzuzeigen,
übergingen wir sie mit teuflischem Schweigen,
sonnten uns täglich in Stalins Sonne
und warn allsamt Mielkes fünfte Kolonne.

Wir mieden Gefängnis und Irrenanstalt –
des DDR-Bürgers einzig rechtmäßigen
Aufenthalt.
Daß unsere Arbeit nur Zwangsarbeit war,
nicht einmal das erkannten wir klar.
Wir lasen feige *ND* statt *Spiegel* und *Bild*,
und die Mütter haben auch Mauerschützen
gestillt.
Nicht mal dem späteren Stasiknilch
verweigerten unsere Mütter die Milch.
Die Kirche lenkte ab mit Friedensgebeten,
statt aus der Hölle hier auszutreten.
Stolpe verhandelte sogar mit solchen
SED- und Staatssicherheitsstrolchen.
Fast jeder von uns kannte einen Genossen
und hat weder ihn noch sich selber erschossen.
Das ist die Schuld, die an uns klebt –
wir haben einfach so gelebt.
Hier wurden schon Kinder zum Singen
gebracht.
Ja, die kleinen Teufel haben sogar gelacht,
indes die Freiheitsglöckner im Westen
Trauer trugen zu unserem Besten.
CDU und SPD litten jahrelang
unter dem SED-Verhandlungszwang.
Und wie mußte Schmidt einst in Güstrow
büßen –
er mußte die Stasi als Volk begrüßen.
Wie viele Politiker kamen hierher
und zielten mit dem Jagdgewehr
auf Mielke, Stoph und Honecker.
Sie haben zwar seinerzeit nicht getroffen,
doch hieß uns ihr Mut doch immerhin hoffen.

Wir trachteten Honecker nicht nach dem Leben,
drum mußte ihm Kohl einen Staatsempfang geben.
Und während wir hier einen Schnitzler noch duldeten,
ahnten wir nicht, was wir Löwenthal schuldeten.
Wir haben die Linken im Westen verraten.
Drum werden sie jetzt mit uns in der Hölle gebraten.
Den Guten erkennt man an seiner Güte, den Schlechten an seiner Schlechtigkeit,
den Engel aber an seiner Selbstgerechtigkeit.

Endspiel im Himmel

(Erzengel Gabriele kommt mit dem Schwert über die Sünder.)

Mit Wonne hört der westlich Weise
der Brüder Reue-Wettgesang.
Der Teufel Reu' ist Götterspeise,
und süß schmeckt ihr Canossagang.
Der Anblick gibt uns Engeln Stärke,
macht heilig uns mit einem Schlag.
Vergessen sind die eignen Werke,
begraben bis zum Jüngsten Tag.

Schwache sind süß, denn sie fürchten die Starken. Aber fürchtet euch nicht, die Herren sind gekommen. Es reicht, wenn ihr gehorcht. Und Gehorsam verlernt sich doch nicht. Darum seid ihr auch alle versetzt – von der Grundschule der Diktatoren in die Hochschule der Demokratie. Euer schlechtes Gewissen ist unser sanftes Reuekissen. Endlich haben wir nun einen Abschnitt deutscher Geschichte, den wir uns ruhig merken können. Da gibt es auch nichts mehr zu verdrängen, denn wir Guten kommen darin nicht vor. Mit eurem Mielke arbeiten wir alle deutschen Eichmänner auf. Denn was heißt doch gleich Wiedergutmachung der deutschen Geschichte? Mit den Erichs die Adolfs austreiben.

Und einen Rechtsstaat kann man auch unter Ausschluß des Rechtsweges einführen, also im Zweifel immer gegen den Angeklagten. Das neue Recht herrscht jetzt so absolut, daß sich das blöde Volk schon wieder nach der alten Rechtlosigkeit sehnt. Am liebsten würden ja manche alles noch mal von hinten anfangen. Freiheit und Sozialismus. Aber mit dem Anfangen ist jetzt endgültig Schluß. Bloß nichts Menschliches! Ist uns fremd ... Der Markt regiert die Stunde. Die Revolutionäre von '89 können sich wieder setzen. Ja, Widersetzen ist natürlich auch erlaubt, macht sich aber nicht mehr bezahlt. Die Revolution war stürmisch, die Sieger sind nur noch windig. Alles Gute kommt wieder von oben, fällt also dem Volk auf die Füße. Daher auch der Ausdruck Fußvolk. Kopf wird mit Volk nicht in Verbindung gebracht. Die deutsche Wiedervereinigung hat ihren Höhepunkt überschritten. Wie jedes Happy-End war auch sie eben nur der Anfang einer traurigen Geschichte. Aber fürchtet euch nicht. Der Glaube kann Götter ersetzen. Die deutsche Kirche ist wieder im Dorf, und die Propheten sind unter Bergen von Stasi-Akten begraben. Wie sagte der Philosoph, als er nach Deutschland kam? Ich denke, also bin ich hier falsch.

Faust – geballt

(Drei Kabarettisten sprechen ein Schlußwort.)

Haben nun, ach! Philosophie,
Juristerei, Nuklearmedizin,
Waffentechnik und Theologie
durchaus studiert, mit heißem Bemühn.
Da stehn wir nun, wir reinen Toren,
heißen Doktoren, sind Professoren,
nannten uns Genossen gar
und machen an die zehntausend Jahr
die Augen zu, den Buckel krumm
und bringen einander zur Abwechslung um
für dünne Ideen und dicke Pfaffen
und stammen vom Menschen ab, wir Affen.
Zwar kennen wir Skrupel, zwar kennen wir
Zweifel,
doch im Ernstfall paktieren wir auch mit dem
Teufel.
Zwei Seelen wohnen – ach – in unserer Brust:
Die eine hat nie was getan, und die andre hat
nie was gewußt.
So wechseln wir gern mal die heiligen Lehren.
Uns kann man zur Kiemenatmung bekehren.
Wir sterben für Gott, für Stalin, für Geld,
für Konsummarken und für eine bessere Welt.

Wofür wir aber hier überhaupt leben,
das hat sich irgendwie noch nicht ergeben.
Das ist der Weisheit letzter Schluß,
der Mensch lebt nur, weil er leben muß.
Zum Sterben muß man uns nicht zwingen,
denn es wird uns doch gelingen,
daß die Sonne schön wie nie durchs Ozonloch scheint
und nie eine Mutter mehr eine Kernfusion beweint.
Mag die Erde verglühen, erkalten –
der Fortschritt ist nicht aufzuhalten.

Also geht heim – es bleibt alles beim alten.

Deutsch bleibt deutsch

(nach Kreislers »Wien bleibt Wien«)

Wo sind die Zeiten dahin,
als noch Diktatur war in Berlin?
Als noch der Honecker uns winkte, weil wir ihm gewunken,
als unsre Häuser noch im roten Fahnenmeer ertrunken,
als noch des guten Mielkes Auge unsern Schlaf bewachte,
und uns die Mauer sicher machte und der Krenz uns lachte,
als man's als Dissident zu zwei/drei Jahrn Gefängnis brachte,
als uns die Partei noch lenkte
und uns alles Denken schenkte –
überall war Sicherheit!
Wo ist die Zeit?

Heute sind wir fortgeschritten –
andre Zeiten, andre Sitten.
Deutsch bleibt deutsch, und das sieht man uns jetzt an.
Deutsch bleibt deutsch, weil man hier schnell vergessen kann.

Wir kenn' kein' Lenin, kein' Ho Chi Minh, nur Disziplin.
Jetzt macht man Staat als Demokrat. Statt Magistrat sagt man Senat.
Und in der Tat: Deutschsein heißt jetzt Demokrat.
Republik Deutscher Demokraten.
Was er war, weiß keiner, wenn der Deutsche das nicht will.
Die Geschichte Deutschlands heißt nun mal: April, April!
Jawoll!

Erinnern muß sich keiner, weil die Erde sich ja dreht.
Eh' wir uns erinnern, ist es sowieso zu spät.
Wir Deutschen sind schon immer so. Wir sind uns nämlich immer treu.
Das Neue ist an uns schon alt. Das Alte macht uns ewig neu.
Hitler kennt kein Deutscher, weil der ist schon lange tot.
Rot sein mag kein Mensch mehr, denn die Bösen sind ja rot.
Solang das Bier in Deutschland schmeckt,
solang die Deutsche Mark nicht fällt,
solang der Neger hier erschreckt,
wenn ihn ein deutscher Hund anbellt,
solange Deutschland uns gehört,
das heißt, solang die deutsche Frau
sich gegen Türkenschweine wehrt,
solang fühlt sich die deutsche Sau
im deutschen Manne pudelwohl.

Wir haben auch – das ist bekannt –
in Toleranz das Monopol.
Wer das nicht glaubt, kommt an die Wand.
Kommt, Leute, saufn wir noch ein' –
wir wollen nichts als Deutsche sein …

Wo sind die Zeiten dahin,
als es noch hieß: Reichshauptstadt Berlin!
Als noch der Kaiser Wilhelm uns den Ersten Weltkrieg brachte,
und als er ihn verlor, mit Sack und Pack nach Holland machte,
als dann die Luxemburg und Liebknecht dafür büßen mußten,
weil sie dem Kaiser für den Weltkrieg nicht zu danken wußten,
als dann der Führer nur zur Probe mal im Hofbräuhause putschte
und seinen Kampf schrieb und das Volk im Schlafe Daumen lutschte,
bis dreiunddreißig dann dank Hitler unser Volk erwachte
und deutsche Ordnung erst zu Haus, dann in Europa machte.
An uns wär die Welt genesen,
wärn die Juden nicht gewesen,
die auf unsre deutschen Knochen
feig nach Auschwitz sich verkrochen –
das nehm' wir auf unsern Eid.
Wo ist die Zeit?

Doch wir warn nur kurz die Bösen,
weil die andern Völker dösen.

Deutsch bleibt deutsch, weil wir immer klüger sind.
Deutsch bleibt deutsch, weil wir wieder Sieger sind.
Wir führn keinen Krieg,
denn das ist heut nicht mehr modern.
Die D-Mark ist der deutsche Sieg,
denn die sehn alle Völker gern.
Wir habn jetzt Ost-Friesland
und haben West-Pommern.
Wir habn den ganzen deutschen Braten
und sind trotzdem Demokraten.
Wir sind jetzt die Größten und die Stärksten sowieso.
Wir sind auch die Schönsten vom Gesicht bis an den Po.
Wir sind auch die Klügsten, denn wir ham das beste Geld.
Deutschland über alles, über alles in der Welt.
Jawoll!

Distel, 1992

Neujahrsansprache

Zu den wenigen ewigen Wahrheiten, die die Wende bei uns im Osten überlebt haben, nachdem alle Utopien für uns, also für immer, gestorben sind, gehört das mutige Bekenntnis zum neuen Jahr, das wir alle Jahre wieder begrüßen mit dem Ruf: »Prost Neujahr!«
Weniger feierliche Ereignisse begrüßen wir auch, und zwar mit dem nicht weniger gültigen Ruf: PROST MAHLZEIT! Das sind Worte, die wir alle noch ungestraft ausrufen dürfen, ohne in den Verdacht zu geraten, unverbesserliche Stalinisten zu sein. Wer dagegen heute noch auf Plaste und Elaste, Goldbroiler und Vollbeschäftigung herumreitet, entlarvt sich selbst als Ewiggestriger. Heute sagen wir, was immer uns auch zustößt: »Prost Mahlzeit!« Etwa wenn uns der neue Mietbescheid ins alte Haus flattert und vom Aufschwung Ost kündet.
Der Kanzler selbst hat sich in Oggersheim ein Reck auf den Marktplatz stellen lassen, um dort jeden Morgen persönlich diesen Aufschwung mit dem Gesicht nach Osten zu üben. Nein, unser Kanzler ist kein nasser Sack. Er hängt nur mit dem ganzen Gewicht seiner Persönlichkeit am Osten.
Wir indessen begrüßen von hier aus die Folgen seiner Politik mit einem dreifachen »Prost Mahlzeit!« Daß diesem Kanzler im vergangenen Jahr die Eier gleich mehrmals um die Ohren flogen, zeugt doch von der Notwendigkeit, daß bei ihm der Blauhelm endlich zum Einsatz kommt.

Als politisch vom Volk Verfolgter genießt er weiterhin Asyl in Bonn. Denn im Land Berlin werden, anders als im Land Rumänien etwa, nicht nur vagabundierende Zigeuner, sondern auch demonstrierende Politiker verfolgt und dann nach Bonn wieder abgeschoben. Sie sind inzwischen in ihr altes Sammellager, ins Wasserwerk, zurückgekehrt, nachdem man ihnen im neuen Bundestag das Wort abgedreht hatte. »Prost Mahlzeit!«, wir begrüßen das.
Wir begrüßen überhaupt alles, was aus Bonn kommt, und schlucken es. So wird aus dem Aufschwung Ost ein allgemeiner Schluckauf Ost. Ans Schlucken sind wir gewöhnt aus Diktaturzeiten. Da lassen wir uns von keinem Demokraten etwas vorschlucken. Wir lernten schlucken, ohne aufzumucken.
Auch die Gesundheitsreform haben wir geschluckt. Wir ostdeutschen Dauerpatienten finden uns inzwischen in privaten Selbstheilungsgruppen zusammen, um dort unsere Krankheiten kostengünstig zu besprechen. Den Einsatz mobiler Eingreiftruppen des Verbandes berittener Zahnärzte Deutschlands beobachteten wir mit tiefem Verständnis. Auch Zahnärzte werden schließlich nicht als Millionäre geboren. Sie müssen sich ihre Millionen erst erbohren. Wir haben doch nur Löcher. Die Zahnärzte machen was draus. Auch der Bundeshaushalt hat Löcher, aber Doktor Waigel macht sich nichts daraus. Ein Bundesfinanzminister spart nicht, er läßt sparen, und zwar von denen, die sowieso sparen müssen. Ein Sozialhilfeempfänger spart immer wieder gern. Er gehört nun mal nicht zu den Es-besser-verdient-Habenden. Wer hat, der hat nun mal besser verdient, während wer nicht hat, es auch nicht besser verdient hat. Solidarpakt kann doch nur heißen, daß die Armen im reichen Westen für die Reichen im armen Osten bezahlen. Daß es inzwischen auch im Osten immer mehr Reiche gibt, konnte

doch nur erreicht werden durch die Bereitschaft von immer mehr Armen in Ost und West, zu teilen. Armut teilt sich nun mal leichter als Reichtum. Wo nichts ist, da gibt es auch keinen Streit. Armut ist ein Glanz von innen, während Reichtum nur außen glänzt. Und Deutschlands Glanz bestand immer in seiner Innerlichkeit.

Für Notfälle steht auch der Nachfolger von Bundesfinanzminister Waigel schon fest – Alexander Schalck-Golodkowski. Er hat ein schlüssiges Konzept vorgelegt: Sanierung der Bundesfinanzen durch Verlegung der Armutsgrenze auf das Niveau von Bangladesch. Damit würde ein großer Schritt getan auf dem Wege der Annäherung der Lebensverhältnisse in Ost und West. Nach Schalcks Berechnungen könnte München bereits im Jahre 1994 den Lebensstandard von Halle/Bitterfeld erreichen.

Aber noch ist das Zukunftsmusik. Erst mal müssen die Steuern der Besserverdienenden gesenkt werden, wie das bereits mit den Einkommen der Schlechterverdienenden geschehen ist.

Bundesverkehrsminister Krause plant die Einführung der Straßenbenutzungsgebühr für Obdachlose, also ihre Verlagerung von der Straße auf die Schiene. Entsprechende Vignetten sind von den Obdachlosen an der Stirn zu tragen. Bundesinnenminister Seiters plant einen Empfang für alle Asylbewerber in Deutschland, auf dem er ihnen verkünden will: »Ich liebe euch alle!« Mielke soll schon Klage eingereicht haben wegen des Diebstahls geistigen Eigentums. Seiters hat dazu erklären lassen, in seiner Menschenliebe ließe er sich von keinem übertreffen. Zwischen dem Einsperren von Landsleuten und dem Aussperren von Ausländern gäbe es einen qualitativen Unterschied. Dieser Unterschied soll jetzt von einem Unterschieds-Untersuchungsausschuß ermittelt werden.

Ausschußvorsitzender soll Pfarrer Eppelmann werden, der jeden Ausschuß mitmacht, wenn er nur vorsitzen darf. Daß Stolpe auch das neue Jahr noch als Ministerpräsident erblickt hat, liegt nur daran, daß er Bruder Eppelmanns Rat in den Wind schlug und die Hose nicht herunterließ. Politikerhosen eignen sich grundsätzlich nicht zum Herunterlassen, das dürfte auch Eppelmann aus eigener Hose bestätigen können.

Politiker, die nichts zu verbergen haben, haben noch nicht regiert. Regieren geht ohne studieren, aber nicht ohne zu korrumpieren. Ein Schalck, wer Böses vom Kanzler weiß. Wissen allein ist Macht, aber Mitwissen macht sicher. Wüßte der Kanzler nicht, was Schalck weiß – also ohne Wissen des Kanzlers säße Schalck schon längst im Gefängnis. Mitwissen jedoch schützt vor Strafverfolgung.

Wir alle wissen ja auch, daß wir so, wie wir leben, nicht weiterleben dürfen, wenn wir überleben wollen. Aber da auch dieses Wissen ein reines Mitwissen ist, wird es – Prost Neujahr! – auch im neuen Jahr keine Folgen haben. Wir übernehmen wie unser Kanzler nur die Verantwortung vor der von ihm studierten Geschichte. Die Folgen müssen in Zukunft unsere Kinder tragen. Wir verantworten das Ozonloch nur. So richtig ausleben dürfen es erst unsere Kinder.

Was wir im einzelnen mit dem neuen Jahr anfangen, ist noch unsicher. Sicher ist nur, der Kanzler wird es für uns alle aussitzen. Frau Merkel wird ihm mit ihrem unwiderstehlichen mecklenburgischen Landmädchencharme die Füße kraulen. Rühe wird seinen Dolch weiter im Gewande tragen und uns sein Jäger-light-Latein erzählen. Krause wird die Acht-Promille-Grenze auf Deutschlands Autostraßen durchsetzen. Die Karlsruher Richter werden auf ihren Bauchnabel starren und nicht begreifen, daß auch sie einst hätten abgetrieben werden können. Nichts hinge dann heute noch

von ihnen ab. Gott schütze das geborene Leben vor denen, die nur das ungeborene schützen wollen, ohne selbst noch zeugungsfähig zu sein.
Der Papst wird in der Dritten Welt endlich den Hunger verbieten. Europa wird die Waffen liefern, um das christliche Verbot durchzusetzen. Amerika wird Ölquellen im Kampfgebiet entdecken. Das Fernsehen wird alles live übertragen – wir werden also auch im neuen Jahr die alte Welt von der ersten Reihe aus beobachten können. Prost Neujahr!

Deutschlandfunk,
Jahreswechsel 1992/93

Die Lichterkette

OE.: Entschuldigung, haben Sie mal Feuer?

N.: Ja natürlich. Schön, so eine deutsche Lichterkette, nicht wahr?

OE.: Ja, irre gut das Gefühl, das man dabei hat. Mit so einer Kerze in der Hand kann man nichts falsch machen. Die ist unpolitisch.

N.: Man steht nicht mehr so untätig rum. Man tut was für Deutschland.

K.: Wieso für Deutschland? Ich stehe hier für die Ausländer.

N.: Na ja, im übertragenen Sinne natürlich auch für die Ausländer. Damit die endlich mal ein anständiges Deutschlandbild kriegen.

OE.: Die haben doch vor lauter brennenden Asylheimen das andere Deutschland gar nicht mehr gesehen.

N.: Aber das ist ja nun vorbei. So eine Kerze stellt jeden Brandsatz in den Schatten.

K.: Aber ich stehe hier, damit keine Asylheime mehr brennen.

N.: Na, wir doch auch. Man zündet seine Kerze an, und alle wissen Bescheid – hier wird heute kein Asylheim angezündet. Irre gut, das Gefühl.

OE.: Ich konnte zum Schluß gar nicht mehr zugucken, als überall die Heime brannten.

K.: Ach, Sie haben da zugeguckt?

OE.: Na, wenn die bei uns gegenüber so ein Heim hinsetzen. Soll ich da weggucken?

N.: Also wir haben zum Schluß die Jalousie runtergelassen. Wir konnten einfach nicht mehr hinsehen.

OE: Bei so einer Lichterkette muß keiner weggucken.

N.: So ist es. Hab' ich meinem Sohn auch gesagt: Laß mal den Molotowcocktail und nimm 'ne ordentliche Kerze in die Hand. Kommst du auch ins Fernsehen.

K.: Ach, Ihr Sohn wirft mit Molotowcocktails?

N.: Na, was erlebt so ein junger Mensch denn noch, seit bei uns die Fackelzüge so in Verruf geraten sind?

K.: Was denn, Sie stellen sich hier mit einer Kerze hin, während Ihr Sohn jetzt vielleicht …

N.: Heute nicht. Heute ist Lichterkette, da hat er Stubenarrest.

K.: Sie sollten vielleicht lieber mal mit Ihrem Sohn reden, statt hier rumzustehen.

N.: Reden, reden, immer bloß reden. Wir müssen endlich was tun.

OE.: Ein Zeichen setzen, damit das Gerede über Deutschland endlich wieder aufhört.

N.: Und so eine Lichterkette kostet ja auch kaum was, aber sie rechnet sich am Ende für alle.

K.: Wieso rechnet sich eine Lichterkette?

OE.: Na, denken Sie doch bloß mal an den Export. Solange hier nur Asylheime brannten, wollten die uns doch nicht mal mehr unsre Autos abnehmen.

N.: Jetzt kaufen die auch wieder deutsche Panzer.

OE.: Und deshalb sage ich immer: Nimm die Kerze in die Hand, dann haste die Ausländer voll am Hals.

K.: Und Sie, junger Mann? Haben Sie auch eine Meinung oder halten Sie sich bloß raus?

B.: Ick halte mir nie raus. Ick bin überall, wo's brennt. (Zieht eine Brandflasche mit Zündschnur aus der Tasche.) Haben Sie mal Feuer?

Distel, 1993

Anstelle eines Nachworts

Der Radwechsel

Ich sitze am Straßenrand.
Der Fahrer wechselt das Rad.
Ich bin nicht gern, wo ich herkomme.
Ich bin nicht gern, wo ich hinfahre.
Warum sehe ich den Radwechsel
Mit Ungeduld?

Bert Brecht